GESCHIEDENIS EN CULTUUR PAPERBACKS

P.G.J. DE BOER, Alexander de Grote
DR. J.F. BORGHOUTS, Egyptische sagen en verhalen
DR. J. BUITKAMP, De geschiedenis van Israël
JOSÉ VAN DIJK, Filips II, heerser van een wereldrijk
JAAP TER HAAR, De Franse revolutie
De geschiedenis van Noord-Amerika
De geschiedenis van Rusland
Grote sagen van de donkere middeleeuwen
Koning Arthur
Napoleon
De Watergeus
JAAP TER HAAR EN DR. K. SPREY, Het Romeinse Keizerrijk
J.G. KIKKERT, Willem van Oranje
Maurits van Nassau
Frederik Hendrik
MARY MACGREGOR, De geschiedenis van Rome
De geschiedenis van Griekenland
DR. SOPHIE RAMONDT, Mythen en sagen van de Griekse wereld
HELEEN SANCISI-WEERDENBURG, Geschiedenis van het Perzische rijk
BOB TADEMA SPORRY, De geschiedenis van China
De geschiedenis van Egypte
De geschiedenis van Indonesië
De geschiedenis van Japan
C.W. VAN VOORST VAN BEEST, De tachtigjarige oorlog

DE GESCHIEDENIS VAN CHINA

BOB TADEMA SPORRY

MET TEKENINGEN VAN
AUKE A. TADEMA

NEGENDE DRUK

DE HAAN

Op het omslag: Een verguld bronzen 'Fo-hond' (Tsj'ing-dynastie) op een der binnenplaatsen van het keizerlijke paleis in Peking

ISBN 90 228 3323 2

INHOUD

Voor Truus
uit vriendschap

I

HET LAND CHINA

HOOFDSTUK I

HET LAND CHINA

Als er op de wereld één land bestaat dat als het ware geschapen is voor het doen ontstaan van een tientallen eeuwen durende beschaving, dan is dat zonder meer China. In dat onmetelijk grote gebied is door één volk een beschaving opgebouwd die omstreeks 3000 v. Chr. ontstond en nu nog altijd voortbestaat. In andere oude cultuurlanden, zoals het Tweestromenland, Egypte en India stierven de beschavingen ten gevolge van invallen van buitenaf. In China is dit eigenlijk nooit het geval geweest. Wel hadden er natuurlijk aanvallen van buitenaf plaats, maar de binnendringende volken werden op den duur meestal door de Chinezen geassimileerd. Zij namen de Chinese zeden en gewoonten over, voegden er bijzonderheden van henzelf aan toe en zetten de keten der beschaving voort.

In China was van de vroegste tijd af alles aanwezig om een grote beschaving tot ontwikkeling te brengen. Het land was vruchtbaar en er waren grote rivieren. Gebergten vormden natuurlijke grenzen om een redelijke bescherming tegen de buitenwereld te waarborgen. Bovendien was in het grootste deel van het land het klimaat zodanig, dat het de mensen hardde in plaats van dat zij, zoals in verschillende andere landen waar de natuur heel mild was, op den duur degenereerden.

De grote rivieren van China waren de voornaamste oorzaak van een beschaving. Het land langs de oevers was vruchtbaar; er was water in overvloed; men had er dus verkeerswegen toen men eenmaal zo ver was dat men communicatie ging zoeken met mensen buiten de eigen gemeenschap.

Er zijn in China drie grote rivieren. In de eerste plaats is er de Gele Rivier, de Hwang-ho, die in zijn benedenloop een reusachtige laagvlakte heeft afgezet van buitengewoon vruchtbare aarde. In deze laagvlakte stond de wieg der Chinese beschaving en daardoor is de Gele Rivier van onmetelijke betekenis voor dit land. Daarnaast echter heeft deze stroom meer onvoorstelbaar grote rampen veroorzaakt dan welke rivier ter wereld ook. Ook de

1. Zogenaamd 'kippebeen' jade: Moeder Aarde rijdend op een 'Lin', met een achtergrond van zwammen (fungus). Ming-dynastie.

Nijl in Egypte en de Ganges in India veranderden soms van een zegen in een vloek, maar zulke verschrikkingen als de Hwang-ho hebben zij hun land nooit berokkend.
De tweede grote rivier is de Yang-tse-kiang. Het is de rivier van Midden China, zoals de Gele Rivier die voor Noord China is. Voor China is de Yang-tse een veel aangenamer rivier dan de Hwang-ho. Hij is lang niet zo gevaarlijk waar het overstromingen betreft. Ongeveer de helft van de bevolking van China leeft in het stroomgebied van de Yang-tse, dat het rijkste en produktiefste deel van het land is. De Yang-tse bezit, behalve ontelbaar vele kanalen in de delta, ook een geweldig groot aantal zijrivieren die, evenals de hoofdstroom, tot ver in het land bevaarbaar zijn voor vrij grote schepen. De hele handel van Centraal China, zowel als het grootste deel van de handel van Noord en Zuid China, heeft plaats via de Yang-tse en diens zijrivieren.
De derde grote rivier is de Parelrivier of Sinkiang (West Rivier). Tot ongeveer 400 km boven Kanton is deze stroom bevaarbaar voor vrij grote schepen, maar er zijn geen zijrivieren van betekenis en de delta is lang niet zo belangrijk als die van de beide andere rivieren. Maar voor Zuid China is het de grootste rivier, en de voornaamste laagvlakte van dit gebied ligt er omheen. Aangezien het vervoer te water voor China nog altijd het goedkoopste, dús het belangrijkste is, behoort de Parelrivier tot de drie voornaamste rivieren van China.

HOOFDSTUK 2

CHINA'S VLOEK: HWANG-HO

Ongeveer eens in de honderd jaar verandert de Gele Rivier van bedding! De laatste keer dat een dergelijke verandering plaats vond was in 1938, maar daar was de rivier niet zelf debet aan. Toen trokken namelijk de Chinese legers terug voor de Japanse; de enige manier waarop ze het vege lijf konden redden was door de Hwang-ho moedwillig van bedding te doen veranderen. In 1947, toen er weer min of meer vrede was, werd de rivier naar zijn oude bedding teruggebracht. Daarna heeft de huidige communistische regering van

China een geweldig plan ontworpen – ongeveer te vergelijken met ons Deltaplan – om de rivier voorgoed aan banden te leggen door een ontzagwekkend uitgebreid systeem van dammen, dijken, kanalen, sluizen en wat er al niet meer komt kijken bij een dergelijk waterbouwkundig werk. Het zal zeker tien tot twintig jaar duren eer de uitvoering van deze plannen de Hwang-ho getemd zal hebben!
De naam Hwang-ho – Gele Rivier – heeft de stroom te danken aan de zeer grote hoeveelheid löss die door het water wordt meegevoerd. Deze löss heet in China hwang-toe of gele aarde. De rivier heeft zijn oorsprong in een moerasachtige streek in het noordwesten van China en stroomt vandaar naar de Ordos, een woestijngebied dat een soort voortzetting is van de Gobiwoestijn. Vandaar stroomt de Hwang-ho het lössgebied van Noord Sjensi binnen en begint dan dus 'geel' te worden. Hij stroomt door dat enorme lössgebied, neemt een aantal zijrivieren op en loopt ongeveer noord-zuid, om daarna weer naar het oosten te buigen. Maar dan ontmoet de rivier een gebergte, waarin hij een reusachtige kloof uitslijpt: de Toengkwan-kloof. Deze kloof kan worden vergeleken met de Cilietsische Poort in Turkije, want hierdoor vielen de nomadenhorden uit het noorden sinds jaar en dag China binnen.
Verderop stroomt de Hwang-ho door een vlakte en hier beginnen als het ware die verschrikkelijke overstromingen, die China regelmatig teisteren. In deze vlakte breekt de rivier geregeld door de dijken die hem in bedwang moeten houden. Tot 1852 bij voorbeeld stroomde de Hwang-ho vijfhonderd jaar lang naar de Gele Zee, maar na 1852 lag de monding ruim 350 km meer naar het noorden!
Deze vreselijke overstromingen, waarbij vaak in één keer miljoenen mensenlevens verloren gingen, bezorgden de Gele Rivier vele van zijn bijnamen: China's Vloek; De Ontembare; De Gesel van de Zonen van Han, om er maar een paar te noemen. De geweldige hoeveelheden löss die het water bevat waren vaak de oorzaak der overstromingen. De rivier slibt namelijk zó snel dicht, dat de dijken steeds hoger moeten worden gemaakt. Daardoor zijn er plaatsen waar de rivier hoog boven het omliggende land tussen de dijken stroomt. Komt er door te grote wateraanvoer een overstroming, dan zijn de gevolgen niet te overzien. Bij normale waterstand stroomt de rivier ongeveer vijf meter boven het land. Bij hoog water kan dat wel tien meter worden! Men heeft de dijken daarom al ver van de oever af gelegd, om het water gelegenheid te geven over een heel breed oppervlak uit te

2. De God van het Lange Leven met zijn gewone gezelschap van herten en vleermuis (veel lang leven en vrolijkheid) van witte jade.

stromen alvorens het de top van de dijk bereiken kan. Maar dit alles kan niet verhinderen dat de rivier ontembaar lijkt te blijven.
De plannen om de Gele Rivier te 'temmen' beginnen al ver bovenstrooms, waar men hem door stuwdammen wil verhinderen de erosie in het lössgebied voort te zetten door grote kunstmatige meren waarin de löss bezinken kan. Daardoor wordt de massa opgenomen slib kleiner, het dichtslibben van de benedenloop minder en dús het gevaar voor overstroming geringer. In hoeverre deze plannen in de toekomst China's Vloek tot een nuttige rivier zullen omvormen moeten de Chinezen maar afwachten...

HOOFDSTUK 3

DE ALLEREERSTE MENSEN

China is het enige land ter wereld met een beschaving die nu al onafgebroken vierduizend jaar lang duurt. Daarnaast is het ook een land waar de allereerste mensen geleefd hebben. Deze eer moet het echter delen met Java, Zuid Afrika en Algerië. Op Java werd in 1891 door Dr. E. Dubois de beroemde Pithecanthropus erectus gevonden; in 1924 in Zuid Afrika de Australopithecus; in Peking vond men in 1927 de Sinanthropus pekinensis; in Algerië kwam in 1954 de Atlanthropus voor de dag. Als allerlaatste werd door Chinese paleontologen in 1963 in de provincie Sjensi een onderkaak gevonden van een mens, die de voorlopige naam kreeg van Sinanthropus lantianensis, omdat hij gevonden werd bij Lantjen. De onderkaak was afkomstig – naar men althans aanneemt – van een oude vrouw, die aan vreselijke kiespijn moet hebben geleden omdat er alle aanwijzingen zijn van wortelvliesontsteking!
Wanneer leefden deze menssoorten, want zo mogen we ze gerust noemen, al is men vaak geneigd hen als 'aapmensen' te betitelen? Aapmensen waren het beslist niet, want er zijn bij de skeletresten stenen werktuigen gevonden die dan wel heel primitief zijn, maar toch onmiskenbare tekenen vertonen van bewerking. De ouderdom van de Sinanthropus wordt op ongeveer 300 000 jaar gesteld, ofschoon de opvattingen van de verschillende geleerden nog wel eens uiteen lopen.
De Sinanthropus werd het eerst ontdekt in de buurt van Peking, waar zich de Tsjoe-koetjen of Heuvel van de Kippebeentjes bevindt. Daar vond men onnoemelijk vele stukjes bot van iedere denkbare soort. Het waren fossielen van dieren die daar in de oertijd hadden geleefd. Men vondt er hyena's, beren, neushoorns, sabeltandtijgers, buffels, herten en nog veel meer. En temidden van al die botjes vond men twee fossiele mensetanden. Die waren van de eerste Pekingmens. Later zijn er nog meer gevonden en ook schedelresten. Een mooi mens zal het wel niet geweest zijn, want de zware beenwallen boven de ogen, het ontbreken van een voorhoofd, dat alles deed meer aan een aap dan aan een mens denken. De schedelinhoud, van 1000 kubieke cm gaf echter de doorslag. Een mensaap heeft namelijk een schedelinhoud van slechts 750 kubieke cm. De Pekingmens was dus

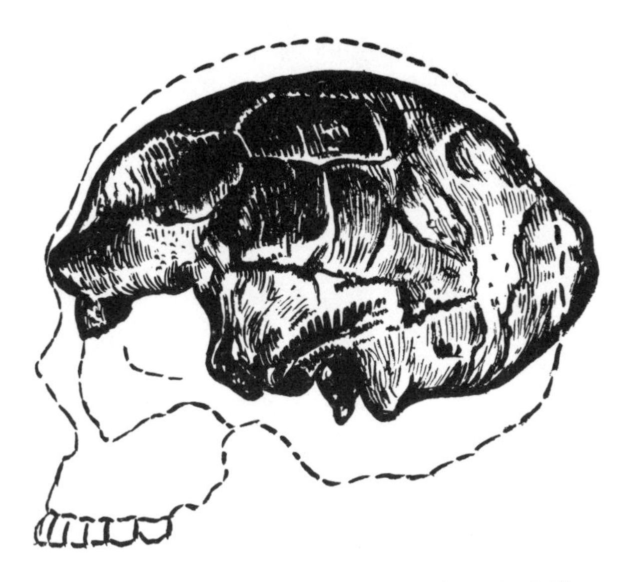

3. Schedel van de Pekingmens, vergeleken met de schedel van een moderne Noord Chinees.

wel degelijk een 'mens'. Later bleek de schedelinhoud te variëren tussen 915 en 1225 cc. Zij leefden trouwens ook als een mens. Ze woonden in de holen en grotten die zo rijkelijk aanwezig zijn in de buurt van Tsjoe-koe-tjen. Ze aten het vlees van de dieren die ze vingen; wilde paarden, herten en gazelles, maar waren soms ook kannibalen. Daarnaast zochten ze knollen en wortels, bessen en vruchten. Bovendien kenden ze reeds het vuur, want in de 'huizen' van de Pekingmens zijn grote geblakerde plekken waar haardvuren gebrand hebben. Zelf een vuur ontsteken konden ze waarschijnlijk nog niet, zodat ze zich moesten behelpen met brandende takken die ze vonden bij bos- en steppenbranden, die waarschijnlijk door blikseminslag ontstaan waren. Maar het nut van vuur kenden ze zeer zeker! Ze wisten al dat een vuur in een vochtig hol lekker warm was, het wilde dieren op een afstand hield en dat men er vlees in kon roosteren. Dit laatste is gebleken uit talloze geblakerde beenresten. Maar in onze ogen is het eigenlijk volkomen onbegrijpelijk dat deze oermensen, die vuur kenden en stenen werktuigen maakten, die op jacht gingen en voedsel verzamelden, toch *niet* spreken konden, wat uit hun schedels gebleken is. Om te kunnen spreken is namelijk een klein knobbeltje aan het kaakbeen nodig ter aanhechting van de tongspieren waarmee we spreken, dat wil zeggen articuleren, kunnen. Maar heel zeker hebben de Pekingmensen bepaalde geluiden en kreten uitgestoten, waarmee ze zich verstaanbaar maakten voor hun soortgenoten.

De Pekingmensen hebben de holen van Tsjoe-koe-tjen heel lang bewoond. Wanneer ze uitgestorven zijn weten we niet. Waardoor ze uitstierven weten we ook niet. Wie hun uiteindelijke nakomelingen waren weten we evenmin. Maar zonder twijfel kunnen we hen een plaatsje inruimen in de geschiedenis van China, al zijn ze hoogstwaarschijnlijk niet de voorvaderen van de huidige Chinezen geweest. Heel veel mensensoorten zijn immers uitgestorven zonder één spoor na te laten, eenvoudigweg omdat ze zich niet konden handhaven onder bepaalde levensomstandigheden. Maar steeds weer kwamen er andere soorten, tot daaruit uiteindelijk een mens evolueerde die zijn plaats vond in de nieuwe wereld. Dat waren zij van wie de moderne Chinees afstamt.

HOOFDSTUK 4

WAAR KWAMEN DE CHINEZEN VANDAAN?

Er ligt een geweldig tijdvak tussen de Pekingmens en de holenmens, die in Noord China tijdens het neolithicum een groot aantal grotten en holen bewoonde. Een tijdvak van ongeveer 290 000 jaar, indien we de Pekingmens op 300 000 jaar oud schatten. Die holenmens was een jager, bezat eenvoudige werktuigen en maakte vuur. Hij leefde ongeveer 10 000 jaar geleden in Mongolië en was de Pekingmens reeds een heel eind vooruit, want hij kon van steen redelijk goede werktuigen vormen en er zorgvuldig scherpe kanten aan maken door het afslaan van splinters. Deze holenmens had reeds vele kenmerken van de moderne noordelijke Chinees. In Zuid China leefde nog vóór 4000 v. Chr. een verwant soort mensen dat de voorouders was van de moderne zuidelijke Chinees.

De holenmensen van het noorden bewoonden niet alleen China, maar ook Mongolië en Mandsjoerije. Ze fokten vee en bedreven reeds een uiteraard nog heel primitieve landbouw, maar het was in ieder geval een begin. Ze hadden stenen messen, bijlen, speren en pijlen. Ze konden manden maken en hier en daar zelfs weven. Ook het pottenbakken werd door hen beoefend.

Deze eerste Chinezen – want zo mogen we hen beslist al noemen – bewoonden de vruchtbare alluviale vlakten langs de rivieren. Ze hadden er kleine nederzettingen; beviel het leven er hun niet langer, dan trokken ze weg en vestigden ze zich elders. Door de talrijke overstromingen zal dit natuurlijk vaak gebeurd zijn.

Doordat China zo reusachtig groot was en is, hadden zich hier en daar aparte rassen gevestigd die er ieder hun eigen cultuur op na hielden. Maar naarmate zij zich verder ont-

4. Kalabas, symbool van magische kracht (tauistisch), embleem van Li Tiekwai, een der Acht Onsterfelijken (zie ook tekening 64). Jade.

wikkelden kwamen zij ook met andere mensen in aanraking, en vaak smolten zulke groepen samen. De groepen die langs de Hwang-ho en zijn zijrivieren leefden verspreidden zich in de loop der eeuwen naar de vlakten langs de kust en naar die langs de Yang-tse; ze vermengden zich geleidelijk met neolitische stammen die zich dáár gevestigd hadden. Dit zou een verklaring kunnen zijn voor het feit dat alle Chinezen elkander in wezen zeer nauw verwant zijn; dat het een homogeen volk is en dat de Chinese beschaving één groot geheel is.

HOOFDSTUK 5

MENSEN EN BARBAREN

Er wordt wel eens gezegd, dat men het Chinese volk kan vergelijken met het watersysteem van een grote rivier. Dat moet men dan zó zien, dat de hoofdrivier de échte Chinezen zijn; de zijrivieren, die in de hoofdstroom uitkomen, zijn de talrijke volkeren, die in de loop der tijden met het Chinese volk zijn samengesmolten. De hoofdrivier is in deze vergelijking het oervolk van Hoea-Sjia, waarvan we heel weinig weten, dat de omwonende volkeren reeds ver vooruit was in kennis en kunnen. Ze bezaten een schrift en ook in alle andere opzichten waren ze verre de meerderen. Geen wonder dat de Chinezen dan ook een scherp onderscheid maakten tussen 'mensen' – het volk van Hoea-Sjia – en 'barbaren' – allen die niet tot hen behoorden.

Er leefden heel wat van die barbaarse volkeren in een kring om de selecte groep van Hoea-Sjia! De voornaamste van deze volkeren waren: in het westen de Tsj'iang, wat Geitenmannen betekent, die de voorvaderen waren van de Tibetanen; in het zuiden de Man, die verder ontwikkeld waren dan de noordelijke stammen, want zij kenden reeds de zijdecultuur; in het noorden de Ti, een nomadenvolk dat reeds met herdershonden werkte; en ten slotte in het oosten de Yi, wier voornaamste wapen pijl en boog was. Van deze volkeren waren de nomaden uit het noorden het meest gevreesd.

In latere eeuwen doen de Mongolen, die reusachtige gebieden in het noorden overheersten, hun invallen in China. De Mongolen hadden alle andere nomadenvolken aan zich onderworpen en vormden voor China een geducht gevaar. Nu waren er twee manieren om deze Mongolen enigszins in bedwang te houden: men kon tegen hen vechten en hen – althans tijdelijk – terugdrijven; maar men kon hen ook op diplomatieke wijze aan zich binden. Sterke keizers kozen de eerste, zwakkere heersers de tweede methode. Meestal bestond de diplomatieke oplossing hierin, dat men keizerlijke prinsessen naar het noorden zond als bruiden voor de woeste Mongoolse aanvoerders. Deze oplossing werkte een samensmelting van 'mensen' en 'barbaren' in de hand, want de prinsessen werden begeleid door hofhoudingen en stoeten bedienden, die zich in het verre noorden vestigden. Aangezien ook in die tijd al snobisme bestond en de Mongolen terdege voelden dat de Chinezen hen in ontwikkeling verre de baas waren, namen zij de Chinese gewoonten en opvattingen

5. *Jade vleermuis, symbool van geluk en lang leven.*

maar al te graag over. Niemand wil ten slotte voor een barbaar versleten worden als men met enige moeite voor een mens kan doorgaan!
De eerste samensmelting van het Hoea-Sjiavolk met vreemde volkeren had plaats in de derde eeuw v.Chr.; de tweede viel gedurende de Han-dynastie, van de derde tot ongeveer de zesde eeuw. Een derde grote vermenging had plaats toen de Mongolen China binnenvielen. Zo groot was hun macht dat ze zelfs een dynastie konden stichten, de Yuan-dynastie, die bijna een eeuw regeerde.
Ten slotte voegden ook de Mandsjoes hun bloed aan dat van de Chinezen toe. Zij stichtten de Tsj'ing-dynastie, het laatste Chinese keizershuis, waaraan in 1911 een einde kwam. De Mandsjoes kwamen uit Mandsjoerije en beschikten over een redelijke beschaving. Maar op hun beurt kwamen ook zij onder de betovering van de Chinese cultuur en werden daardoor geassimileerd. Tegelijk drongen zij er bij andere volken op aan – bij voorbeeld de Tibetanen – dat men niet beter kon doen dan de 'Chinese way of life' aan te nemen. Aangezien de Chinezen geen rassendiscriminatie kenden kwam de vermenging gemakkelijk en soepel tot stand door huwelijken tussen de Chinezen en de importstammen.

HOOFDSTUK 6

DE BASIS VAN CHINA'S LEVEN

Toen de legendarische heerser Sjen-noe de landbouw 'uitvond' zal hij wel nooit gedacht hebben, dat hij daarmede de basis legde voor China's economie. De beschaving van China is gebasseerd op de landbouw; de uitbreiding van de grenzen in de loop der eeuwen dankte men aan de landbouw, want altijd was er nieuw bouwland nodig voor de steeds groeiende bevolking. Toch bestaat lang niet het grootste deel van China uit voor landbouw geschikt terrein. Een groot deel – denk bij voorbeeld aan de Gobiwoestijn – is totaal ongeschikt voor iedere vorm van landbouw. Verder beschikt China over een reusachtige oppervlakte aan bergen en bergketens.
Het grote landbouwgebied van China omvat achttien provincies. Het noorden wordt begrensd door de woestijn; de zee is de oostelijke grens en bergen sluiten het gebied verder in. Het woestijngebied wordt in hoofdzaak bevolkt door veehoeders die geen echte Chinezen zijn. Om deze nomaden tegen te houden werd in de derde eeuw voor onze jaar-

telling de Grote Muur gebouwd; nog altijd is deze barrière merkwaardig genoeg de grens tussen landbouwers en veeboeren.
Omdat er zo ontzaglijk veel mensen moesten bestaan van de landbouw op een betrekkelijk beperkt gebied, is de Chinees van de vroegste tijden af een uitstekende boer geweest. Hij werkte onvoorstelbaar hard; veertig eeuwen brachten hem een ervaring bij die weinig volken zullen evenaren. Om landbouwgrond vierduizend jaar en langer vruchtbaar te houden is grondvernieuwing regelmatig nodig. Men had echter de grote rivieren, die door de geregelde overstromingen zorgden voor nieuwe lagen verse grond. Tevens gebruikte – en gebruikt men nog steeds! – de mest van dieren, maar vooral ook van mensen. Groenbemesting is ook al heel lang bekend. Door het zoeken naar steeds nieuw landbouwgebied werd China in de loop der tijden op een verschrikkelijke manier ontbost, terwijl woestijnvorming in de hand werd gewerkt door de onvoorstelbare erosie. De huidige regering doet dan ook alles om door herbebossing de schade van tientallen eeuwen te herstellen.
In een land zo groot als China, waar in het noorden de winters door het landklimaat zeer streng zijn, terwijl het zuiden zuiver tropisch is, loopt de landbouw wat produkten en methoden betreft natuurlijk heel sterk uiteen. In het noorden is tarwe de hoofdvoeding; in het centrum en het zuiden de rijst. Maar één ding hebben alle Chinezen gemeen: ze drinken allemaal thee! Vanaf de achtste eeuw voor onze jaartelling is de thee een van de voornaamste landbouwprodukten geweest. Van Hankou in het noorden tot Kanton in het zuiden werd en wordt thee uitgevoerd, die in hoofdzaak groeit in Centraal China, al zijn er ook kuststreken waar men thee kan plukken. Voor Tibet, Rusland en de diepe binnenlanden van Azië heeft men een speciaal soort thee. Voor de mensen die daar leefden en die voor hun aanvoer afhingen van karavanen maakte men een soort bakstenen van thee, die gemakkelijk te vervoeren waren zonder schade aan het produkt. Men perste vochtige theeblaadjes in de vorm van bakstenen en liet die drogen. De nieuwe tijd voegde aan China's oude landbouwprodukten nieuwe toe: katoen, bonen, jute, tabak, apenoten, suikerriet en dergelijke. Alleen één ding veranderde nooit: het harde werken, de vele oogsten per jaar en de vlijt van de Chinese boer.

6. Lotusbloemen en -bladeren van witte jade, zowel een tauistisch als een boeddhistisch symbool.

HOOFDSTUK 7

HET MAATSCHAPPELIJK LEVEN

We hebben gezien dat China vanaf de vroegste tijden een landbouwgemeenschap was. Nog altijd vormen de boeren een reusachtige macht en het ziet er niet naar uit dat dat ooit zal veranderen. De boeren maken ongeveer 85% van de bevolking uit. Van de resterende 15% is de helft stadsbewoners; de andere helft heeft direct en indirect met de landbouw te maken als bewoners van marktplaatsen.

Oorspronkelijk bestonden naast elkaar landbouwers op de lössgronden en nomaden in de heuvels en de moeraslanden. Door het uitbreiden van de landbouw van het noordwesten naar het noordoosten werden langzamerhand ook de nomaden sedentair.

Oorspronkelijk lagen voor de in de prehistorie heel geringe bevolking de landbouwgebieden ver uit elkaar. Dat was zelfs in de zevende eeuw v. Chr. nog het geval, maar toen was het feodale systeem van de Tsjou-dynastie er de oorzaak van. De keizer beloonde zijn vazallen met enorme gebieden, die zij op hún beurt weer uitdeelden als leengronden aan graven, baronnen en andere edelen. En omdat een edelman ten slotte niet zelf zijn grond kan gaan bewerken, maar meer voelt voor het militaire handwerk ten gunste van zijn leenheer, verpachtte hij op zijn beurt de grond aan boeren. Het land kon *nimmer* verkocht worden, zodat de grootgrondbezitter in die tijd onbekend was.

Met de ondergang van de Tsjou-dynastie (ongeveer 250 v. Chr.) kwam er een einde aan het feodale systeem. Voortaan had men persoonlijk grondbezit, waarmee men vrij kon handelen. Daarmee was het grootgrondbezit op het toneel verschenen, want nu kon iedere rijke man zijn kapitaal in grond beleggen. Dit systeem duurde tot 1949 voort. Voor de boeren brak een benarde tijd aan, want zij die grond in handen kregen behoorden tot de bevoorrechte klassen, waartoe ook de ambtenaren gerekend moesten worden. In hun handen lag het hele belastingsysteem en zij 'hadden het oor van de keizer', iets waar geen ongeletterde en totaal onontwikkelde boer tegenop kon.

In deze toestand, waarin de boeren werkelijk niets te verliezen hadden en ze meestal met hun rug tegen de muur stonden, was een rijke voedingsbodem aanwezig voor opstanden en oproeren. In het jaar 18 had men bij voorbeeld de 'Opstand van de Rode Wenkbrauwen'; in het jaar 200 de 'Opstand van de Gele Tulbanden' en zo nog heel wat andere. De bekendste boerenopstand in moderner tijden was de 'Taiping Opstand', die duurde van 1848 tot 1864. Tweeduizend jaar lang zijn de Chinese boeren regelmatig in opstand gekomen en

7. Sterk gestileerde draak met een patroon van 'rijstkorrels'. Han-dynastie.

meestal was een of andere vreselijke natuurramp de oorzaak: overstroming of misoogst; of het waren menselijke oorzaken: hongersnood of te hoge belastingen.
Landhervorming werd dan ook altijd gezien als het enige redmiddel en wijze mannen tijdens de Han-, de T'ang-, de Soeng-, de Ming- en de Tsj'ing-dynastieën hebben er zich altijd het hoofd over gebroken. Hoe sterk de boeren de onrechtvaardigheid van hun lot voelden blijkt wel uit een oud lied over de edelen:

Gij zaait niet. Gij oogst niet.
Toch bezit gij de opbrengst van driehonderd boerderijen!
Gij jaagt niet. Gij drijft het wild niet.
Toch hangen er dassenpelzen in uw binnenhoven!

HOOFDSTUK 8

HET FAMILIELEVEN

Wij in het westen vinden het al mooi als we ons geslacht een paar eeuwen terug kunnen volgen, maar in China legt men heel andere maatstaven aan. Bijna *alle* families kunnen bogen op een naam die vele eeuwen teruggaat in de historie. De oorzaak hiervan is de boer weer. Die leefde van geslacht op geslacht op dezelfde plek en leverde mondeling de namen van de voorvaderen over aan hen, die na hem kwamen. Het 'gezin' in China is een ruimer begrip dan wij gewend zijn. Wij noemen een 'gezin': de ouders met de kinderen; in China komen daar de grootouders plus broers en zusters bij. Er wonen in één huis dus verscheidene van 'onze' gezinnen bij elkaar.
Het hoofd van een Chinees gezin is de stamvader; zijn oudste zoon volgt hem in de regel op. Onder bepaalde omstandigheden kan dat ook een meer geschikte jongere zoon zijn. Ten slotte is niet iedere man voor patriarch in de wieg gelegd! Oudere mensen genieten groot aanzien; de jongeren moeten eerst maar eens bewijzen wat ze waard zijn.
In een boerengemeenschap is het noodzakelijk dat de familie een hecht geheel is en dat iedereen meewerkt. De voorouderverering is een machtig wapen om het geheel te beschermen, met daarnaast het confucianisme om er geestelijke waarde aan te geven.
Confusius heeft de menselijke verhoudingen uiterst zorgvuldig omschreven: ,,Als ieder mens de juiste plaats inneemt en zijn rechten en plichten op de juiste wijze opvat, is er vrede in het land. Laat de heerser de heerser zijn; de minister de minister; de vader de vader en de zoon de zoon.'' Dan zullen ook de juiste vormen van mensenliefde kunnen bloeien: de ouders zullen vriendelijk zijn; de kinderen zullen hun ouders liefhebben; de broeders zullen broederliefde tonen; de gehuwde paren zullen elkander trouw zijn. Ten slotte groeit uit deze vorm van liefde-in-het-gezin de liefde-voor-de-gemeenschap, met alles wat dat impliceert. De voorouderverering heeft in China van de vroegste tijd bestaan en de voorouder die het hoogste vereerd werd was natuurlijk de stamvader, die zich

8. Vroege vorm van een jade draak met ingekraste motieven. Han-dynastie.

vestigde op een bepaalde plaats waar nadien het gehele geslacht bleef wonen. In geen enkel opzicht is de dood in staat de band met de gestorvenen te verbreken. Doden zowel als levenden blijven deel uitmaken van het geslacht. Daarom bezit iedere familie een klein schrijntje waar de vooroudertabletten staan opgesteld, waarin hun geesten huizen. Op het tablet, meestal een houten plankje, staan de naam, het geboorte- en het sterfjaar van de overledene. Dagelijks wordt er wierook geofferd voor de tabletten. Daarnaast zijn er ook ceremonieën bij de graven zelf, die altijd met veel liefde onderhouden worden.

HOOFDSTUK 9

VOOROUDERVERERVING

De vooroudervererving, die in China een zo opvallend verschijnsel is dat het hele leven er sinds eeuwen van doordrenkt is, vond zijn oorsprong in een oeroud verleden. Wijzen als Confusius hoefden er eigenlijk alleen op voort te bouwen. We vinden de vooroudervererving al tijdens de Sjang-dynastie. In die vroege tijd kunnen we reeds spreken van een volkomen georganiseerde samenleving van boeren en edelen. Omliggende staten betaalden tribuut in de vorm van natura: kostbare stenen, hennep, hout, zijde, edele metalen, huiden, vis en andere dieren, en nog veel meer. Er was een keizer, die het Mandaat des Hemels ontvangen had. Er was een Oppermacht, die zijn wensen doorgaf via een lange rij mindere godheden. Er waren weliswaar nog geen tempels en geen afgodsbeelden, maar er bestonden wel reeds altaren om offerandes te bregen. Er waren grote feesten bij zaaien en oogsten en ook de principes van 'yin' en 'yang' bestonden reeds. Een van de belangrijkste eigenschappen die een goed mens behoorde te bezitten was de kinderlijke vroomheid, wat inhield dat men een grote veneratie had voor hen die waren voorgegaan: de voorouders. Voor de Chinees is de dood niet het schrikbeeld, dat deze voor vele moderne

9. Kom van witte jade met op de binnenkant vijf vleermuizen (de Vijf Vreugdes) en in het midden het symbool voor een lang leven (Sjo-merk).

mensen is. Geboorte, leven en dood vormden voor hen een logische gang van zaken; ná de dood ging het leven verder in een andere vorm. Vandaar dat men zich innig verbonden bleef voelen met de voorouders en dat men deze verbintenis in stand hield met offers en het betuigen van eerbied. De doden stonden het Opperwezen veel nader dan de levende mensen en hadden dan ook een grote invloed op het leven van hun nabestaanden. We moeten wel goed begrijpen, dat er geen sprake was van het *aanbidden* van de voorouders zoals wel eens abusievelijk gedacht wordt. Het blijft bij *vereren*. Het verwaarlozen van de gedachtenis aan de voorouders was een onvoorstelbaar kwaad; minstens even erg was het om geen nakomelingen te hebben.

Bij de begrafenis werd van alles meegegeven om de dode in het hiernamaals een aangenaam leven te waarborgen, in overeenkomst met zijn stand en afkomst. Eten en drinken, wapens, sieraden, wagens met paarden, maar ook gedode dienaren werden tijdens de Sjang-dynastie meegegeven. Deze mensenoffers werden echter tijdens de Tsjou-dynastie reeds afgeschaft. Niemand zou het echter in zijn hoofd halen om iets belangrijks te ondernemen zonder de voorouders te raadplegen. Hiervoor gebruikte men zogenaamde orakelbeenderen: vaak schouderbladen van schapen en andere dieren, al dan niet gegraveerd met orakelspreuken. En liep zo'n onderneming gelukkig af, dan was dit weer een gelegenheid om een mooi bronzen vaatwerk te laten gieten; het werd dan voortaan gebruikt voor rituele handelingen bij de voorouderschrijn.

De namen der voorouders werden vermeld op platen van hout of steen, die in de voorouderschrijn waren ondergebracht. Bij bepaalde gelegenheden werden er offerandes en diensten gehouden.

HOOFDSTUK 10

WERKERS MET HOOFD EN HAND

Wie in China met zijn hoofd werkte genoot heel wat meer aanzien dan zij die het van hun

10. Witte jade hanger met gestileerde vleermuizen.

handen moesten hebben. Het Chinese volk kende maar twee klassen: de hoofdwerkers en de handwerkers. Deze laaste waren weer verdeeld in kooplieden, kunstnijveren en boeren. De boeren waren wat men noemde 'de wortel', de handel was 'de tak'. Ze konden niet buiten elkaar en bestonden door elkaar. En zoals dat in een goede boerengemeenschap behoort was de wortel heel wat belangrijker dan de tak.
Dat de ambtenaren uit de hoofdwerkers werden gekozen spreekt vanzelf. Als een bevoorrechte klasse genoten de hoofdwerkers dan ook bepaalde privileges. In de dorpen werden uit hun kringen de bestuurders gekozen en zo hadden ze grote invloed op het platteland. Ze mochten dan al niet échte politieke macht bezitten, ze konden toch heel wat bereiken door hun relaties.
De werkers met de hand hadden weer een ander soort macht: die van de massa. Uit hun midden stammen dan ook de talloze geheime bonden die te allen tijde in China talrijk waren als zandkorrels. Oorspronkelijk ontstonden zulke geheime bonden uit ontevredenheid met bestaande toestanden; door honger of te hoge belastingen. Dan trokken de boeren weg en werden vogelvrij verklaard. Daardoor ontstonden gevaarlijke roversbenden, die door iedereen gevreesd werden wegens hun genadeloze wreedheid en hun grote macht. Meestal vonden ze wel een vogelvrije uit de stand der hoofdwerkers; die werd dan hun leider. Ze ontdekten dat er nog wel andere bronnen van inkomsten waren dan alleen maar roof: ze maakten vals geld, ze groeven mijnen zonder vergunning, of ze hakten hout, wat ook niet mocht. Met hun boze daden verdienden ze genoeg geld om ambtenaren te kunnen omkopen en op die manier konden ze soms een macht bereiken, die hen in staat stelde een einde te maken aan een dynastie en China van een nieuw keizershuis te voorzien. Een heel beroemde geheime bond was in het noorden van China die van de Witte Lotus; deze stelde zich ten doel de Mongolen van de Yuan-dynastie te verdrijven; in het zuiden van het land had men de Hung Bond, die bij voorbeeld eens tot doel had de gehate Mandsjoes te verdrijven. Deze bond koos in 1911 partij tijdens de revolutie van Dr. Soen Yatsen; ook in de tweede wereldoorlog speelde de Hung Bond een belangrijke rol, namelijk in het ondergronds verzet tegen de Japanse bezetting.
Zoals bij geheime bonden behoort onderhield men het contact tussen de leden met geheimzinnige tekens, met dure eden, met onbegrensde beloften van trouw. Vaak ook was zo'n bond zuiver religieus; dan speelden initiaties, ingewikkelde riten, vreemde ceremonieën en duistere gebeden de hoofdrol. Dat er daarnaast ruimschoots gebruik werd gemaakt van geheimschrift, wachtwoorden, mystieke symbolen en dergelijke is ook niet vreemd.

II

REGERING EN WET

HOOFDSTUK II

DE EERSTE DIENAAR VAN DE STAAT

De keizer van China mocht dan wel Zoon des Hemels heten, hij was tegelijkertijd de eerste Dienaar van de Staat. Zijn macht verkreeg hij via een mandaat van de hemel en alleen zijn goede gedrag was in staat dit mandaat te waarborgen. Mishaagde de keizer op één of andere manier de hemel, dan was het afgelopen met zijn heerschappij.
In heel vroege tijden meende men, dat er ergens in het universum een soort Opperwezen aanwezig was dat het menselijk lot in handen hield. Dit Opperwezen, dat op zijn tijd goede regens of kwade overstromingen en droogteperiodes zond, stond echter veel te hoog om zich persoonlijk met de mensen te bemoeien. Om zijn bedoelingen duidelijk te maken

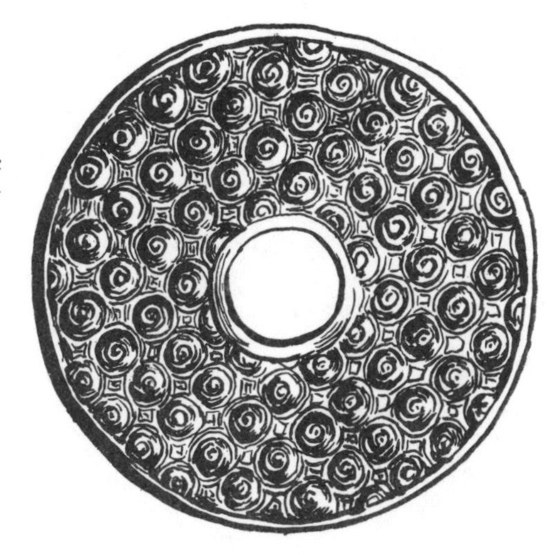

11. 'Pi', rituele figuur voor de hemel; een stuk grafjade, versierd met slapende zijdewormen. Tsjou-dynastie.

was er het keizerlijk huis, dat als intermediair optrad. Misdroeg echter een keizer zich dan verviel daardoor zijn hemelsrecht om het Opperwezen te vertegenwoordigen.
Het Opperwezen behoorde niet bij een bepaald volk, maar bij alle volkeren tegelijk. De wil van het Opperwezen was de wil van het volk. Zo kon men dus gerust zeggen dat het *volk zelf* regeerde en niet de keizer. Was het volk het niet langer eens met de wijze waarop een keizer meende met het hemelse mandaat te kunnen omspringen, dan zat er niets anders op dan gebruik te maken van het recht tot revolutie, of om op geweldige schaal een boycot in te zetten. Hadden revolutie en boycot succes, dan kwam er een nieuw keizersgeslacht aan de beurt. Een nieuwe keizer kreeg het mandaat des hemels en kon aan zijn volk laten zien wat hij ervan terechtbracht. Was hij een wijs man, dan begreep hij wat er van hem verwacht werd: heersen met de goedkeuring van de geregeerden, dat wil zeggen van het volk zelf. Want staat er niet geschreven: ,,De Hemel ziet met de ogen van het volk en hoort met de oren van het volk''?
De keizer die deze uitspraak steeds voor ogen hield kon rekenen op een geslaagde regering.

HOOFDSTUK 12

DE KEIZERLIJKE REGERING

Aan keizer Woe van de Han-dynastie (140–86 v. Chr.) wordt de eer toegekend de basis te hebben gelegd voor het regeren door een keizer zoals in China bijna 25 eeuwen gewoonte is geweest. Maar ook reeds vóór keizer Woe kende men die regeringsvorm, zij het in een meer primitieve vorm.
Er is een groot verschil tussen de Chinese keizerlijke regering en die van enig Europees land. De Chinese keizer regeerde niet zozeer door wetten als wel door een soort code van zedelijkheidsnormen en gewoonten. Van de keizer werd verwacht dat hij een voorbeeld was – en dan het volmaaktste voorbeeld! – voor zijn volk. Confusius heeft de plichten van de keizer heel kort en bondig samengevat. Het belangrijkste van alles was, dat de keizer het volledig vertrouwen van zijn volk bezat. In de tweede plaats moest hij zorgen voor voldoende voedsel. In de derde plaats voor voldoende bewapening, opdat geen vijand van buitenaf het volk kon schaden.

12. 'Tsoeng' van geelbruine, zogenaamde grafjade. Symbool voor de aarde. Samen met een vorm van de 'Pi' (zie tekening 11) (Sjuan-tsji) vormt dit blok een astronomische kijker. Op de Pi zijn dan bepaalde sterrenconstellaties aangegeven. Met deze instrumenten zijn geslaagde proeven gedaan om astronomische data vast te stellen. In gebruik vanaf de Sjang-dynastie.

De koning werd 'Zoon des Hemels' genoemd en beschouwd als de vader van zijn volk. Om dat vaderschap te kunnen uitoefenen diende hij te beschikken over een reusachtig ambtenarendom van 'hoogstaande mannen'. Titels en autoriteit ontvingen deze mannen uit handen van hun keizer. Het idee van een keizer die de vader van zijn volk was, berust natuurlijk op de geweldig belangrijke positie die in het Chinese gezin de vader inneemt. De voornaamste van de 'hoogstaande mannen', zij die onmiddellijk onder de keizer stonden, waren natuurlijk de ministers die tevens een raad van advies voor hun heerser vormden, want ten slotte kan men zelfs van een zoon des hemels niet eisen dat hij van alle problemen van zijn land en volk volkomen op de hoogte is. Heel belangrijke besluiten omtrent militaire zaken, politiek of het aannemen en ontslaan van de hoge ambtenaren nam de keizer aan de hand van hun advies.
Gedurende de Han-dynastie kende men reeds naast elkaar een burgerlijke en een militaire administratie, die streng gescheiden waren. Met de ontwikkeling van het enorme land ging men inzien dat er veel meer administratie-afdelingen moesten komen, zoals voor het maken van wetten, voor paleiszaken en het schrijven van de geschiedenis (waaraan men heel veel waarde hechtte).
Tijdens de Han-dynastie was men de mening toegedaan, dat de beste keizer diegene was 'die het minst regeerde'; een merkwaardige opvatting, maar een die precies paste in de Tauistische opvattingen van die tijd: géén actie is veel beter dan véél actie. Het volk was onderworpen aan de heerser; de heerser was op zijn beurt onderworpen aan de hemel. De keizer was dan wel oppermachtig over zijn volk, maar de hemel oordeelde over hém, en had hij het te bont gemaakt dan toonde de hemel zijn boosheid door vreemde natuurverschijnselen: maans- of zonsverduisteringen, kometen en dergelijke. Een dergelijk natuurwonder was dan ook vaak voldoende om verbeteringen in de regering tot stand te doen komen. Zij die de natuurverschijnselen moesten interpreteren waren sterrenwichelaars, die behoorlijk op de hoogte waren van de politieke toestanden. Tijdens de Han-dynastie werd ook een raad van censoren ingesteld, die de taak had minder brave ambtenaren op de vingers te tikken als zij het niet te nauw namen met wetten en eerlijkheid, of als er sprake kon zijn van wangedrag. Zij konden echter ook de keizer en zijn ministers wijzen op door hen begane fouten en administratieve vergissingen, en ze konden de ministers ook straffen opleggen. Zij brachten de keizer op de hoogte van klachten uit het volk, en mocht hijzelf zich onjuist gedragen dan konden zij zelfs de keizer berispen! Dat de macht van de censoren reusachtig was laat zich indenken.
Het land werd per provincie geregeerd; de provincie was een eenheid op zichzelf. Oorspronkelijk waren er 36 provincies, maar aan het einde van de Han-dynastie waren het er al 103. De provincies waren onderverdeeld in districten. Ze hadden alle gelijke rechten, betaalden belasting en riepen door conscriptie mannen op voor militaire dienst. De provincies hadden ook het recht hun eigen kandidaten te kiezen voor ambtenarenexamens: één kandidaat voor iedere 200 000 mannen. De districten, die ook een redelijk groot zelfbestuur hadden, zonden jaarlijks hun rapporten naar de provincie met statistieken van geboorte en dood (dat was dus al een soort volkstelling lang vóór het jaar 0!), de belastingen, de rechtzaken, de opvoeding en nog veel meer. Jaarlijks kwamen er inspecteurs uit de dertien gebieden, waarin China voor een doelmatige controle verdeeld was, om te zien wat er eventueel niet in orde was in de provincies.
Aan het hoofd van een provincie stond een goeverneur, een man van groot aanzien en nog

grotere macht. Uit hun rangen werden de mannen gekozen, die de heel hoge betrekkingen aan het keizerlijk hof vervulden. Mocht een van hen het op den duur tot minister brengen dan had hij de hoogste post van het keizerrijk bereikt!

HOODSTUK 13

WETGEVING: 'LI' EN 'FA'

Confusius had geen hoge opvatting van de grote waarde van wetten. In dat opzicht dacht hij als alle Chinezen. Hij was van mening dat een volk, dat men moet regeren met wetten en welks gedrag wordt geregeld door straffen, alleen maar zou proberen die straffen op alle mogelijke manieren te ontduiken. Ze zouden dus niet goed zijn uit overtuiging, maar alleen omdat dat het veiligst was, en tengevolge daarvan zou hen ieder schaamtegevoel gaan ontbreken. Maar een volk dat geregeerd wordt op basis van hoge moraal zou zijn schaamtegevoel ontwikkelen en dus vanzelfsprekend een goed leven leiden. Die hoge moraal werd dan bepaald door de 'li'.

Deze 'li' is niet gemakkelijk te omschrijven. Het is een soort erecode die stamt uit het feodale tijdperk. Oorspronkelijk was de li bedoeld voor de adel die ver boven het gemene volk verheven was. Voor dat volk was er een ander systeem, namelijk de 'fa', een stelsel van wetten dat hén in het gareel moest houden, omdat zij naar het oordeel van de adel van een erecode niets zouden kunnen begrijpen! Het is een van de vele verdiensten van Confusius geweest, dat hij het volk hoog genoeg aansloeg om te vinden dat ook voor hen de li moest gelden.

Dat er voor de aristocraten een erecode bestond was heel begrijpelijk. Tussen hen en het volk gaapte een niet te overbruggen kloof. Daarentegen was de adel onderling, zowel hoog als laag, met elkaar vermaagschapt. In de loop der tijden hadden zich bepaalde zedelijke normen ontwikkeld, waaraan een beschaafd mens zich had te houden.

De hoge adel bemoeide zich nooit met het volk, dat men waarschijnlijk niet eens zag. Ze

13. Ceintuurornament, gesneden uit twee lagen witte jade met als motief een 'luchtdraak'.

droegen het regeren op aan de lage adel, die een stelsel van wetten en straffen uitvond om het volk in toom te houden.
In de loop der eeuwen werd dit stelsel van li en fa natuurlijk aangevallen. De wijze Lau-tse was van mening dat ,,... hoe meer wetten en edicten er komen, hoe meer dieven en bandieten er zullen ontstaan''. Maar de grote rechtsgeleerde Han Fei-tse uit de derde eeuw was het daar helemaal niet mee eens! Het was allemaal goed en wel om te zeggen, dat een keizer alleen mocht regeren indien hij als mens hoog boven ieder uittorende, maar dat was toch wel een enorm risico. ,,Maak de beloningen groot en de moeite waard'', zei Han Fei-tse, ,,dan zal iedereen naar zo'n beloning streven. En maak dan tegelijk de straffen zó zwaar, dat iedereen er bang van is. Daarnaast moeten de wetten simpel zijn en gelijk voor iedereen van hoog tot laag, opdat iedereen deze zal kunnen begrijpen. Laat de keizer dus rijkelijk belonen en genadeloos straffen.''
Aangezien ook in China de gulden middenweg altijd voorrang genoot, kwam het tot een samenwerking tussen li en fa. Confusius, die van mening was dat de mens van nature goed is, zag het nut van wetten en straffen wel in, maar plaatste zonder meer gelijkheid en rechtvaardigheid verre boven de letter van de wet. Maar al is de mens goed, dat wil natuurlijk niet zeggen dat hij volmaakt is! Daarom doet de mens er goed aan de vier voornaamste deugden aan te kweken. Die vier deugden zijn: liefde tot zijn medemens; gevoel voor rechtvaardigheid; gevoel voor fatsoen, en wijsheid. Aangezien iedere mens deze deugden in principe zijn aangeboren moeten de te vervaardigen wetten ermee in overeenstemming zijn.
Het Chinese volk werd echter liever geregeerd volgens tradities en ingewortelde gewoonten, dan volgens wetten waarvan men weinig begreep. Het arbitragesysteem genoot verre hun voorkeur. Waarom zou je met processen beginnen als door rustig praten de zaak geregeld kan worden? was hun mening en als regel werkte dit systeem uitstekend. Kon men het niet eens worden dan was er altijd het gerechtshof nog. De rechtspraak was uiterst simpel. Advocaten kwamen er niet aan te pas. Verdachten werden gearresteerd, zo nodig gemarteld om hen te doen bekennen; ten slotte werd de straf opgelegd, die naar onze mening meestal buiten verhouding streng was. Corruptie onder de gerechtsambtenaren maakte de zaak er soms niet beter op; vandaar dat men zich driemaal bedacht eer men tot een proces zijn toevlucht nam.
De man die beschouwd wordt als de eerste wetgever was de hertog van Tsjou, door Confusius beschouwd als dé modelstaatsman. Hij was een zoon van de eerste keizer van de Tsjou-dynastie: Wen. Volgens de traditie stelde hij een soort geschreven erecode samen op basis van li. Hieraan werden later talrijke zaken toegevoegd naarmate de opvatting betreffende li met de tijden veranderde. Er waren drie boeken betreffende li. Het eerste heette Tsjou-li en was dus afkomstig van de befaamde hertog. Het tweede heet Li-Tsji en stamt uit de tijd van de Han-dynastie. Het derde heette Yi-li en is uit de tijd van Confusius, die de drie boeken op zijn duimpje kende.
Pas in 1911 werd er gebroken met het oude stelsel en ging men inzien dat er een nieuwe wetgeving moest komen. Men ging hierbij uit van het westerse systeem van een duidelijk omschreven stel wetten. In 1927 begon men met het samenstellen van een aantal totaal nieuwe 'codes'.
Het communistische regime heeft deze weer ongeldig verklaard en er nog eens een nieuw systeem voor in de plaats gesteld.

HOOFDSTUK 14

DE VERSCHRIKKELIJKE EXAMENS

Wie in China iets wenste te bereiken op het gebied van administratie of regering stond maar één weg open: het examen. En onze eigen eindexamens zijn maar kinderspel vergeleken bij wat een jonge Chinees had te weten en te kunnen, wilde hij ooit in aanmerking komen voor een ambtenaarsbetrekking!

De examens, waardoor heel China op zijn kop kwam te staan, hadden eenmaal per jaar plaats. Met een kans van 1 op 100 om te kunnen slagen moest een kandidaat heel wat in zijn mars hebben! Dit examensysteem werd ingevoerd in 165 v.Chr. en bleef in gebruik tot 1903! Wel waren er geregeld vernieuwingen, bij voorbeeld in de 12de eeuw, toen de filosoof Tsjoe-Sji aan de hand van de leerstellingen van Confusius een en ander moderniseerde.

Een kandidaat moest achtereenvolgens drie examens afleggen om tot de klasse der manderijnen te kunnen toetreden. Dat kostte hem dus drie jaren. Het derde examen vond in de hoofdstad plaats en was beslissend voor zijn carrière. Alleen zij die hiervoor slaagden – en dat waren er van het oorspronkelijke aantal maar een bedroevend klein beetje! – mochten beginnen aan de eindeloze klim op de ladder der ambtenarij.

Aangezien men niet voornaam of rijk behoefde te zijn om examens af te leggen, alleen zeer intelligent en bovenal vasthoudend als een terrier, kwam er door dit examensysteem een einde aan de bevoorrechte positie van de aristocratie. Niet langer was een hoge geboorte belangrijk om in het leven vooruit te komen, maar wel kennis en grote ontwikkeling op het gebied van de kunst. Het kwam er op neer, dat iemand alleen maar ambtenaar kon worden als hij onder andere kon dichten en schilderen of tekenen! Daardoor waren er heel wat ambtelijke kunstenaars en kunstzinnige ambtenaren.

14. Perzikbloesem met in het hart een Yin en een Yang, de symbolen van het universele leven (zie ook tekening 31).

III

DE CHINESE TAAL

HOOFDSTUK 15

HET CHINEES IS NIET EENVOUDIG

Als er één taal het uiterste van een leerling vergt is dat wel het Chinees! Voor het verzenden van codetelegrammen alleen staan 10 000 karakters ter beschikking! Men is geneigd zich af te vragen hoe een Chinees ooit zijn eigen taal onder de knie krijgt...
Chinees is de taal die op de wereld het meest gesproken wordt, want een kwart van de wereldbevolking bestaat uit Chinezen. In het land zelf spreekt 95% van de bevolking het. Het Chinees is een van de vijf officiële talen van de United Nations en ná Chinees wordt op de wereld het meest Engels gesproken.
De taal der manderijnen – men zou het ook hoog-Chinees kunnen noemen – geldt als de officiële taal. Een soort 'algemeen beschaafd Chinees' dus. Voor een niet-Chinees is de taal nauwelijks foutloos te leren omdat de uitspraak zo moeilijk is. De betekenis van een woord hangt af van de klank der klinkers. Een voorbeeld? Het woord 't'ang' met een vlakke en hoge a betekent soep. Wordt die a nog wat hoger van klank dan betekent hetzelfde woord suiker. Spreekt men de a op lage toon uit dan betekent t'ang: gaan liggen;

15. Bronzen 'dier' met geometrische versiering. Ongeveer 4de eeuw v. Chr.

maar laat men die a lopen van hoog naar laag dan betekent het warm of heet. Woorden die op dezelfde wijze geschreven worden, betekenen al naar de hoogte of laagte van de toon totaal andere zaken, die zelfs niets met elkaar hebben uit te staan.
Ook de klemtoon is van heel groot belang. Deze kan de betekenis van woorden en zinnen totaal veranderen. Over het geheel genomen kunnen we zeggen, dat het Chinees bestaat uit korte lettergrepen, die op zichzelf reeds woorden zijn. De grammatica is vrij eenvoudig en op zichzelf niet moeilijk. Het komt in hoofdzaak op de juiste uitspraak neer.

HOOFDSTUK 16

DE GEHEIMZINNIGE KARAKTERS

De eerste schrifttekens of karakters om het Chinees te kunnen schrijven waren illustraties voor dingen en begrippen. Dergelijke tekens vinden we op heel oude beenderen en stenen, die gebruikt werden voor orakeluitspraken. Ze stammen ongeveer uit de 18de tot 12de eeuw vóór onze jaartelling, een periode waarin de Sjang-dynastie regeerde.
De ontwikkeling van de taal ging in hoofdzaak via de klanken; veel minder via de manier van schrijven van een woord. Toch zijn er duidelijke verschillen te onderscheiden. Tijdens de Tsjou-dynastie (1122?–256 v. Chr.) zijn er al duidelijke verschillen met de vroegste karakters. Tijdens de Tsj'in-dynastie (221–206 v. Chr.) werd de taal door de Eerste Keizer gestandaardiseerd tot wat men de 'kleine-zegel-karakters' noemt. Deze schrijfwijze wordt nu nog gebruikt.
Voor het drukken van boeken en periodieken maakt men gebruik van een vrij eenvoudig

16. Stempel van steatiet, overdekt met waterdraken, vissen, krabben, kreeften, schildpadden, padden, eenden, lotusbladeren en een vliegende draak met een paviljoen in de wolken. K'ang-sji.

model karakters. Het handschrift is meestal cursief. Om het Chinees wat te vereenvoudigen heeft men in onze tijd een soort fonetische spelling met latijnse letters ingevoerd, waarbij men de klanken zoveel mogelijk benaderde. Maar hierbij stuit men op grote moeilijkheden. Het Chinees wordt in het zuiden bij voorbeeld heel anders uitgesproken dan in het noorden. Sterker nog, een Chinees uit Peking die naar Kanton gaat zal een tolk nodig hebben om de Kantonnezen te kunnen verstaan. Men zou dus daar een heel andere manier van fonetisch spellen nodig hebben dan voor het noorden. Dit alles werpt veel problemen op, die voor een regering niet eenvoudig zijn op te lossen. En daarom geeft men nog altijd de voorkeur aan de mooie, oude karakters.

HOOFDSTUK 17

ZONDER ZEGEL BEN IK NIEMAND

Zoals in vele Europese landen een mens zonder een of ander identificatiepapier géén mens is, zo is het bestaan van een Chinees, die boven de 'koelieklasse' uit is gekomen, zonder zijn zegel, dat tegelijk identificatie en ornament is, ondenkbaar. Met dat zegel zet hij zijn handtekening; aan dat zegel ziet men wie en wat hij is. Nu bestaan er in grote lijnen twee soorten zegels. De belangrijkste zijn de identificatiezegels, waarin de familienaam en de voornaam gegraveerd staan. De familienaam staat natuurlijk altijd vast. Met de voornaam is het wat ingewikkelder gesteld, omdat een Chinees meer dan één voornaam kan hebben. Hij krijgt er bij zijn geboorte één mee van zijn ouders, maar het is aan hém om later te besluiten of hij die al of niet gebruiken zal. Het staat hem dan volkomen vrij om een

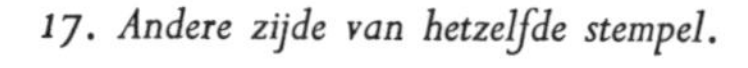

17. Andere zijde van hetzelfde stempel.

heel andere voornaam te kiezen; of zijn vrienden kunnen hem er één geven die past bij zijn aard en karakter. Déze voornaam komt echter nooit op het identificatiezegel te staan. Een derde soort voornaam die er ook nooit op komt is een soort dat wij niet kennen. Deze kan bij voorbeeld een literaire verwijzing zijn naar zijn oorspronkelijke, door zijn ouders gegeven voornaam. De twee laatste soorten voornamen worden gebruikt op het tweede, het ornamentzegel. Op dit zegel komt de familienaam weer zelden voor. Het is dus een zuiver persoonlijk ding; het betreft de *persoon* van de drager. Zij die veel gebruik maken van het ornamentale zegel zijn uiteraard de kunstenaars. Die signeren heel zelden met hun familienaam, die hen nu eenmaal wettelijk aankleeft, maar die niets met aard, karakter of geestelijke instelling te maken heeft. Wel zegelen zij altijd met het ornamentale zegel, dat wij als het ware hun geloofsbrief kunnen noemen. Maar een kunstenaar is een gevoelige mens met veel stemmingen.
Om die stemmingen en gemoedstoestanden ook nog mee te delen heeft hij aparte stempels. Kunstenaars met vijftig tot honderd stempels zijn dan ook helemaal geen zeldzaamheid! Velen gaan zelfs zó ver voor ieder kunstwerk een apart zegel te laten snijden, omdat zij van mening zijn dat alleen op die manier hun persoonlijk beleven bij de schepping van het kunstwerk is weer te geven. Bovendien kan een kunstenaar ook nog zegels hebben met de naam van zijn geboortestad, zijn huis of atelier, enzovoort...
Niet alleen de particulier, maar ook allerlei instellingen hebben zegels; de hoogste tot de laagste instantie drukt een rood stempel op allerlei paperassen. De keizer zelf bezat natuurlijk de mooiste en vaak de grootste zegels. Keizer Tsj'ien-loeng van de Tsj'ing-dynastie had er bij voorbeeld één van meer dan twintig centimeter in het vierkant. Het hanteren van dergelijke blokken steen zal wel heel wat mankracht vereist hebben! Verder hadden ook de diverse hallen van het paleis een eigen zegel. Tempels en bibliotheken, groot en klein, openbaar of privé, gebruikten zegels, evenals winkels, fabrieken en grote landgoederen. Het oudste bekende zegel was een keizerlijk zegel van prachtige jade met als knop een draak. De tekst luidde: ,,De langlevende en illustere keizer door het bevel des

18. De 'Perziken der Onsterfelijkheid', behoedt door een kraanvogel, de boodschapper der goden. Witte jade.

hemels". Dit zegel was zo kostbaar dat het een keizerlijk erfstuk werd. Daarnaast had de keizer ook zegels om mensen in de adelstand te verheffen; om pacten te sluiten; om vonnissen te bezegelen en nog veel meer.
Zegels kunnen van allerlei materialen gemaakt zijn, maar bij voorkeur natuurlijk van iets moois en solieds. Heel vroege zegels waren van hout, dat echter al spoedig werd vervangen door de veel meer geëigende steensoorten: jade, bergkristal, amethist, speksteen (goedkoop) of marmer. Vaak nam men ook ivoor of metaal, zoals brons.
Hoé belangrijk de zegels waren blijkt wel uit het volgende verhaal. Het zegel van Hoeangti bleef bestaan tot het jaar 936. In dat jaar moest keizer Fei-ti zich overgeven aan de Tsj'in-dynastie. Maar liever dan het kostbare zegel in handen van de gehate vijand te geven verkoos de keizer mét het zegel de dood in de vlammen van zijn brandend paleis!

HOOFDSTUK 18

DE GROTE DICHTERS

Een van de opvallenste kenmerken van de Chinese literatuur is de nauwe samenhang met de filosofie. Beide ontstonden praktisch tegelijkertijd: in de 9de en 8ste eeuw v. Chr. 'Literatuur' betekende in die tijd letterlijk: geleerdheid en ontwikkeling. Vaak waren dichters ook filosofen; beroemde filosofen schreven verzen en mooi proza. Confusius heeft dit duidelijk uitgedrukt: ,,Als men zijn woorden niet heel goed beheerst zal men het niet ver brengen''. En onder de beheersing van het woord verstaat men dit: met zo weinig mogelijk woorden zoveel mogelijk zeggen en daarbij een zeer zuivere stijl bezitten. Dat is zeker géén gemakkelijke opgave.
De dichters van China sloten zich niet op in ivoren torens, integendeel. Ze zochten elkaars gezelschap, kenden elkanders werk en kwamen vaak bijeen om over literatuur te spreken. En al kon noord en zuid elkaar niet verstaan in de gesproken taal, in het geschreven woord vonden ze elkaar, want dat bleef gelijk.
De Chinezen hebben de literatuur in verscheidene categorieën ingedeeld. In de eerste plaats zijn er de klassieke werken. Hieronder verstaat men echter iets anders dan wij. *Niet* de allergrootste literaire werken vallen hieronder, maar wel de oudste. Ze zijn hoofdzakelijk geassocieerd met het confucianistische denken, want men nam aan dat Confusius grote delen van oude schrifturen gebruikte voor zijn leringen.
Een paar van die klassieke werken zijn: de Sji-tsjing, een verzameling gedichten; de Sjiautsjing, het klassieke werk over de kinderlijke vroomheid ten opzichte van de voorouders. Alles met elkaar zijn er dertien klassieken, die van enorme invloed zijn geweest op het Chinese denken en de Chinese literatuur.
Het *drama*, waartoe ook de opera gerekend wordt, ontstond pas in de 13de eeuw uit het straattoneel en is altijd geweldig populair geweest, ook thans nog. Serieuze literatoren slaan het drama niet hoog aan, omdat het vaak geschreven werd in alledaagse taal!

Wat men wel zeer hoog achtte waren allerlei soorten *geschiedkundige werken*, en dit in de ruimste zin van het woord; reisbeschrijvingen en biografieën vallen ook hieronder. In de 2de eeuw vóór onze jaartelling was reeds een historisch werk geschreven: het Sji-tsji van Szoe-ma Tsj'ien. Hierin werden alle mogelijke oude legendes verwerkt tot en met de tijd waarin de schrijver leefde. In aansluiting hierop schreef Pan Koe (32–92) zijn *Geschiedenis van de Han-dynastie*. Sinds die tijd begon men van iedere keizerlijke dynastie een min of meer getrouwe historische beschrijving te maken. De laatste hiervan verscheen in 1928. In totaal zijn er 25 standaard-geschiedschrijvingen.
De *dichtkunst* neemt een zéér belangrijke plaats in. Gedichten zijn er op ieder denkbaar terrein. Ze kunnen zedepreken bevatten of de liefde bezingen; er zijn realistische en romantische gedichten; men vindt zowel lyriek als ballades. De gouden tijd van de Chinese dichtkunst valt tijdens de T'ang-dynastie (618–907), want het lijkt of er in die eeuwen meer dichters in China leefden dan ooit er voor of er na. Onder hen is Li Po (ook wel Li Taipo genoemd), zonder enige twijfel de allergrootste. Veel van zijn verzen zijn in de moderne talen bewerkt.
Van echt vertalen kan men bij een Chinees gedicht niet spreken. De gepenseelde karakters zijn niet te vertalen; men kan hoogstens de bedoeling, de geest ervan weergeven en dat dan nog maar gebrekkig.
Li Po was een onversaagde en zeer vrij denkende geest. Eerst was hij een graag geziene en zeer geëerde gast aan het hof, maar hij viel in ongenade en leidde lange tijd een zwervend leven. Volgens de legende zou hij verdronken zijn toen hij na het gebruik van teveel wijn – Li Po was een groot liefhebber van een stevig glas en wijdde er enige van zijn mooiste verzen aan – trachtte de weerkaatsing van de maan in het water te omhelzen. Een aantal van Li Po's verzen werden door de componist Gustav Mahler gebruikt in zijn *Lied von der Erde*.
Een latere dichter was Loe Yoe, die tijdens de Soeng-dynastie (960–1279) opwindende, patriottische liederen schreef, omdat in zijn tijd China onder de voet dreigde te worden gelopen door invallende horden. Ook de *roman* vond in China grote aftrek, zo zeer zelfs, dat men heden ten dage in pocketuitgave nog beroemde romans leest als bij voorbeeld de *Droom in de Rode Kamer*. Het zijn geweldig dikke werken met een heel ingewikkelde intrige, veel romantiek en veel heldendaden van een groot aantal hoofdpersonen. Die romans waren oorspronkelijk alleen toegankelijk voor hen die lezen konden. De grote massa van het volk stelde zich tevreden met wat verhalenvertellers ten gehore brachten.
In China had men niet alleen schrijvers, maar ook schrijfsters. De zuster van Pan Koe, de man die de *Geschiedenis van de Han-dynastie* schreef, werkte hieraan daadwerkelijk mee. Zij heette Pan Tsjau. De vrouwelijke auteurs bewogen zich in hoofdzaak op het gebied van de liefde, en heel merkwaardig is dat de Chinese dichters hun liefdesverzen gingen schrijven vanuit het vrouwelijke standpunt gezien, zodat het vaak leek of ze van dichteressen afkomstig waren. Maar voor verzen over kameraadschap en vriendschap koos men de manlijke vorm!
De moderne tijd heeft ook in China veranderingen in de literatuur gebracht. Met name de Amerikaanse dichter Walt Whitman heeft grote invloed op de moderne Chinese schrijvers gehad, dat wil zeggen die buiten China. Naast de moderne vormen blijft echter de traditionele dichtvorm gehandhaafd, onder andere door Mau Tse-toeng, die voortreffelijke verzen heeft geschreven.

IV

KUNST

HOOFDSTUK 19

VIERDUIZEND JAAR KUNST

De vierduizend jaar oude beschaving van China is misschien het beste van alles in de kunst terug te vinden. Het woord 'kunst' moeten wij dan in de uitgebreidste betekenis van het woord zien. Niet alleen de beeldende, ook de auditieve kunst bloeide in China. Voor ons westerlingen is de Chinese muziek, vaak ook het Chinese toneel, moeilijk te begrijpen. De literatuur, vooral in de vorm van de roman, is naar onze smaak vaak te lang en te ingewikkeld. Met de beeldende kunsten hebben we echter heel wat minder moeite, want die kunnen wij volkomen appreciëren, zelfs al missen wij meestal het begrip van de diepe innerlijke betekenis van de vele symbolen en voorstellingen.

Om iets van de Chinese kunst te kunnen begrijpen moeten wij één ding goed in het oog

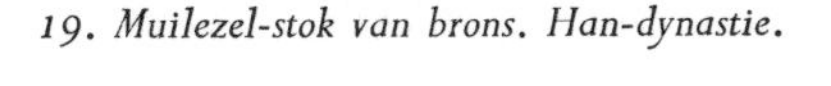

19. Muilezel-stok van brons. Han-dynastie.

houden: voor de zeer kunstgevoelige Chinees was de kunst in welke vorm ook *nooit* een luxe – wat bij ons maar al te vaak het geval is – maar een noodzakelijkheid waar men moeilijk buiten kon. De kunst was er niet alleen voor de meer ontwikkelden. De kunst in de vorm van vaak perfecte vormgeving vond men ook in de talloze kleine voorwerpen voor dagelijks gebruik als borden, rijstkommen, theepotten en dergelijke. Pas de komst van de goedkope en niet al te fraaie westerse produkten, die vaak het handgevormde Chinese produkt verdreven, bracht een breuk in de oude traditie.
Geen enkel land ter wereld kan bogen op een kunst, die zonder enige onderbreking vierduizend jaar lang bleef voortbestaan en zich ontwikkelde. China, met zijn voor de buitenwereld afgesloten beschaving, was dit geluk beschoren; misschien juist daardoor is deze kunst tot op de dag van vandaag zo door en door 'Chinees' gebleven.
Natuurlijk had China als alle andere staten tijden van grote bloei, afgewisseld met tijden van verval, maar de grote lijn bleef in alle kunstuitingen toch altijd behouden en zag kans zich steeds weer te vernieuwen, óók door invloeden van buitenaf.
Gemeten naar de maatstaf van de duur der Chinese kunst heeft het lang geduurd eer deze doordrong in het westen en daar waardering vond. Wél hadden de Romeinen reeds zijde uit China. Wél vertelde Marco Polo de wonderlijkste – vaak niet of weinig geloofde – verhalen over wat hij in China aan onvoorstelbare schoonheid gezien had. De échte waardering kwam echter pas toen de Europese schepen het Chinese produkt, en dan vooral het porselein, naar Europa voerden, waar men versteld stond van de perfectie van de afwerking, de prachtige kleuren en de wondermooie vormen.
Omdat de kunst zich in China op zoveel verschillende terreinen heeft bewogen zullen we die apart moeten behandelen. We beginnen dan met de meest typerende van de Chinese kunstuitingen: de schilderkunst.

HOOFDSTUK 20

DE KUNST VAN DE LEEGTE

Om de Chinese schilderkunst te kunnen begrijpen en ervan te kunnen genieten moeten we eerst iets weten van de principes die eraan ten grondslag liggen, want die verschillen nogal wat van de onze. In de eerste plaats heeft men al die eeuwen de hoogste waarde toegekend *niet* aan de gekleurde afbeelding, maar aan de zwart-witte. Verdere maatstaven die men aanlegde waren: de compositie, de inspiratie, de techniek (penseelvoering) en de stemming waarin de kunstenaar zich bevond toen hij werkte, een stemming die duidelijk aanwezig moet zijn in de schildering.
Een beroemde schilder uit de Soeng-dynastie heeft zo duidelijk als maar mogelijk is gezegd, in welke gemoedstoestand een kunstenaar zich moet bevinden om een schildering (*niet* een schilderij!) van volmaakte schoonheid op zijde of papier aan te brengen: ,,Alleen wanneer ik rustig terneer zit, in vrede met de wereld ben en alle zorgen uit mij verdre-

20. Winterlandschap in de bergen,
zogenaamde 'handrol'. Ming-dynastie.

ven zijn, kan ik in de stemming komen om mooie lijnen te begrijpen, om voortreffelijke gedachten te hebben en om de daarin gelegen subtiele gevoelens te verstaan. Datzelfde geldt ook voor de schilderkunst. Als ik daarvoor open sta; als ik in volmaakte overeenstemming ben met mijn omgeving en volmaakte samenwerking heb bereikt tussen geest en hand, dan begin ik vrijelijk en met de grootste ervaring mijn penseel te gebruiken, zoals de hoge standaard van de kunst dat eist."

We zien hieruit wel dat er een enorm verschil bestaat tussen het 'rotzooien' van de moderne kunstenaars – en dit woord wordt hier gebruikt zoals zij dat zélf bedoelen: we schilderen er maar op los, zowel in goede als in kwade betekenis – en de zeer beheerste werkwijze van de Chinese kunstenaar. Het was voor een Chinees schilder onmogelijk om 'zomaar' even een schildering te maken. Hij moest er zich geestelijk geheel op voorbereiden. Maar dan speelde voor hem de tijd waarin de tekening ontstond ook geen belangrijke rol. We zien dit heel duidelijk in de schilderingen van een zeer grote moderne Chinese kunstenaar, Sjoe Peihung, wiens prachtige paarden ook in ons land bekend zijn. Hij kon drie dagen lang naar waterbuffels kijken, *alleen maar kijken*, en hun vormen in zich opnemen en anders niet. Geen schetsen, geen foto's, niets! Maar in zijn geest absorbeerde hij iedere lijn van die zware lichamen, de houdingen, de bewegingen, de kleur. En de volgende dag penseelde hij in de tijd van een *half uur* de meest perfecte afbeelding van waterbuffels, waarin met

een minimum aan lijn en kleur een maximum aan effect en een volmaakt begrip van het dier werd weergegeven. Niet *een* waterbuffel werd weergegeven, maar *de* waterbuffel. Voor de Chinees moet een schildering geen verhaaltje vertellen, maar deze moet een idee, een begrip uitbeelden. En het is dan ook geen toeval dat er in China abstracte kunst bestond eeuwen voordat wij daaraan zelfs maar begonnen te dénken. Dat brengt de in China ten hoogste gewaardeerde kalligrafie met zich mee. Nu moeten we onder kalligrafie beslist niet begrijpen schoonschrijven! De Chinese kalligrafie, die beschikte over een schier eindeloos aantal karakters van onnavolgbaar schone vorm, was een modus om met een minimum aan middelen een maximum aan geestelijke diepte uit te beelden. Een Chinees gedicht bij voorbeeld kan met een handjevol karakters iets zeggen, waarvoor wij twaalf versregels nodig hebben om het zelfs maar te kunnen benaderen!
Grote kalligrafen zijn in China altijd hogelijk gewaardeerd en iedereen van enige ontwikkeling kent hun namen. Merkwaardig genoeg is een van de moderne grootste kunstenaars op dit gebied, volkomen afgezien van zijn politieke antecedenten, Mau Tse-toeng, die ook een groot aantal zeer gevoelige en fijnzinnige gedichten heeft geschreven die niets met politiek te maken hebben.
De Chinese schilderkunst kent zes punten die een criterium vormen voor iedere schildering. Ze werden uitgevonden – indien we dit woord hier mogen gebruiken – door Sjie-ho, een beroemde schilder uit het einde van de 5de eeuw. Het was geen bedenksel van Sjie-ho zelf. Hij formuleerde echter met concrete woorden wat altijd in de Chinese schilders geleefd had. De zes punten zijn:

1 De inspiratie die het geheel harmonie en geestelijke diepte geeft
2 De techniek van de penseelstreken
3 De weergave van het onderwerp
4 De passende kleur
5 De compositie, de perspectief en de indeling
6 De studie en het kopiëren van de oude meester.

Vooral nummer zes zal ons vreemd voorkomen. Voor de Chinees is het echter iets heel gewoons. Er schuilt voor hem niets minderwaardigs in om te trachten een oude meester te benaderen. Integendeel, hij kan er alleen maar van leren!
De nummers één en twee spreken voor zichzelf. Nummer drie moet zó worden opgevat, dat het *niet* gaat om een levensechte, om niet te zeggen fotografische weergave van het onderwerp, maar om het weergeven van de geestelijke inhoud. Wat de 'kleur' betreft, ook dit begrip is ruimer dan bij ons. Onder kleur verstaat men ook de zeer subtiele graduaties van de Chinese inkt, die lopen van het diepste gitzwart tot het bleekste parelgrijs. Alleen een groot kunstenaar kon in simpel zwart-wit kleur suggereren, zodat de westerse aanschouwer van een Chinese schildering soms ineens tot zijn grote verbazing merkt dat er geen spikkeltje kleur te bespeuren valt!
De Chinese schilder werkt op papier, het zogenaamde rijstpapier dat echter uit lompen wordt gemaakt, of op zijde. Het papier is zo absorberend dat correctie van gemaakte fouten totaal onmogelijk is. Iedere penseelstreek moet dus volmaakt zijn. Hetzelfde geldt voor zijde. Men ziet dus hóe belangrijk de techniek voor de schilder is.
In China is al in heel vroege tijden geschilderd. Volgens de traditie is de kunst uitgevon-

21. Bamboes van de vrouwelijke artiest Kwan Tan-sjeng. Ongeveer 1200.

den door de legendarische Gele Keizer. Ook weer volgens de traditie zouden de eerste portretten – 'Negen Beroemde Keizers' – zijn aangeboden aan keizer T'ang van de Sjang-dynastie. Gedurende de Tsjou-dynastie zouden wandschilderingen zijn gemaakt van – hoe kan het anders? – draken en tijgers.

De hoogste bloei van de Chinese schilderkunst werd bereikt gedurende de Soeng-dynastie (960-1127). Er ontstond toen een 'moderne' schilderkunst, nadat allerlei vreemde invloeden van buitenaf volkomen waren geassimileerd. Intellectueel en materieel had China een heel hoge standaard bereikt. Enige beroemde schilders uit die tijd zijn Koeo Sji, bekend om zijn prachtige landschappen; Szoe-ma Kwang die tevens een zeer groot staatsman was; Wen Toeng die volmaakt het wezen van de bamboe kon uitbeelden; keizer Hoei-tsoeng die vogels, dieren en bloemen kon schilderen als de beste.

De schilderkunst bleef zich ontwikkelen en verjongen gedurende alle volgende dynastieën. In een land als China, waar zelfs keizers en een paar keizerinnen beroemd waren om hun vaardigheid met het penseel, bleef de eerbied en de liefde voor de schilderkunst altijd bestaan. Merkwaardig is, dat waar de vrouw in de westerse schilderkunst slechts een zeer geringe rol speelt, in China alleen al tijdens de Ming-dynastie 34 beroemde schilderessen met naam en jaartal bekend zijn! Datzelfde zien we ook tijdens de Tsj'ing-dynastie. Een merkwaardige vrouw uit die tijd was de beroemde Tsj'en Sjoe (1660-1736), die niet alleen dag in dag uit de mooiste schilderingen maakte, maar die ook nog haar man bijstond in zijn vele officiële functies én haar vier kinderen – drie zoons en een dochter – zo goed opvoedde tijdens de veelvuldige afwezigheid van haar echtgenoot, dat ze later zeer hoge posities in het maatschappelijk leven konden innemen.

In China nam de schilderkunst zo'n belangrijke plaats in dat het een van de hoofdvakken was voor de mandarijnenexamens! Wie niet een behoorlijke penseeltekening kon maken kon naar Chinees gevoel geen goede regeringsambtenaar zijn. Naar onze mening een merkwaardige eis! Maar het wordt begrijpelijker als men de Chinese instelling kent: een mandarijn moet iemand zijn van zeer hoge geestelijke ontwikkeling op ieder gebied; daardoor was het mogelijk voor zeer begaafde, maar niet bemiddelde jongemannen om de buitengewoon zware examens af te leggen. Dat er vaak merkwaardige toestanden ontstaan is te begrijpen wanneer men weet dat de gezakten ieder jaar weer onvervaard examen konden doen. Zo kon het voorkomen dat in één familie grootvader, vader en zoon tegelijk examen deden!

We noemden de Chinese schilderkunst in de titel van dit hoofdstuk: de kunst van de leegte. De leegte, dus het *weglaten* is een van de moeilijkste facetten van het schilderen. Alleen dát wat absoluut noodzakelijk is, wat niet gemist kán worden, moet worden afgebeeld. Vandaar dat Chinese schilderingen – en we hebben het hier natuurlijk alleen over de werkelijk goede – zo'n luchtige en ruime indruk maken. Dat is het meest essentiële van de Chinese schilderkunst: dat men met een minimum aan middelen een maximum aan geestelijke waarde uitbeeldt. En dat is haast een onvoorstelbaar zware opgave!

HOOFDSTUK 21

CHINESE SYMBOLIEK

Misschien is de Chinese kunst daarom wel zo levend omdat deze niet bedoeld is om 'mooi' te zijn, maar in de eerste plaats om iets te vertellen aan de aanschouwer! Iets met een diepe geestelijke inhoud. Ieder stuk Chinese kunst is als het ware doordrenkt van symboliek. Voor ons is het meestal heel moeilijk die symboliek te begrijpen, of om zelfs maar te zien. Enige kennis ervan helpt ons echter al een heel eind op weg. Een van de aangenaamste eigenschappen van de Chinese symboliek is dat deze nooit boosaardig is. Nooit werd een voorwerp gemaakt dat boze machten bezat. Van alle gebruikte symbolen – en dat zijn er heel wat, beslist teveel om ze allemaal te verklaren – is de *t'ai tsji*, de oorsprong van alle dingen, het oudste. Deze is samengesteld uit twee elementen: het manlijke en het vrouwelijke, of zoals de Chinezen deze noemen: de *yang* en de *yin*. In de yang liggen alle positieve en actieve elementen als de zon, de hemel, de manlijkheid en het licht. In de yin daarentegen zijn alle passieve elementen verenigd: de vrouwelijkheid, de maan, de zachte duisternis en de aarde.

Dan kende men in China vier heilige dieren: de draak, de feniks, de schildpad en de eenhoorn. Van deze vier is de draak voor ons wel hét symbool van China. De draak is dan ook zeer machtig en bestaat in vele vormen. Zo vinden we de hemeldraak Loeng die voor regen zorgt; Liau de bergdraak; Li de zeedraak. Het is dan ook geen wonder dat de draak het dier van de keizer was, zoals de feniks dat was van de keizerin. De keizerlijke draak bezat – hoe kan het anders – de meeste klauwen. Hij had er vijf. De draak van vorsten en mandarijnen had er vier. Omdat de draak ook in de hemel kon huizen is hij degene die de verlangde regens zondt en daarmee de lente na de lange, bittere winter. Hij regeert dan ook

over het oosten. De zachte feniks daarentegen heerst over het zuiden, brengt dus de warmte en laat zich alleen maar zien als er vrede is in het land.
De schilpad, die zo verschrikkelijk oud kan worden, werd voor de Chinezen vanzelfsprekend het symbool van een lang leven. Hij regeerde over het noorden en bracht de winter. Ten slotte was de eenhoorn het dier dat in verband stond met de herfst en over het westen regeerde. Wij kennen allemaal de vier elementen. De Chinezen hebben er echter vijf: de aarde, de metalen, het hout, het vuur en het water. Dit getal vijf komen we vaak tegen: de *vijf* zintuigen, de *vijf* planeten, de *vijf* soorten graan, enzovoort.
Dan zijn er de twaalf symbolen van macht en autoriteit, de *Oude Symbolen*. In de zon bij voorbeeld ziet men de yang, het scheppend principe. Dat de haan bij de zon behoort spreekt vanzelf. Minder vanzelfsprekend voor ons gevoel is de verbinding van de maan – de yin of het ontvangend principe – met een haas, die het levenselixer mengt. Maar eigenlijk maakt het niet veel verschil of men in de vlekken op het maanoppervlak een mannetje ziet of een haas!
Nog een paar interessante symbolen zijn: de waterplanten die meegeven met de bewegingen in het water en die er ons op wijzen, dat we moeten meegaan met de veranderende tijden; de vlammen die metaal doen smelten en het voedsel koken; de bergen die wolken en regen zenden en die ons doen begrijpen wat vasthoudendheid en kracht betekenen. Natuurlijk hebben de Chinezen ook de tekens van de dierenriem, één voor iedere maand, maar het zijn allemaal dieren: rat, os, tijger, haas, draak, slang, paard, geit, aap, haan, hond en beer. Daarnaast hebben tauisten en confusionisten ieder hun eigen symbolen, maar het zou ons te ver voeren als we die allemaal gingen uitleggen. De aardigste hiervan zijn de Acht Onsterfelijken van de tauisten. Het zijn allemaal min of meer historische figuren die in zekere zin het menselijk leven symboliseren: armoede en rijkdom; man en vrouw; geleerdheid en gebrek aan kennis; ouderdom en jeugd. Een van de acht was een vrouw, die zich voedde met manestralen en parelmoer, terwijl zij bamboescheuten zocht voor haar zieke moeder en daarbij onmetelijke afstanden aflegde. Moeten we nog vertellen dat haar wonderlijk dieet haar de onsterfelijkheid bezorgde?
Dat bloemen en planten en vruchten in de symboliek een grote rol spelen is niet vreemd. De *bamboe* is voor ons wel het typerendste voor China. Men kende verder de 'Bloemen van de Seizoenen': de prunus voor de winter; de houtpioen voor de lente; de lotus voor de zo-

22. Boot van 'celadon-jade', voorstellend Sjoe-lan, vergezeld van hert en kraanvogels. Allen symbolen van een lang leven.

mer; de chrysant voor de herfst. Daarnaast waren er nog de 'Vier Heren' die men ontelbare malen op afbeeldingen tegenkomt. Die vier heren zijn: de prunus, de wilde orchidee, de chrysant en de bamboe. De bamboe betekende en betekent nog altijd heel veel voor de Chinees, want zoals de soepele bamboestengel meebuigt met de ergste storm en daardoor nooit breekt, zo moet ook de mens buigen voor de levensstromen om zijn geest sterk te kunnen houden.
Ook een paar beroemde vrouwenfiguren zijn legendarisch, vaak symbolisch geworden en worden dikwijls afgebeeld: Hoea Moe-lan en Tsjao Tsju zijn twee van die vrouwen.

HOOFDSTUK 22

JEANNE D'ARC IN CHINA

Er was eens een Tartarenmeisje dat niet van vorstelijke afkomst was, zelfs niet eens van voorname familie, maar toch is haar naam bewaard gebleven en zien we haar vaak afgebeeld omdat ze een van de meest geliefde vrouwenfiguren is in de Chinese kunst. Dat Tartarenmeisje heette Hoea Moe-lan. Ze zou nooit bekend zijn geworden als haar vader ongelukkig genoeg niet ziek was geworden op het moment dat hij werd opgeroepen voor militaire dienst. Nu was dat iets heel ernstigs en Moe-lans vader maakte dan ook grote kans op een heel zware straf. Moe-lan vond dat verschrikkelijk; ze dacht er lang over na hoe ze haar vader kon helpen. Ten slotte begreep ze dat er maar één ding op zat: ze zou zelf soldaat moeten spelen, want zij bezat geen geld om hooggeplaatste ambtenaren om te kopen om de ziekte van de vader over het hoofd te zien. Moe-lan stak zich dus in mannenkleren en voegde zich bij het leger dat ten strijde trok. Twaalf jaar lang moest het arme kind vechten in de talloze oorlogen die toen China verscheurden. Twaalf jaar lang slaagde zij erin haar sekse voor iedereen geheim te houden. Toen er eindelijk een einde kwam aan de oorlogen kon Moe-lan naar huis terugkeren, waar ze met een zucht van verlichting haar wapenrusting afgooide en nog maar één wens had: tot haar laatste snik die heerlijke, veilige en gemakkelijke vrouwenkleren te kunnen blijven dragen!
Een andere beroemde vrouw was Tsjau Tsju, een heel mooi meisje dat leefde omstreeks 48 v. Chr. Toen keizer Yuan-ti aan het bewind kwam wenste hij portretten te ontvangen van alle mooie meisjes en vrouwen uit zijn reusachtig rijk, opdat hij uit hen zijn keizerin kon kiezen. Nu was Tsjau Tsju onbetwist het allermooiste meisje, maar helaas, haar ouders waren ze arm als Job en konden dus niet het bedrag opbrengen, dat de hofschilder voor haar portret vroeg. Die nare man – die notabene haar portret móest maken – wreekte zich door haar af te beelden als een waar monster. De keizer kreeg haar dan ook niet te zien. Maar nu gebeurde het, dat de vorst der Tartaren een Chinese bruid wenste om een politiek verdrag met de keizer te bezegelen. En natuurlijk koos de keizer het monsterlijke portret van Tsjau Tsju, omdat hij niet van zins was die barbaar een móói Chinees meisje te zenden! Toen kreeg – het ongeluk zit nu eenmaal in een klein hoekje – de keizer bij toeval Tsjau

Tsju tóch te zien, zonder dat hij evenwel wist wie zij was; hij werd meteen tot over zijn oren verliefd op het beeldschone meisje en wenste haar te huwen. Maar het was al te laat! De snode hofschilder had aan de Tartaarse vorst een gelijkend portret van het meisje gestuurd en ook deze wenste Tsjau Tsju tot bruid, en dreigde de keizer met oorlog als hij zijn belofte niet gestand zou doen. Tsjau Tsju, die niet alleen heel mooi maar ook heel braaf was, begreep dat ze zich voor haar land en keizer moest opofferen – moeten we er nog bij vertellen dat ook zij inmiddels hevig verliefd was geworden op de keizer van China? – en ze trok met een groot gevolg de Tartaarse vorst tegemoet.

Woedend deed de keizer het eerste het beste dat hem te binnen schoot: hij liet de hofschilder onthoofden. Toen volvoerde hij zijn tweede plan: hij stuurde een ontzaglijke kameelkaravaan naar het Tartarenland, beladen met zuiver goud; maar de vorst weigerde zich te laten omkopen en hij maakte Tsjau Tsju tot zijn vorstin. Voor Tsjau Tsju, gewend aan het leven in een zo beschaafd land als China, was dit huwelijk zó verschrikkelijk, dat ze zich op een dag verdronk in de rivier de Amoer, in de hoop in het hiernamaals haar geliefde keizer terug te zien. De vorst der Tartaren werd hierdoor tot tranen bewogen. Hij besloot de vrede met China te bewaren en hij liet voor Tsjau Tsju een prachtig graf bouwen naast de Amoer. En nog altijd is – althans volgens de verhalen – dit graf het enige groene plekje in het barre en kale Tartarenland!

Het leven van de mooie Tsjau Tsju heeft ontelbaar vele kunstenaars geïnspireerd. Er zijn opera's over haar geschreven en verzen op haar gemaakt. Ze leeft voort in talloze volksverhalen en op porselein en schilderijen.

23. San Ts'ai-ho, de onsterfelijke straatzangeres. Zij draagt een bloemenmandje met symbolen en een speciale haardracht. Kornalijn (zie ook tekening 64).

HOOFDSTUK 23

'OVER DUIZEND JAAR ZULLEN ZIJ DIT NOG BEWONDEREN'

De trotse woorden die de titel van dit hoofdstuk vormen, die dikwijls nog bewaarheid worden ook, staan heel vaak te lezen op stukken Chinees porselein zowel uit vroeger tijden als van heden. Zó overtuigd was en is de Chinese pottenbakker van zijn kunnen en zó trost was en is hij op zijn produkt! Geen valse schaamte weerhield hem ervan om wat hij als volle waarheid ervoer neer te schrijven op een stuk keramiek, dat naar hij hoopte tot in lengte van dagen zou blijven bestaan. Hij wist immers dat die woorden wáár waren!
Het Chinese porselein was eerder in het westen bekend dan de Chinese schilderkunst, omdat het voorwerpen betrof die men gebruiken kon en die vaak een statussymbool waren. Denk hierbij maar eens aan de porseleinverzamelingen van de Friese en Westfriese boerinnen. En merkwaardig genoeg zelden of nooit van de boeren...
De keramiek is in China al heel vroeg ontstaan. De neolitische vaatwerken bereikten vaak een zeer hoge graad van ontwikkeling. Een pottenbakker, hoe beroemd hij ook was, werd echter nooit als een kunstenaar beschouwd. Met de steensnijders, de beeldhouwers en bronswerkers behoorde hij tot de kunstnijveren.
Gedurende de Han-dynastie (206 v. Chr. – 220 na Chr.) begint de keramiek zich in China geweldig te ontwikkelen. Men gaat dan werken met vormen en glazuren, die eerst nog vrij primitief zijn, maar zich snel verbeteren. In die tijd ontstaat ook het verschil tussen porselein en aardewerk. Voor het vervaardigen van porselein gebruikt men witte klei of kaolin en *petoentse* (een soort veldspaat) die bij hoge temperatuur smelt en dan de 'glazuur' geeft. De porselein- maar ook de aardewerkkunst bleef zich in de loop der eeuwen ontwikkelen. In de T'ang-dynastie zoekt en vindt men prachtige effecten met glazuren, waaruit zich later een porseleinkunst ontwikkelt, die de volmaaktheid benadert, zo niet bereikt.
Enige van de bekendste soorten Chinees porselein zijn de volgende: Het *celadon* van de Soeng-dynastie. Dit onderscheidt zich door heel fijne, vaak grijsgroene kleuren en een minimum aan ornamentiek. Het woord 'celadon' zou zijn afgeleid van (sultan) 'Saladin', die kommen van dit porselein gebruikt zou hebben, omdat die volgens de legende van kleur veranderen als er vergif in zat! Kenners van Chinees porselein achten het celadon veel hoger dan 'blauw', of bont gekleurd porselein.
Het zogenaamde *blauwe porselein* stamt in hoofdzaak uit de Ming-dynastie (1368–1644) en werd en wordt nog vooral in Nederland hoog aangeslagen. Het Delftse porselein werd hierdoor zeer geïnspireerd. Men maakte de meest enorme stukken, tot porseleinen vijvers voor goudvissen toe. Deze werden echter niet geëxporteerd. Hoelaag de Chinezen overigens de Europese smaak aansloegen blijkt uit het feit, dat ze voor Europa speciaal 'exportporselein' maakten, dat zij zelf nimmer gebruikte! Tijdens de Ming-dynastie werden door het hof de meest enorme bestellingen gedaan, zoals bij voorbeeld (en het geldt hier één enkele opdracht!): 26350 kommen met 30500 bijpassende schoteltjes; 6900 wijnkommetjes; 6000 wijnkannen; 1340 tafelserviezen, ieder van 27 stuks, en tenslotte 680 grote viskommen voor de keizerlijke tuinen! En dat was alleen de bestelling voor het jaar 1544.

24. Steengoed kruik, beschilderd met een pioen in bruin op een beige ondergrond. Soeng-dynastie.

Het beroemde *blanc de Chine* was vooral bij de Fransen in trek. De beste stukken zijn de vroegste (Ming) en de eenvoudigste. Ze hebben weinig of een heel sober onder het glazuur gegraveerd ornament.
Tijdens de Tsj'ing-dynastie (1644–1912) bereikte de porseleinkunst een grote volmaaktheid. In die tijd ontstaan de *famille verte*, *famille rose*, en *famille noire* stukken. Die 'families' geven de hoofdkleuren van de ondergrond aan en spreken dus voor zichzelf. Deze soorten porselein maakten enorme opgang in Europa. Vooral in Frankrijk versierde men heel mooie stukken met verguld bronzen ornamenten.

HOOFDSTUK 24

'JADE IS DE HEMEL ZELF'

Geen volk is zo dol op jade als de Chinezen. Voor hen was het niet zomaar een soort steen; men acht jade zo hoog, dat gedurende veertig eeuwen geen andere steen ook maar enigszins de betekenis van het jade kon benaderen.
'Jade is de hemel zelf', zeiden de Chinezen, want in de glans ervan lag het weldoen; in het bijna lichtend oppervlak de kennis; in zijn duurzaamheid de eeuwigheid, enzovoort. Van jade werden de heiligste rituele voorwerpen gemaakt. Jade gaf men mee in het graf. Jade, met zijn onwaarschijnlijk muzikale klank als van zilveren klokjes, tinkelde aan de gordels van belangrijke mensen, zowel mannen als vrouwen. Van jade maakte men vaak vooroudertabletten waarop de namen der vervlogen geslachten stonden. Van jade was het grote rijkszegel.
Het woord 'jade' is afgeleid van het Spaanse 'piedra de ijada' wat 'lendensteen' betekent. De Spanjaarden leerden het jade kennen toen ze Amerika ontdekten, waar deze steensoort eveneens een belangrijke rol vervulde, met name in Mexico. Via het Franse 'le Jade' ontstond het algemene woord jade, dat men *niet* moet uitspreken als het Engelse 'jade'.
De officiële naam is nefriet (een silicaat van calcium en magnesium) en jadeïet (een silicaat van sodium en alluminium). Een leek kan deze twee steensoorten niet uit elkaar houden, dus wij zullen het maar jade blijven noemen. Jade kan vele kleuren hebben en is maar zel-

25. 'Kwei' van nefriet. Kopie van een archaeisch brons, die reeds tijdens de Soeng-dynastie werden gemaakt. Versierd met tau-ti maskers, die later het symbool werden voor de gulzigheid.

den groen. Het wordt gevonden in Turkestan (van geel tot bruin en van grijsblauw tot groen) en in Birma (paars, zuiver wit, roomgeel). De jades uit Turkestan werden het eerst geïmporteerd per karavaan. Het groene jade werd pas in de 13de eeuw gebruikt.
Jade wordt gevonden als grote en kleinere keien. Voor die op de markt komen slijpt men een stukje schoon zodat men de kleur kan beoordelen. De voorkeur voor een bepaalde kleur veranderde in de loop der tijden nogal eens. De zeldzaamste stukken jade zijn die uit de Han-dynastie; de bekendste, kunstig besneden en glanzende stukken, vooral voor het westen aantrekkelijk, stammen uit de tijd van keizer Tsj'ien-loeng. Ook nu nog maakt men in China zeer kunstige stukken, die vooral in Frankrijk prijzen bereiken van tienduizenden guldens.
Naast jade bewerkt men ook nog bloedkoraal, lapis lazuli, steatiet. Hierbij noemen we dan meteen maar de ivoorsnijders, die vaak wonderen van fijnheid snijden uit olifantstanden met zeer primitieve werktuigen. Vooral in Kanton is men hier heel knap in. Toch wordt dit zelden echte kunst. Meestal zijn de stukken alleen maar kunstig.

HOOFDSTUK 25

EERST HET DAK, DAN DE MUREN

Van vroege tijden af is de Chinese architectuur gebonden geweest aan regels van gezond verstand en schoonheid. Het eerste was even belangrijk als het tweede, want er staat geschreven: ,,De mens heeft van de vroegste tijden af deze waarheid beseft: dat hij moet leven in harmonie met de natuurkrachten''. Dat leidde tot conclusies in de architectuur, die merkwaardig modern aandoen: ieder gebouw moet volmaakt in harmonie zijn met zijn omgeving.
Een gebouw, of het nu een huis, een paleis of iets anders was, werd in grote lijnen georienteerd op het kompas. De woonvertrekken lagen op het zuiden met het oog op de zon en ditzelfde gold voor vertrekken waar veel en vaak gewerkt werd. Ook voor de steden golden bepaalde principes. De lange en brede hoofdstraten lopen noord-zuid en oost-west.

Alle belangrijke gebouwen zijn op het zuiden gebouwd; alle altaren zijn gericht op de vier windstreken.
Het Chinese woonhuis bestaat eigenlijk uit een heel stelsel van huizen. De belangrijkste hiervan liggen achter elkaar, telkens van elkander gescheiden door een binnenhof, die vaak als een prachtige tuin werd aangelegd. Een grote muur omsluit het geheel. 35 eeuwen lang heeft men op deze wijze de Chinese woningen in de meest uitgebreide zin van het woord gebouwd. De eerste huizen uit het neolithicum weken in heel weinig af van die van de twintigste eeuw. Het geweldige dak van het Chinese huis, dat vaak uitgroeit tot een dubbel of driedubbel dak bij paleizen en dergelijke, is in de loop der tijden weinig gewijzigd. De punten zijn altijd opgewipt. Waren de daken oorspronkelijk van stro en leem, na de T'ang-dynastie vinden we het bekende pannendak, vaak van prachtig geglazuurde pannen in goudgeel, heldergroen of stralend blauw.
Het merkwaardige in een Chinees huis of paleis zijn de zuilen, die het dak dragen. De muren zijn alleen maar schermen om de mensen voor de buitenwereld te beschutten; ze dragen het dak *niet*. Die zuilen zijn meestal prachtig versierd met lakwerk of kleurige schilderingen. Veel gebouwen waren van hout, omdat de Chinezen dat een prachtig en prettig bouwmateriaal vonden. Daarnaast hadden zij bakstenen en natuursteen.
De hoofdstad Peking is een van de mooiste voorbeelden van Chinese stedenbouw. Het is als het ware een verzameling rechthoekige steden die elkander omgeven. Het centrum is de Verboden Stad, waarin het keizerlijk paleis ligt met zijn talloze binnenplaatsen, poorten, bruggen en tuinen. De daken zijn er gedekt met glinsterende, goudgele pannen. De stad is omgeven door een reusachtige, roodgeschilderde muur met poorten. De kleur van deze muur was de aanleiding tot de naam: de Purperen Verboden Stad. Om deze Verboden Stad heen ligt de Keizerlijke Stad, waar de hofhouding gevestigd was. Hieromheen bouwden later de Mandsjoes een tweede stad, omgeven met een geweldige grauwe muur, waarin twaalf poorten. Hieromheen lag de zogenaamde Chinese Stad, eveneens met een hemelhoge grauwe muur, voorzien van wachttorens en poorten. De liefde van de Chinees voor muren blijkt overduidelijk uit al die veilige omwallingen, die iedereen buitensluiten die op de plaats niets te maken heeft.
De Chinese architectuur valt op door sterk gemarkeerde horizontale lijnen. In tegenstelling hiermee zijn de *pagodes* die meestal zeven tot negen, soms zelfs meer, verdiepingen hoog zijn. De doorsnede van de pagode is rond, achthoekig, of zeshoekig. Om iedere verdieping loopt een balkon. De muren worden van onder naar boven steeds lichter. De oudste pagode staat in Nanking. Dat is de Porseleinen Pagode uit 250, die echter tijdens de Ming-dynastie vervangen werd door een nieuw exemplaar. De hoogste pagode is meer dan 120 meter hoog.
Ook in het oprichten van *bogen* zijn de Chinezen sterk geweest en meestal zijn het herdenkingsbogen. Evenmin als de pagodes zijn het nuttige gebouwen. Ze zijn er alleen maar als herinnering aan een of ander feit of een of andere man of vrouw. Een weduwe die niet wenste te hertrouwen; een student die slaagde voor een van de moeilijke examens; een oorlogsheld, of een ambtenaar die veel voor zijn stad had gedaan, allen konden een herinneringspoort krijgen om hun daden voor het nageslacht te bewaren.
Ook *tempels* zijn in enorme aantallen in China aanwezig. In grote lijnen volgen zij de vorm van het huis, maar er bestaan enige ronde tempels, zoals de prachtige Tempel des Hemels in Peking, die een driedubbel dak van blauw geglazuurde pannen heeft en staat op een

soort voetstuk van drie terrassen, met balustrades van wit marmer. Vaak hoorden er kloosters bij de tempels.

HOOFDSTUK 26

IN CHINA STAAT EEN HUIS

De allereerste huizen in China waren maar heel simpel: een put of een kuil waarover een gebogen dak lag van leem. Later kwam er een iets beter soort woning. Het grondvlak was rechthoekig, maar nog wel verzonken. De muren waren al glad gemaakt en gepleisterd en in het midden van de woonruimte lag het haardvuur veilig te branden binnen zijn stenen muurtje.
Onder de Sjang-dynastie is er al een typisch 'Chinees' huis. In An-yang zijn de resten hiervan gevonden; men legde een aarden verhoging aan die stevig werd aangestampt en hierop kwam het huis te staan. Min of meer symmetrisch geplaatste houten zuilen stutten het zware strodak. Tussen de zuilen kwamen de muren, die ook van hout waren. Uit dit type huis ontstond ten slotte de woning, die duizenden jaren lang niet van type veranderde. Gedurende de Tsjou-dynastie merkte men, dat een huis tot een prachtig geheel gemaakt kan worden, en toen stelde men voor het bouwen van huizen en paleizen een soort etiquette op. De Zoon des Hemels, de eerste man van het land, had recht op rode zuilen. Feodale vorsten mochten zwarte zuilen neerzetten; hoge ambtenaren kregen blauw groene; de kleine adel ten slotte had gele. Het volk had geen zuilen, dat moest zich maar behelpen met behakte boomstammen indien men die tenminste bekostigen kon.
In het hoofdstuk over architectuur zagen we al dat een Chinese woning een verzameling huizen en binnenplaatsen is. Gedurende de Tsjou-dynastie ontstond de gewoonte deze woningen op een centrale as te plaatsen. Het hoofdgebouw stond op een heel hoog platvorm achter de voornaamste binnenhof en was als zodanig dus duidelijk herkenbaar. De huizen waren al naar de welgesteldheid van de bewoner meer of minder fraai gemeubileerd. Het is niet bekend wanneer de Chinezen op stoelen zijn gaan zitten. Gedurende de Sjang-dynastie zaten ze beslist nog op matten op de grond; ze hadden echter wel een soort standaardje om hun elleboog op te laten rusten. De tafels waren, passend bij de liggende of zittende houding, heel laag.
Ook het plaatsen van het meubilair was, als alles in China, aan etiquette gebonden. Stoelen en tafels hadden hun vaste opstelling en een vaste plaats. Er lagen tapijten op de vloer; op de stoelen legde men pelzen, kussens of kostbare lopers. De meeste meubels stonden tegen de muur, waaraan enkele rolschilderingen hingen. Verzamelingen porselein of antiquiteiten waren ondergebracht in kabinetten, want de Chinezen zijn altijd grote kunstverzamelaars geweest. Tafels van allerlei waren in overvloed aanwezig. Die werden gebruikt om aan te schrijven of te lezen of te schilderen. Eten deed men aan een ronde tafel. Dit is gemakkelijk met het oog op de vele kleine schaaltjes met bijspijzen en de grote kom

26. Huismodel van aardewerk met bewoners en veestapel. Grafvondst.

met soep die in het midden staat. Aan een ronde tafel gezeten kan men met de eetstokjes gemakkelijk overal bij. Bovendien bevordert een ronde tafel het gesprek. Krukjes, hoog en laag, behoren tot de meest gebruikte meubelstukken, want ze zijn licht en daardoor gemakkelijker te verplaatsen dan de meestal monumentale, loodzware stoelen. Kleren borg men in grote kleerkasten van insektenwerend hout als bij voorbeeld kamferhout. Het bed ten slotte was een waar monument, vaak omhangen met kostbare gordijnen. De vensters en deuren in een Chinees huis getuigen van onbegrensde fantasie. Deuren konden iedere vorm hebben: rond als de maan of ovaal als een blad; gewoon vierkant of in de vorm van een vaas. De vensters waren van kleine latjes waarin rijstpapier werd geplakt. Dit papier houdt niet als glas de koude tegen, maar laat wél de ultraviolette stralen door. Bovendien zeeft dit papier het licht tot een heel milde sfeer, waarin de vaak bonte kleuren der dakschilderingen getemperd worden tot een wondermooi geheel.
In Noord China werd de verwarming, althans in de huizen der welgestelden, verzorgd door de beroemde *kang*, een soort van kachelbed of bedkachel. Deze was van steen gemetseld en in de barre winters van het noorden kon men hierop met de hele familie heel behaaglijk slapen. Een dergelijk bed bestond ook in Rusland.
De binnenplaatsen van het huis ten slotte waren een soort verlengstuk van het huis. Ze waren prachtig aangelegd als intieme tuinen, met hoge bomen, potplanten en vijvers met goudvissen. Ook beelden vonden er wel een plaats.

HOOFDSTUK 27

BEELDHOUWKUNST

We moeten beginnen met voorop te stellen, dat beeldhouwen voor de Chinezen geen 'kunst' was zoals schilderen en kalligraferen. Het maken van beelden, reliëfs en dergelijke gold als het maken van versieringen voor architectuur zoals mausolea, tempels en paleizen. Een heel vroeg soort beeldhouwwerk – indien we dit ten minste zo mogen noemen – was bij voorbeeld een soort gegraveerde reproduktie van schilderingen. De eerste grote beelden stammen uit de Han-dynastie (206 v. Chr. – 220 na Chr.); deze waren bestemd voor de tombes: figuren van dieren, fabeldieren en gewapende mannen, die het graf moesten beschermen.
Met de komst van het boeddhisme kwam er veel werk voor de beeldhouwers, die in China dus ambachtsmannen waren. Hun ideeën kregen ze via India, want vreemd genoeg hadden de Chinezen zelf nooit eerder goden afgebeeld. Ze waren hiervoor geheel en al aangewezen op import. Toch slaagden ze er in om vooral bij de boeddhistische sculptuur een geheel eigen aard aan de beelden te geven. Een voorbeeld hiervan zijn de beelden in de rotstempels van Yoen-kang, waar meer dan twintig grotten werden veranderd in even zoveel kapellen vol beelden. De grootste ervan zijn meer dan twintig meter hoog. Een tijdlang ging het bergafwaarts met de boeddhistische kunst. Dat was in de 5de en later nog eens in de 6de eeuw, toen de boeddhisten zwaar werden vervolgd en er ontzaglijk veel werd vernield. Een latere keizer, een vroom boeddhist, maakte het weer goed door het volgende te bestellen: 100 000 Boeddhabeelden van brons, goud, ivoor, steen en andere zaken en het laten bouwen van 3792 tempels. Ook nam men het uithakken van rotstempels in grotten weer ter hand. Altijd weer bracht het bloeien van het boeddhisme de bloei van de beeldhouwkunst met zich mee, want er waren beelden en beeldjes nodig voor schrijnen en schrijntjes, voor tombes en tempels.
Een van de bekendste en heel veel afgebeelde figuren is Kwan-yin, de godin der genade. Het vreemde is dat Kwan-yin haar leven begon als man! Zij, of liever hij, was oorspronkelijk een boddhisjatwa, een wezen dat uit liefde voor de mensheid afzag van een eeuwig bestaan in het Nirwana om de mensen geestelijke leiding te kunnen geven. Tijdens de T'angdynastie werd Kwan-yin langzamerhand de godin der genade en dus een vrouw. Zij wordt afgebeeld als het prototype van de Chinese vrouwelijke schoonheid: lang, slank en sierlijk, met een zacht, als het ware verdroomd gezicht: Kwan-yin was te allen tijde verreweg de meest geliefde godheid van China. Men is totaal vergeten dat ze uit India stamt en eens een man was. De legende heeft haar zelfs van een eigen familie voorzien. Ze werd namelijk de dochter van een vorst uit de Tsjou-dynastie!
Tijdens de Ming-dynastie maakte men de opvallende stenen figuren die een van de grootste attracties zijn van de beroemde Ming-graven op 70 km afstand van Peking. Langs de weg naar de tombes staan reusachtige figuren van olifanten, paarden, kamelen en mannen, uit steen gehouwen en de eeuwen trotserend in al hun statigheid. Eveneens uit de Ming-dynastie stamt het schitterende witmarmeren beeldhouwwerk uit het keizerlijk paleis te Peking. Daar zijn balustrades, trappen en bruggen overdekt met fijn uitgesponnen orna-

27. Kwan-yin van barnsteen.

menten in de vorm van draken voor de keizer en feniksen voor de keizerin. Dergelijk beeldhouwwerk komt ook voor bij de Tempels des Hemels.
Beeldhouwwerk in hout, bedekt met lak of verguldsel, komt eveneens veel voor, vooral in tempels, bij de altaren en op de zuilen. Het is meestal prachtig en heel evenwichtig van compositie. Maar ook deze sculpturen zijn zuiver architectonisch.

HOOFDSTUK 28

MUZIEK

De Chinese muziek mag vele onder ons ietwat zonderling in de oren klinken, deze is desondanks zeer ontwikkeld en ingewikkeld en er ligt een vast systeem aan ten grondslag, dat volgens de traditie afkomstig zou zijn van keizer Hoeang-ti in 2697 v.Chr. Deze keizer zond een van zijn ministers er op uit om een fluit te snijden, die één bepaalde toon moest geven. Deze fluit was 22,5 cm lang en van deze maat werden elf tonen afgeleid. Er werd een derde deel van de oorspronkelijke fluit afgesneden en zo ontstond de vijfde toon. Een tweede fluit werd in drieën gedeeld en bij ieder derde deel voegde men een derde deel van het afgesneden derde deel. Dit alles klinkt ingewikkelder dan het is; het kon op den duur niet voldoen.

De oude Chinese toonladder heeft vijf of zeven noten. De muziek die men ermee maakte bleef eerst beperkt tot rituele en ceremoniële doeleinden aan het hof of in de tempels. Daarnaast bestond volksmuziek, die zich later ontwikkelde maar die nooit de hoogte en het peil bereikte van westerse muziek.
Het aantal muziekinstrumenten is groot. We kennen reeds de fluit. Daarnaast heeft men een groot aantal trommen, de gong, vele meer of minder ontwikkelde snaarinstrumenten als gitaren, violen, fiedels, een soort klarinet met belvormig uiteinde, bellen en bekkens, en een heel typisch Chinees instrument, de *sjeng*. Dit is een soort met de mond aangeblazen miniatuurorgeltje, bestaande uit een klankbodem van gelakt hout, waarop dertien tot zeventien 'orgelpijpjes' van bamboe zijn aangebracht.
Ook de zang valt natuurlijk onder de muziek. Merkwaardig is, dat de zangers vaak de voorkeur geven aan een hoge, geforceerde falsetstem, die ons beslist vals in de oren klinkt. Onder de invloed van het westen is de Chinese muziek vaak sterk veranderd, waardoor deze voor ons meer aanvaardbaar is gaan klinken. De in het westen gecomponeerde 'Chinese' muziek heeft natuurlijk weinig met echte Chinese muziek te maken!

28. Bronzen worstelaars. Tsjou-dynastie.

V

GELOOF EN FILOSOFIE

HOOFDSTUK 29

CONFUSIUS

Er is één man – de beroemdste van heel China – die heeft klaargespeeld van zó grote invloed op de samenleving te zijn, dat zijn leer nog steeds wordt gevolgd, zij het met grote tegenstand van de kant van de huidige Chinese regering. Die man, die miljarden mensen beïnvloed heeft, was Confusius of liever K'oeng Foe-tse, wat Meester K'oeng betekent. Eén ding moeten we echter wel in het oog houden omdat hier vaak een vergissing wordt gemaakt: Confusius was géén godsdienstleraar! Wél was hij een leraar, filosoof en politicus van een formaat dat weinig in de geschiedenis van de wereld voorkomt.
Confusius – we zullen hem zijn Latijnse naam maar blijven geven omdat die het bekendst is – leefde van 551–479 v. Chr. Van zijn echte leven weten we maar weinig af, want in de loop der eeuwen werd hij ingesponnen in een cocon van legenden en sprookjes. Hij was misschien van verarmde adel. Zijn familienaam was K'oeng. Om in zijn levensonderhoud te voorzien was hij boekhouder. Daarnaast studeerde hij dag en nacht en met zijn fabelachtige intelligentie was het geen wonder dat hij ten slotte een van de geleerdste mannen van China werd.
Ook de politiek interesseerde hem enorm. Het feit dat hij in een tijd van grote politieke onrust leefde was daar niet vreemd aan. De keizer was een marionet geworden en de machtige edelen waren de echte regeerders. Voor hun eigen plezier voerden ze oorlog, en om die oorlogen te kunnen bekostigen zogen ze de ongelukkige bevolking uit tot op de laatste graankorrel. Confusius had een open oog voor het lijden van de arme mensen; hij besloot zijn leven te wijden aan het vinden van een oplossing om daar een einde aan te maken. Het enige middel hiertoe was een nieuw regeringsbestel. Niet het plezier van de vorsten moest het belangrijkste zijn. Wél het geluk van het volk en dáár moest de keizer dus alleen maar aan denken. De belastingen die meer dan verschrikkelijk waren moesten drastisch omlaag. De onmenselijk wrede straffen moesten afgeschaft worden en ook met de

oorlogen ten gerieve van de adel moest het afgelopen zijn. Confusius zag terdege in dat het geluk alleen kan wonen waar vrede heerst.
Maar wie niets voor die maatregelen voelden waren natuurlijk juist die edelen, en in Confusius' eigen provincie Loe negeerde men zijn vermaningen volkomen. Aangezien voor Confusius de enige kans om gehoord te worden lag in het bekleden van een belangrijke ambtelijke post, kreeg hij daartoe geen schijn van kans.
Om inmiddels toch zijn ideeën te verbreiden hield Confusius voor een aantal jonge mannen lange en duidelijke lezingen, waarin hij zijn ideeën en plannen uiteenzette. Uit hen ontstond een groep discipelen, die hem als leraar erkende. Deze jonge mannen slaagden er wel in regeringsambten te verkrijgen en daarmee kwamen ten slotte toch de ideeën van Confusius in de openbaarheid, maar in zijn tijd hebben ze nooit hun grootste invloed bereikt.
Ten slotte bleek Confusius toch wel belangrijk genoeg gevonden te zijn om hem een hoog ambt te moeten geven, maar dat was slechts schone schijn. Achter een prachtige titel verschool zich een betrekking, waarbij hijzelf nergens met zijn ideeën aan bod kwam. Woedend bedankte Confusius voor de eer. Hij besloot op reis te gaan en zijn doelstellingen te verklaren en te verbreiden. Tien jaar lang reisde hij kriskras door China, steeds op zoek naar een vorst, die hem de kans zou geven volgens zijn principes te regeren.
Toen hij 67 jaar oud was – hij had natuurlijk nog steeds niet zo'n verlichte vorst gevonden – keerde hij naar zijn eigen provincie Loe terug, waar hij onderricht bleef geven tot hij op 72-jarige leeftijd stierf. Als leraar was Confusius onovertrefbaar, want bij iedere leerling zocht hij naar diens ware aard en aanleg, en aan de hand daarvan onderrichte hij hem. Hij liet een leerling de dichtkunst bestuderen, maar ook de geschiedenis van zijn land en de muziek. Hij leerde hem voor zichzelf te denken en zélf de vragen te beantwoorden, die het leven een mens kan stellen. Oprechtheid in alles was een allereerste vereiste – ook voor iedere regeling! – en verder hechtte hij de grootste waarde aan de juiste menselijke verhoudingen. Het *recht* en de *plicht* van ieder individu om zelf zijn besluiten te nemen en daarvoor de volle verantwoordelijkheid te dragen lag ten grondslag aan al zijn leringen. Geen leerling was ooit te arm om tot Confusius door te dringen. Alleen de intelligentie telde. Daarmee kwam hij lijnrecht in botsing met de aristocratie, die tot nu toe kennis en schone kunsten als hun persoonlijk eigendom hadden beschouwd. Zij waren immers van mening, dat ze regelrecht afstamden van hun goddelijke voorouders! Confusius maakte aan deze ideeën kort en goed een einde. Volgens hem kon alleen die man regeren die het volk gelukkig kon maken. En alleen een deugdzaam, intelligent en kundig man kon dit bereiken. Die man hoefde dus helemaal geen aristocraat te zijn. Bezat men niet de eigenschappen om een goed regeerder te zijn, dan moest men terzijde gaan en de plaats afstaan aan een man die het wél kon. Maar met alleen die goede eigenschappen was men er ook nog niet. Een regeerder moest een man zijn van grote ontwikkeling en ruime blik; dat alles kon weer door een juiste opvoeding worden aangekweekt. Confusius hechtte enorme waarde aan een goede opvoeding en dat bracht met zich mee, dat ieder mens een soort elementaire opleiding moest krijgen om zijn intelligentie te meten. Door selectie zou men dan voor alle posten de juiste man op de juiste plaats kunnen vinden.
Uiteindelijk kreeg China dan ook een regeringsvorm, die voornamelijk gebaseerd was op de ideeën van Confusius. Er was natuurlijk een keizer, maar die keizer had ministers en zij waren de eigenlijke regeerders. Hun persoonlijke kwaliteiten hadden hen dit hoge ambt

29. Confusius.

doen verkrijgen; hun afkomst had er niets mee te maken... althans in theorie. Natuurlijk waren er geregeld minder gunstige omstandigheden, vooral in tijden van onrust en slechte economische toestanden. Maar over het geheel kunnen wij toch zeggen, dat de uiteindelijke regeringsvorm van China zeer sterk door Meester K'oeng bepaald werd. Er zullen in de wereldgeschiedenis maar heel weinig mensen zijn geweest die nog eeuwen en eeuwen na hun dood zo'n ontzaglijke invloed hadden.

HOOFDSTUK 30

LAU-TSE

Zijn vader was een zonnestraal. Zijn moeder was een maagd, die hem 80 jaar onder het hart droeg eer hij geboren werd. De baby had bij zijn geboorte reeds spierwit haar en witte wenkbrauwen en natuurlijk was hij zo wijs als ieder normaal mens op zijn tachtigste jaar bij mogelijkheid maar zijn kan. Deze superbaby heette Lau-tse en heeft evenveel invloed op het Chinese denken gehad als Confusius. Wat is er waar van dit wonderlijke verhaal?

Dat Lau-tse bestaan heeft is een vaststaand feit. Hij was zelfs de leermeester van Confusius. Hij werd omstreeks 605 v. Chr. geboren in de provincie die tegenwoordig Honan heet. Hij leefde als een heremiet, maar aanvaardde toch een betrekking als bibliothecaris aan het hof gedurende de Tsjou-dynastie. Hij kreeg al gauw meer dan genoeg van het hofleven dat weinig tijd bood voor meditatie. Hij vertrok naar het westen en verdween, nadat hij een grenswacht een manuscript in bewaring had gegeven, waarin hij zijn filosofie had neergelegd in niet veel meer dan 5000 woorden, verdeeld in 81 hoofdstukken. Het is een vrij onsamenhangend geheel, dat vertalers en uitgevers onnoemlijk veel hoofdbreken heeft bezorgd, zowel in oude als moderne tijden. Geen Chinees werk is in meer talen vertaald; geen werk is onderhevig geweest aan meer persoonlijke interpretaties dan de fameuze Tau-te Tsjing. En geen ander werk was zo'n heerlijke bron van propaganda voor alle mogelijke doeleinden, juist doordat het zó obscuur was, dat iedereen er wel het zijne uit kon halen. Late propagandisten voor het tauisme – zoals de leer van Lau-tse later genoemd werd – beweerden zelfs dat Lau-tse helemaal naar India was gereisd om Boeddha van zijn ideeën op de hoogte te brengen en uiteindelijk te bekeren tot zijn zienswijze!

Moderne geleerden hebben nu uitgemaakt, dat Lau-tse's werk ten slotte niet ouder kan zijn dan de 4de eeuw v. Chr. en dat het niet door één, maar door meer auteurs zou zijn samengesteld. Men is tot deze conclusie gekomen door vergelijking van de ideeën van verscheidene antieke Chinese schrijvers.

Maar of Lau-tse nu zijn Tau-te Tsjing al dan niet zelf heeft geschreven, het is een vaststaand feit dat hij van ontzaglijke invloed is geweest op de Chinese denkwijze in de loop der eeuwen. Want uit het manuscript van de oude filosoof ontstond op den duur een zonderling samenstel van riten en gebruiken, van boze en goede geesten, duivels en goden, bijgeloof

30. De Acht Trigrammen

en wonderen die er niets meer mee te maken hadden, maar die een diepe indruk maakten op onontwikkelde mensen. Alleen voor kenners was er het zeer diepzinnige boek zelf, waarbij een diepgaande studie en veel gepeins de lezer misschien iets zou kunnen doen begrijpen van wat Lau-tse zelf bedoeld had. Als proeve van het werk geven we hier het laatste vers, dat in ieder geval begrijpelijk is.

Het ware woord is niet mooi.
Het mooie woord is niet waar.
De waardevolle mens strijdt niet;
strijdende mens is waardeloos.
De wijze is niet geleerd;
de geleerde is niet wijs.
De volmaakte mens vergaart zich geen rijkdom;
hij is verkwistend in het menselijke;
schenkt het menselijke weg en is rijk.
De weg van het Al:
Zich schikken zonder strijd.
De weg van de mens:
de daad zonder dwang.

HOOFDSTUK 31

MEESTER MENG

Evenals Meester K'oeng is Meester Meng in de westerse geschiedenis blijven voortbestaan onder een Latijnse naam, namelijk als Mencius, een vervorming van het Chinese Meng-tse. Zijn leven toont trouwens opvallend veel gelijkenis met dat van Meester K'oeng. Ook hij werd in het moderne Sjantoeng geboren; ook hij verloor als klein kind al zijn vader. Ook hij leefde in een politiek buitengewoon verward tijdperk; was leraar; reisde tientallen jaren lang om zijn leer te verbreiden. En ook hij trok zich hevig teleurgesteld in alles wat hem lief was terug in de eenzaamheid.
Hij geloofde in de legendarische helden in het voorgeslacht, maar hij week hierin af van Confusius dat hij niet alles wenste te accepteren wat de historie te vertellen had. Als er echter één ding was waarin Mencius onvoorwaardelijk geloofde dan was het de aangeboren goedheid van de mens. De mens, van nature goed, kan dus ook goed en kwaad duidelijk van elkander onderscheiden en hij zal er naar handelen. Maar als de mens in de loop van zijn leven door allerlei omstandigheden merkt dat hij zijn goedheid begint te verliezen, dan moet hij er op bedacht zijn door de droevige voorbeelden die hij te zien krijgt dat hij die goedheid zoveel mogelijk aankweekt en versterkt. En dat kan hij alleen door het

31. Principe van 'Yang' en Yin' : het positieve en het negatieve principe van het universele leven, afgebeeld al diagram van een 'ei', waarbij dooier en wit sterk zijn gescheiden.

'doctrine van de onderscheidene liefde'. De mens die zijn ouders liefheeft is een natuurlijk mens. Doet hij het niet, dan is hij een dier en dus als mens *on*natuurlijk. Uit de liefde voor de ouders vloeit later de liefde voor de medemens vanzelf voort.
Aangezien de mens van nature goed is valt er ook geen onderscheid tussen de mensen onderling te maken. Wij zijn allen elkaars gelijken. Ieder mens is 'een volmaakt afgerond geheel'. Dat wil natuurlijk niet zeggen, dat er geen 'hogere' en 'lagere' mensen zijn, om het nu eens eenvoudig te stellen. Al zijn we allen goed, we zijn niet allemaal even intelligent of begaafd en dát geeft ten slotte de doorslag in het maatschappelijke leven!
Voor Mencius was rechtvaardigheid-in-alles niet veel minder belangrijk dan de liefde-voor-allen. Hij stelde dat heel duidelijk: ,,De geest van de mens is liefde; de weg van de mens is de rechtvaardigheid''. Dit hield dus in, dat alleen goede mensen gerechtigd waren te regeren en in zijn tijd mankeerde hier nogal wat aan. Mencius nam dan ook de vrijheid om de feodale heersers lelijk te kapittelen en hij nam nooit een blad voor de mond. Het spreekt vanzelf, dat hij het recht om in opstand te komen tegen een slechte regering tenvolle erkende en hier dus ook duidelijk uiting aan gaf. Voor hem was het mandaat des hemels een zeer heilig iets, waar door geen keizer aan te tornen viel; ook door zijn eigen keizer niet. Voor hem kwam in de eerste plaats het volk; vervolgens het land en pas op de derde plaats de keizer, die hij het minst belangrijk achtte. Ten slotte is een slechte heerser altijd te vervangen. Hij is *nooit* onmisbaar, onder welke omstandigheden ook.
Mencius gaf ook voorschriften waaraan een goede regering had te voldoen wilde een land bloeien; zelfs wij kunnen deze vaak volledig onderschrijven. Veel scholen voor iedereen; lichte straffen voor boosdoeners; lage belastingen; gelijke verdeling van rijkdommen; blijvend grondbezit voor de boeren, grond die niemand hun afhandig kon maken; bescherming door de staat voor iedereen die zwak was of invalide, te jong of te oud.
Deze eeuwig jong blijvende leerstellingen van Mencius hebben een geweldige invloed gehad op het neo-confucianisme, dat onder de Soeng-dynastie begon; voor die filosofen van de nieuwe school kwam hij direct als tweede achter nummer één, die natuurlijk altijd Confusius was en bleef.

HOOFDSTUK 32

DE LEER VAN GAUTAMA BOEDDHA

Het boeddhisme is ontstaan in India, in zekere zin als een soort protest tegen het Hindoegeloof. De man die ten innigste met dit nieuwe geloof verbonden was heette Gautama. Hij was een koningszoon. Zijn volk bewoonde een gebied aan de voet van de Himalaya. Het was een krijgszuchtig volk van de kaste der krijgers en de naam van dit volk was Gautama. De jonge prins groeide in grote weelde op aan het rijke hof van zijn vader, maar bij zijn geboorte was een profetië gedaan: hij zou de wereld verzaken als hij een ziek mens, een oude man en een lijk gezien zou hebben. Toen de jonge prins 29 jaar oud was geworden ging de profetie in vervulling. Na zes lange jaren van inkeer, studie en meditatie bereikte hij een staat van 'verlichting' onder de beroemde Bo-boom. Hij verkreeg de naam Boeddha, dat wil zeggen de Verlichte. Eigenlijk is het dus beter te spreken van *de* Boeddha, want iedereen kan die staat bereiken en een boeddha worden.
Boeddha stichtte een orde van monniken, waar later ook een orde van nonnen aan werd toegevoegd en begaf zich op weg om als zwervende prediker zijn nieuw verworven doctrines uit te dragen. Hij begon in de stad Benares en bleef zwerven tot zijn dood, die hem volgens de verhalen op tachtigjarige leeftijd achterhaalde. Zijn geloof verspreidde zich snel en met veel succes door India, Birma, Ceylon, Thailand, Kambodja, Japan en China. Uit pre-boeddhistische tijden bestaan geschriften die vertellen over de godsdienst uit die vroege tijden. Het hindoeisme kende een groot aantal goden en bezat een aantal heilige boeken, de Veda's en de Brahmana's. Priesters hadden deze Veda's uitgewerkt tot een ongelooflijk ingewikkeld stelsel van riten en offers plus het kastendom. De priesterklasse der brahmanen stond (natuurlijk) bovenaan.
In de loop der tijden rees er protest tegen het hindoeisme. Men zocht naar een pantheistische filosofie, die één enkele 'werkelijkheid' zocht achter het verwarrende veelgodendom. Men wenste redding te verkrijgen *niet* door veelal onbegrepen ceremonieën. Het boeddhisme nu bestreed de autoriteit van de oude Veda's en wenste de mensen een persoonlijke zedelijkheidsnorm bij te brengen. Er zijn door Boeddha een aantal regels opgesteld waaraan men zich moet houden om de zaligheid te bereiken. Deze regels zijn gegoten in voor ons vaak onbegrijpelijke overdrachtelijke woorden. Ze zijn vastgelegd in een aantal *soeta's* die uit het hoofd geleerd kunnen worden. Gezien het reusachtige aantal van deze soeta's waren er niet veel mensen die ze allemaal beheersten.
Het boeddhisme kreeg zijn grootste verbreiding onder koning Asoka, nadat deze vorst bekeerd was. Hij maakte een bedevaart naar de tuin waarin Boeddha geboren werd, de Loembini-tuin, en inderdaad werd er in 1896 aan de grenzen van het moderne Nepal een zuil gevonden waarop koning Asoka dit feit laat vermelden. De tuin zou dus op die plek gelegen hebben.
Zoals zoveel godsdiensten stond ook het boeddhisme bloot aan verschillende schismen. Het eerste daarvan had reeds binnen 100 jaar plaats. Aangezien de doctrines in het begin mondeling werden doorgegeven ontstonden er al gauw afwijkingen. Vroeg in de 1ste eeuw werd op Ceylon de canon van het boeddhisme op schrift gesteld. Deze canon is in drieën

32. Boddhisjatwa van beschilderd hout. Soeng-dynastie.

gedeeld en wordt de 'Drievoudige Mand' genoemd. Het eerste deel bevat 227 disciplinaire regels voor monniken. De belangrijkste hiervan zijn het zich onthouden van misdaden als onkuisheid, diefstal, moord, het aanzetten tot zelfmoord, en het valselijk beweren hogere krachten te bezitten. Het tweede deel bevat een aantal aan Boeddha toegeschreven toespraken, maar bevat ook latere toevoegsels. In het derde deel wordt de 'hogere doctrine' behandeld, die zich in hoofdzaak bezighoudt met ethiek. Van de drie delen wordt het tweede als het belangrijkste beschouwd.
De voornaamste soeta van de canon is die welke wordt gericht tot hem 'die de wereld verlaten heeft'. Het wereldlijk leven kan geen uiteindelijk geluk geven. Men heeft zich tijdens het aardse bestaan te onthouden van twee uitersten: het zich overgeven aan wereldse en zinnelijke genoegens, en van het tegendeel hiervan: de zelfkwelling waarmee men ook niets bereikt. Tussen beide in ligt de Middenweg, door Boeddha bewandeld en leidend naar het Nirwana en de Verlichting. Deze Verlichting bestaat in het kennen van de Vier Waarheden: de hoge waarheid van de pijn; de hoge waarheid van het ontstaan van pijn; de hoge waarheid van het verdwijnen van pijn; en ten slotte het bereiken van het 'Hoge Achtvoudige Pad'. Wie de drie eerste waarheden heeft bereikt is een *arhat* geworden. De arhat is de volmaakte discipel die het ophouden van de pijn heeft bereikt. De arhat moet nu nog het Achtvoudige Pad volgen in deze volgorde van te bereiken doelen: het juiste inzicht; de juiste intentie; de juiste manier van spreken; de juiste daad; de juiste manier van leven; de juiste poging; de juiste instelling; de juiste concentratie.
Boeddha heeft vier vragen geweigerd te beantwoorden en juist naar die vragen is het mensdom altijd zo nieuwsgierig geweest. De vragen zijn: is het universum eeuwig? Is het begrensd? Is het leven na de dood gelijk aan het leven op aarde? Blijft iemand die verlicht is na zijn dood voortbestaan?
Nu zullen we nog een paar uitdrukkingen verklaren. Het *Nirwana*, dat men uiteindelijk

wenst te bereiken en dat door een boeddha bereikt wordt, is het uitwissen van alle begeerte en van alle hartstocht. Men kan deze staat ook tijdens het leven bereiken. *Yoga* is een staat waarin de aandacht gevestigd wordt op één enkel punt of onderwerp zodat een zekere graad van trance bereikt kan worden. Methodes en onderwerpen zijn uitgebreid vastgesteld. Wie het 'Achtvoudige Pad' wenst te begaan kan natuurlijk niet gehinderd worden door een huishouding of mensen die van hem afhangen. Vandaar de instelling van geestelijke orden, waarin de leden vrij zijn en zich dus geheel kunnen concentreren.

Een heel belangrijk onderdeel in het boeddhisme, overgenomen uit het hindoeisme is het *karma*. Karma betekent dat iedere daad in het leven begaan, goed óf kwaad, nu of in een later bestaan, beloond of gestraft zal worden. Op deze manier had men een verklaring gevonden voor het feit dat men vaak op het oog zonder enige reden allerlei narigheden beleeft, terwijl tegelijkertijd een verwerpelijk mens allerlei goede dingen toevallen. Een mens die de staat van arhat bereikt heeft kan zijn vorige geboorten overzien en weet dus waaraan hij alles te danken heeft gehad. Ook kan hij overzien welk lot overleden mensen beschoren zal zijn in het volgend aards bestaan, waaraan zij vroeg of laat weer zullen moeten deelnemen. Dit begrip van karma, dat 'daad' of 'actie' betekent in het Sanskriet, is een integrerend onderdeel van alle Indiase godsdiensten.

HOOFDSTUK 33

HET BOEDDHISME KOMT NAAR CHINA

Ofschoon het boeddhisme reeds uit de 5de eeuw v. Chr. stamt kwam het vreemd genoeg toch vrij laat naar China, namelijk tijdens het einde van de Han-dynastie in de 1ste eeuw. Het boeddhisme vermengde zich meteen met het bloeiende tauisme tot een geheel nieuwe vorm. Zozeer sloeg het aan bij het volk, dat het confucianisme er tijdelijk door werd overschaduwd.

33. Porseleinen boeddha. Yuan-dynastie.

Om het nieuwe boeddhisme begrijpelijk te maken voor de Chinezen probeerden de zendelingen het uit te leggen aan de hand van de tauistische termen, die iedereen begrijpen kon. Van de 6de tot de 8ste eeuw waren er verscheidene scholen van boeddhisme die furore maakten in China. Het zou ons te ver voeren om de verschillende boeddhistische stellingen, die zich in China ontplooiden, uiteen te zetten; daarvoor zijn ze veel te moeilijk. Eén revolutionair idee moeten we echter even duidelijk maken. Dat was het idee dat ieder mens, al was hij nog zo slecht, geestelijk te redden was. Als men aannam dat de boeddha-natuur in ieder mens aanwezig is, dan zag het er minder hopeloos uit want dan bleef er toch voor iedereen een mogelijkheid om niet verloren te gaan in het hiernamaals. Uiteindelijk verbreidde deze revolutionaire doctrine zich door Oost Azië. Het wordt het Mahayana boeddhisme genoemd.
Van de 5de tot de 9de eeuw deed zich een merkwaardige ontwikkeling in het boeddhisme voor. In die tijd ontstond het zogenaamde Zen-boeddhisme, dat in China Tsj'en-boeddhisme heet. Het wordt ook wel de meditatieve school genoemd. In het kort komt het hierop neer, dat iedereen de boeddha-natuur bezit, en dat de boeddha-geest identiek is met de menselijke geest. Er zijn diverse methodes om die boeddha-geest te bereiken: de geest totaal vrijlaten; de geest ontdoen van ook maar de kleinste gedachte; en niet te vergeten de meditatie waarin men 'de eigen geest ziet en boeddha wordt'. Deze is er op gericht dat men door een zuivere, rustige en heldere geest ineens of langzamerhand (ook hier zijn weer twee scholen) de Grote Waarheid van ons vluchtige universum kan doorzien en zo de gewenste geestelijke redding bereiken.
De invloed van het boeddhisme in China was reusachtig groot en strekte zich uit tot ieder gebied en natuurlijk vooral de kunst: de schone letteren, de beeldhouwkunst, de schilderkunst. Overal verrezen tempels en kloosters en er kwam zo'n geweldige toevloed van nonnen en monniken dat er in het jaar 845 een keizerlijk decreet moest komen om daar een stokje voor te steken. Men deed dat wel zeer grondig. Er werden 40 000 tempels verwoest en bijna een kwart miljoen nonnen en monniken moesten terugkeren naar de wereld. Alle land dat aan tempels en kloosters behoorde – en dat was zeer de moeite waard! – werd geconfiskeerd.
We moeten nog even vertellen, dat er groot verschil was tussen het *Chinese boeddhisme* en het *boeddhisme in China*. Het eerste was volkomen met het volk vergroeid en zo Chinees als maar mogelijk was. Het boeddhisme in China echter volgde de Indiase richtlijnen en had betrekkelijk weinig invloed daar het niet begrepen werd en in wezen vreemd was aan de Chinese aard. Het is juist het Chinese boeddhisme dat zo doordrenkt is met tauistische begrippen.

34. Tau-ti masker in steen.

HOOFDSTUK 34

WAT ZIJN LAMA'S?

Tot de grote godsdiensten van China behoort ook het lamaïsme dat in sommige perioden een ontzaglijke macht wist te ontwikkelen en dat zelfs tot staatsgodsdienst werd gemaakt tijdens de Yuan-dynastie, toen Koeblai Khan onder leiding van een zeer begaafde lamapriester dit geloof aannam. In wezen is het een boeddhistische godsdienst die in de 7de eeuw naar Tibet kwam. In de 10de eeuw kwam er een nieuwe opbloei na een tijd van verval en in de 14de eeuw kwam er een soort reformatie, die geheel nieuwe vormen bracht. Het boeddhisme kwam volgens de verhalen op zeer romantische wijze naar Tibet. Koning Srong-tsan Gam-po van Tibet huwde namelijk met een prinses uit Nepal en deze dochter van de koning was natuurlijk boeddhiste. De tweede vrouw van de koning was een dochter van de Chinese keizer en ook zij hing dit geloof aan. Beide prinsessen hadden zo'n grote invloed op de koning, dat hij goed vond dat er twee kloosters werden gesticht; hij zond zelfs zijn minister naar India om daar heilige boeken te halen.

In de 8ste eeuw nodigde de toen heersende Tibetaanse koning een prediker uit India naar zijn land. Deze man had zijn boeddhisme vermengd met heel wat vreemde hindoe-elementen en wonderlijke toverij, die echter in Tibet grote indruk maakte door de grote geheimzinnigheid die zijn geloof omhing. De prediker werd de stichter van de sekte van de Rode Mutsen die in de loop der tijden vaak over onvoorstelbaar grote invloed beschikte.

Maar al was het koningshuis dan ook in zekere zin boeddhistisch, de Tibetanen zelf waren het nog niet zo erg. Ze hingen hun oude geloof nog aan, dan Bon heette, en het duurde een hele tijd eer dit opgenomen werd in het speciale soort boeddhisme van Tibet. Op een gegeven ogenblik werden de aanhangers van dit Bon-geloof weer zo machtig dat ook de koning een aanhanger was; dit leidde ten slotte tot vervolging en uitroeiing van alles wat boeddhist was. Een boeddhistische monnik maakte er weer een einde aan. Hij vermoordde de koning en daarna kwam er in Tibet een grote verandering. Het boeddhisme werd opnieuw oppermachtig en nu er geen koning meer was viel het land uiteen in een aantal kleine staatjes. Als gevolg hiervan heerste er de reinste anarchie, aangezien al die opperhoofden – want veel meer waren het niet – elkander te vuur en te zwaard bestreden. De kloosters werden hier vaak het slachtoffer van. Ze waren dan ook wel gedwongen zich te verdedigen en de kloosters werden ware vestingen en de monniken vechtjassen.

In de 14de eeuw bleek het nodig bepaalde reformatorische veranderingen aan te brengen. Een leider op dit gebied bleek Tsong-kha-pa te zijn, een zeer begaafd man die in woord en geschrift aandrong op een zuiverder boeddhisme. Uiteindelijk werd hij de stichter van de sekte der Gele Mutsen. Het was een strenge sekte: het was de monniken verboden zich over te geven aan wereldse vermaken, aan vrouwen en aan drank. In 1409 werd buiten de hoofdstad Lhasa een klooster gesticht op deze nieuwe basis en later kwamen er nog twee bij. De monnikken die tot deze orde behoorden droegen ceremoniële kleding, hadden een zeer ingewikkelde liturgie en kende een hiërachie. De nieuwe sekte groeide in de loop der eeuwen tot een grote macht uit.

Aan het hoofd van de orde staan twee groot-lama's, die de titels dragen van *dalai lama* en

pantsjen lama. Deze twee lama's krijgen hun titel, omdat ze reïncarnaties zijn van boddhisjatwa's. De dalai lama is de reïncarnatie van de boddhisjatwa Avalokitesvara, die als een der voorvaderen van de Tibetanen wordt beschouwd. De pantsjen lama is een reïncarnatie van Amitabha. Bij de dood van een van beide lama's moet er een nieuwe gezocht worden, die alle tekenen vertoont ook een boddhisjatwa te zijn. Deze tekenen hangen samen met een buitengewoon ingewikkeld systeem van tovenarij, dat oud is als de tijd zelf. Het komt er op neer dat men een heel jong kind zoekt dat in aanmerking kan komen, en dat van de ouders wordt weggenomen – wat natuurlijk een hele eer is – om door twee lamapriesters te worden opgevoed en opgeleid.
De dalai lama woonde in de hoofdstad Lhasa in het grote paleis Potala. De pantsjen lama woonde in Tasji Luumpo en bezat slechts de macht over een enkele provincie van het land. De dalai lama was een god-koning en stond aan het hoofd van een theocratische staat. Hij bezat zowel wereldlijke als geestelijke macht. Op zijn sterfbed werd hij verondersteld aanwijzingen te geven die een onderdeel vormden van het zoeken naar het kind, dat de volgende dalai lama zou zijn. Het kon natuurlijk gebeuren dat er meer kinderen in aanmerking kwamen; hieruit werden er dan drie gekozen die naar Lhasa werden gestuurd. Dan schreven monniken hun namen op drie rollen papier; deze gingen in een gouden urn en die werd een week later voor het boeddhabeeld in de centrale tempel geplaatst. Dan nam men één papier uit de urn en het kind, welks naam er op stond, was de nieuwe dalai lama. Aangezien er nogal eens wat tijd kon verlopen tussen de dood van de vorige dalai lama en de vondst van de volgende werd er een regent benoemd voor die tussenperiode, een man die wel heel bijzondere kwaliteiten moest bezitten om in aanmerking te komen voor dat zeerverantwoordelijke ambt.
Het leven van een jonge dalai lama moet ons wel verschrikkelijk voorkomen, want het lijkt in niets op het leven van een normaal kind. Hij werd meerderjarig tussen de leeftijd van 16 en 18 jaar – dat varieerde nogal eens – en tot die tijd leefde hij volgens een strikt vastgesteld patroon waarvan geen milimeter werd afgeweken. Twee lama's van een zogenaamde 'eersteklasse incarnatie' waren belast met zijn opvoeding. Een kamerheer met drie assistenten ging over zijn voeding, zijn dagelijkse bezigheden en zijn godsdienstige ceremonieën. Een verbindingsbureau zorgde voor de contacten met de buitenwereld. Slechts eens per jaar trad de dalai lama naar buiten op, als hij de menigte zegende op de vijftiende dag van het Grote Bidfeest, dat drie weken duurde. De rest van het jaar bracht hij door in de schemerige zalen en gangen van het Potala paleis, dat nu als zoveel paleizen een museum is geworden.

HOOFDSTUK 35

DE HEBREEUWSE INSCRIPTIES VAN KAIFENG

Hoe weinig men dat misschien zou verwachten, de Joden zijn op hun verre omzwervin-

35. 'Waterdraak' van jade. Han-dynastie.

gen ook in China terecht gekomen! De eersten kwamen tijdens de Han-dynastie. Maar pas veel later kwam de eerste vermelding van hun bestaan. In 1164 werd in de stad Kaifeng een synagoge gebouwd. Op die synagoge zijn inscripties aangebracht. Sommige hiervan dateren uit 1164, maar een heel interessante stamt uit het jaar 1511. Deze is in het Chinees opgesteld door de eerste manderijn van de provincie, de heer Tso-tang. ,,Ten tijde van de Han-dynastie vestigden de Joden zich in het Chinese rijk. In het 20ste jaar van de 65ste cyclus (1163) brachten zij keizer Hiau-tsoeng tribuut in de vorm van zijden goederen, die hij genadiglijk aannam en waarvoor hij hun toestond zich te vestigen in de stad Kaifeng-foe, die toen nog Piën-leang heette. Toen bouwden zij deze synagoge.''
Kaifeng werd al spoedig het middelpunt van het Joodse leven in China. Volgens hun eigen overlevering leefden de Joden reeds sinds de regering van keizer Ming-ti (58–76) in China. Volgens de Chinezen kwamen deze Joden uit het land Tiën-tsjou, dat in het huidige Voor-Indië lag. Helaas is er niets meer over van de talloze oude boekrollen die in de synagoge bewaard werden. Geweldige overstromingen en de zware branden die de stad teisterden waren daar de oorzaak van. In het Chinees werden de Joden Kin-kiau genoemd. In de loop der eeuwen vermengden Joden en Chinezen zich dusdanig, dat er naar het uiterlijk althans geen verschil meer te zien was. Aangezien de Chinezen altijd tot de meest tolerante volkeren van de wereld hebben behoord waar het godsdienstige zaken betrof legde niemand de Joden een strobreed in de weg en konden ze rustig hun geloof blijven aanhangen. Een oorzaak voor de vestiging in China is misschien de verwoesting van Jeruzalem geweest in het jaar 70. Er zouden toen 80 Perzische Joden naar China zijn gegaan.

HOOFDSTUK 36

DE ISLAM IN CHINA

De profeet Mohammed heeft de moslems bevolen: ,,Zoek de wetenschap al moet gij er helemaal voor naar China gaan!'' Zo bekend was het wetenschappelijk leven in het Rijk van het Midden! Veel moslems gaven dan ook gehoor hier aan en zonden diplomatieke afgezanten naar China. In Tsjang-an werden de eerste gezanten ontvangen in 651! Vanaf die datum begon de islam zich te verbreiden door heel China. Vele volkeren onder de Chinese

heerschappij werden moslim en tegenwoordig leven er in het gehele gebied tien miljoen. Zij zouden geen Chinezen zijn als ze niet een eigen traditie hadden opgebouwd en zij waren het dan ook die de Chinese wetenschap uitdroegen naar de Arabische wereld, die zo hongerde naar kennis. In het bijzonder blonken zij uit op het gebied van geneeskunst, wiskunde, astronomie en het berekenen van kalenders. De astronomische instrumenten van Koeblai Khan waren het werk van een moslim-astronoom: Djemal el-Din. Arabische boeken op allerlei gebied werden in het Chinees vertaald en vooral tijdens de Ming-dynastie werden deze hoog geschat. Ook de literatuur onderging een vernieuwing. Een grote moslim-geleerde was de Chinees (ze hadden natuurlijk mohammedaanse namen!) Sjams el-Din, die leefde van 1278 tot 1351. Hij schreef een verbazingwekkende serie boeken op ieder denkbaar gebied: filosofie, waterbouwkunde, geografie, enzovoort. Hij was procureur-generaal en beroemd om zijn rechtvaardigheid. Een andere mohammedaan, de architect Ichtijar el-Din, ontwierp de Yan-hoofdstad Ta-toe. Tijdens de Ming-dynastie koos men deze stad als voorbeeld voor het nieuwe keizerlijke paleis, De Verboden Stad in Peking.
Oorspronkelijk werden de islam-doelstellingen mondeling overgeleverd onder de Chinese moslems, naar het voorbeeld der klassieke boeken. Drie van de hieraan werkzame auteurs zijn heel beroemd geworden: Joesoef Ma-tsjoe, Lioe Tsjie en Wang Tai-joe. Om goed beslagen ten ijs te komen hadden zij ook een diepgaande studie gemaakt van tauisme, confusianisme en boeddhisme. Toch verscheen de eerste echte vertaling van de koran in het Chinees pas in 1862!
De Chinese geschiedenis heeft veel moslim-staatslieden gekend. Zij lieten scholen zetten, wegen bouwen, sluizen aanleggen en stimuleerden de economie van het land. Vaak ook waren zij de aanzetters tot boeren- en andere opstanden. In de 15de eeuw was er een moslim uit Yoenan, die op last van de keizer een enorme vloot liet uitrusten waarmee tochten werden ondernomen naar 30 landen in Zuidoost-Azië; dit waren echter zuivere goodwill reizen. Een aantal reisbeschrijvingen was het resultaat ervan.
De eerste moskee in China werd gebouwd in Kanton in de 7de eeuw. Het is een soort Chinese tempel met een moskee-interieur. Een grote, heel simpele minaret van grauwe steen is het enige dat er 'Arabisch' uitziet. Deze moskee wordt nog altijd gebruikt en is de oudste van Azië!

36. Zogenaamd 'kippebeen' jade: Moeder Aarde rijdend op een 'Lin', met een achtergrond van zwammen (fungus). Ming-dynastie.

VI

DE VOORTIJD

HOOFDSTUK 37

DE EERSTE HEERSERS

De eerste 'keizers' die over China hebben geregeerd moeten, als we de traditie geloven kunnen, echte geweldenaren zijn geweest! Ze regeerden soms eeuwen aan één stuk en bedreven daden van onvoorstelbare dapperheid. Ze waren hele of halve goden al naar het uitkwam en al naar men hun daden moest verklaren. En al waren ze zelf geen echte goden, zij stamden er in elk geval van af!

Eén van die legendarische figuren was de eerste regeerder over de wereld. Hij was ook een van de eerste mensen; hij heette Pan Koe. Hij zou in 2852 v. Chr. geregeerd hebben, maar wat hiervan waar is weet niemand. Een andere geweldenaar was Koeng-koeng, die iets met overstromingen had te maken, maar wát, daar weten we het fijne niet van. Hij kan die gesels van China zowel opgejaagd als bedwongen hebben!

De archeologie heeft enig licht geworpen op die verwarde tijden, al zijn we met de jaartallen nog niet veel verder gekomen. We moeten teruggaan tot ten minste 4000 v. Chr. om een begin te vinden voor het neolithicum in China zelf. Tussen 4000 en 3000 v. Chr. bestond er een cultuur die gekenmerkt wordt door beschilderd aardewerk dat niet meer zo erg primitief is. De belangrijkste opgravingen waren die van Yang Sjau en van Pan Sjan. Deze vindplaatsen liggen in Noord- en Midden-Honan. Daarnaast bestond er een tweede cultuur: die langs de oostkust in Noordoost China, de cultuur van Loeng Sjan. Daar vond men mooi, fijn aardewerk, getypeerd door de zwarte kleur. Van het zuiden en zuidoosten weten we (nog?) niets.

De cultuur van Yang Sjau lag langs de middenloop van de Gele Rivier. Er bevonden zich op die vruchtbare riviervlakten talrijke min of meer grote dorpen, waarvan de ronde of rechthoekige huisjes een vloer hadden die iets lager lag dan de begane grond. Ze hadden een lage aarden muur, versterkt door palen waarop het dak lag. Deze boeren bewaarden hun graan in diepe kuilen naast hun huizen. Het gereedschap was van steen. Men at behalve

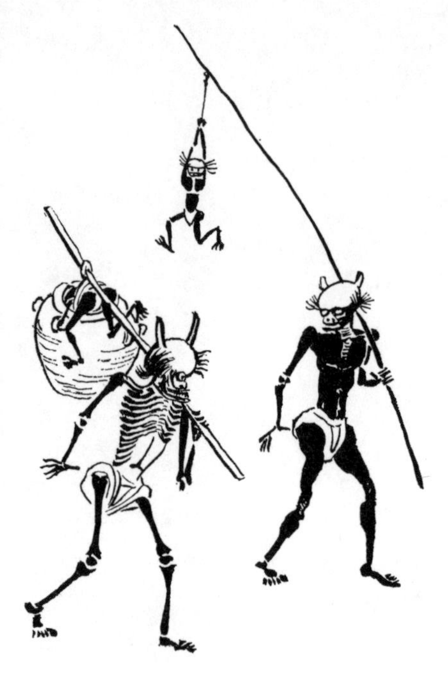

37. 'Tsjoeng-k'wei'. De 'Onderwerper van Demonen'. Koeng-k'ai, ongeveer 1275.

graan ook varkensvlees en wat jacht en visvangst opleverden. Deze dorpen waren nog niet versterkt.
De cultuur van Pan Sjan kenmerkt zich door heel grote beschilderde urnen, die wonderlijk genoeg overeenkomst vertonen met aardewerk uit de Oekraïne. Men heeft dan ook wel eens gedacht aan een invloed van die zijde door middel van een invasie.
We zagen al dat de cultuur van Loeng Sjan gekenmerkt werd door heel mooi, dun en fijn zwart aardewerk. De huizen lagen niet in de vlakten, maar op de toppen van lage heuvels of bergen. Men fokte varkens en schapen, runderen en ook honden en men vond er, net als bij andere culturen, de typische orakelbeenderen waarmee de tovenaars uit die tijd de mensen hun toekomst onthulden. In tegenstelling tot de orakelbeenderen van Yang Sjau en Pan Sjan waren die van Loeng Sjan *niet* met geheimzinnige tekens gegraveerd.

HOOFDSTUK 38

DRIE PIONIERS

De Chinezen hebben altijd grote belangstelling getoond voor de geschiedenis van hun land; zij hebben deze tot zeker 3000 v. Chr. teruggevolgd. In oeroude kronieken maakt men melding van allerlei historische feiten, die er vaak legendarisch uitzien, maar die misschien toch een kern van waarheid bevatten, te meer omdat archeologische onderzoekingen vaak bevestigen wat al sinds onheuglijke tijden beweerd werd. Zo zijn er bij voorbeeld twee boeken: *Het Ritueel van Tsjou* en *De Annalen van de Oude Staten* – beide stammend uit de 4de of 3de eeuw v. Chr. – waarin verteld wordt over het volk van Hoea en het volk van Sjia. De Hoea was een berg – misschien gelegen in het huidige Honan – en de Sjia was een rivier, mogelijk de Hanrivier in Hoepeh. De volkeren uit die tijd leefden mogelijk tussen die berg en die rivier; daar bestond een cultuur die nu bekend staat als de Yang Sjau-beschaving. Ze maakten mooi, beschilderd aardewerk, hadden goede kleren, konden voedsel bereiden op een betere manier dan door het domweg in een vuur te roosteren. Zij kenden het huwelijk en hadden een regeringssysteem. De mensen van dit volk zouden de echte voorvaderen van de Chinezen zijn en de ware stichters van de Chinese cultuur.

De Drie Pioniers, zoals ze genoemd worden in de oude annalen, behoorden tot dit volk. Het waren drie mannen die wat hun verstand en uitvindingsvermogen betrof met hoofd en schouders boven hun volksgenoten uitstaken. Ze waren zó geweldig knap dat hun namen nu nog bekend zijn.

Nummer één was Foehi, wiens geboortejaar we niet kennen maar die volgens de traditie gestorven is in 2852 v. Chr. Foehi vond het Chinese schrift uit, dat wil zeggen hij bedacht een groot aantal tekeningetjes die allerlei dingen uit het dagelijks leven voorstelden. Zag iemand zo'n tekentje, dan wist hij meteen wat ermee bedoeld werd. Uit deze tekeningetjes ontstonden in de loop der tijden de bekende Chinese karakters, vertelt de legende. Als Foehi werkelijk het Chinese schrift heeft uitgevonden, dan heeft hij zijn volk wel iets aangedaan! In een dictionnaire van 1716 staan namelijk... 40 545 karakters! Zelfs na zorgvuldig uitdunnen van overbodige tekens telt het moderne telegrafische codeboek in China nog altijd bijna 10 000 karakters. Het is dan ook geen wonder dat een Chinees die minder dan 1000 karakters kent voor analfabeet wordt uitgekreten en dat men pas een beetje gaat meetellen als men boven de 5000 komt. Naast het Chinese schrift vond de knappe Foehi nog iets heel nuttigs uit: het huwelijk. Dat klinkt simpeler dan het werkelijk is. Om een verzameling regels en voorschriften te bedenken die een man en een vrouw voortaan hopelijk voor het leven verbinden met het doel een hecht gezin te vormen, moet een heel werk zijn geweest waar Foehi zeker niet één twee drie mee klaar is geweest.

38. Bronzen leeuw. Ming-dynastie.

Pionier nummer twee is Sjen Noeng, die in 2737 v. Chr. – alweer volgens de traditie, want jaartallen uit die lang vervlogen eeuwen staan op buitengewoon losse schroeven! – zou zijn overleden. Sjen Noeng was niet meer of minder dan de uitvinder van de landbouw en van de geneeskunst! Vooral deze 'uitvindingen' zullen we met een korrel zout moeten nemen, want we hebben al gezien dat zelfs de holenmens al een soort landbouw bedreef. En ook de geneeskunst is natuurlijk niet op een gegeven ogenblik uitgevonden, maar groeide langzaam uit de ervaring van mensen die men als de eerste artsen zou kunnen beschouwen, omdat ze beter dan anderen wonden konden verzorgen of helen, of zieken genezen met kruiden of andere middeltjes.
Pionier nummer drie, Hoeang-ti geheten en overleden in 2697 v. Chr., stond er niet alleen bij voor zijn uitvindingen. Hij was de gelukkige echtgenoot van Vrouwe Si Ling, die de eeuwige dank der Chinezen verdient omdat zij de 'uitvindster' zou zijn geweest van de zijdecultuur. Hoeang-ti wordt ook vaak de Gele Keizer genoemd. Hij zou de grenzen van zijn rijk geweldig hebben uitgebreid. Hij regelde de kalender, stelde een raad van geschiedschrijvers aan en was de man die huizen en steden uitvond!
Uit dit laatste vooral kunnen we zien dat hier sprake is van een legendarische figuur, want er bestonden natuurlijk allang huizen in China. Of deze Drie Pioniers ooit echt hebben bestaan? Wie zal het zeggen? Zo lang er echter geen historische bewijzen zijn gevonden moeten we hen wel naar het rijk der legenden terugwijzen.

HOOFDSTUK 39

ONS DAGELIJKS KOPJE THEE

Merkwaardig genoeg bestaat de nationale Chinese drank *niet* uit thee maar uit kokend water! De thee is echter een goede tweede. De oorzaak van deze naar ons gevoel zonderlinge voorkeur voor heet water moeten we zoeken in de grote armoede van het Chinese volk, een armoede die slechts zelden werd opgeheven. Voor thee is geld nodig, voor kokend water niet, dat is de hele verklaring.
Maar het gebruik van thee was en is toch zo belangrijk dat ten slotte de hele wereld aan het theedrinken sloeg. En het aardige is dat het de Hollanders waren die het produkt in Europa zijn juiste naam gaven. Alleen de Engelsen zeggen *tea* en die zeggen het fout, waarop we nog terugkomen. Wat is eigenlijk thee? Het zijn de geroosterde en gefermenteerde blaadjes van de theestruik, die met kokend water worden afgetrokken. Volgens de Chinezen zelf stamt de gewoonte thee te drinken van die legendarische Tweede Pionier, Sjen Noeng, die ook de landbouw uitvond. Die thee lag dus wel in zijn lijn en men zou zo al omstreeks 2737 v. Chr. een kopje thee hebben kunnen drinken. Maar historisch wordt thee voor het eerst vermeld in 350, als het woord voorkomt in een officiële encyclopedie. Het goedje droeg de naam 't'ee' en dit woord kwam uit Amoy. De Hollanders brachten deze t'ee naar Java en van daaruit naar Europa, waar iedereen het woord overnam, óók de Engelsen. Maar

al gauw vonden die Engelsen, dat je een woord dat als 'tee' geschreven werd hoorde uit te spreken als 'tie' en op dat moment werd de Engelse tea geboren. Wel met een omweg! Merkwaardig is ook dat de bewoners van de havenstad Kanton het woord t'ee al spoedig begonnen uit te spreken als 'tsja' en in die vorm vond de drank zijn weg naar de Latijnse landen, waar men er 'chai' van maakte zoals bij voorbeeld de Portugezen.
Oorspronkelijk was de thee niet inheems in China, maar wel in enige grensprovincies van India, Birma en Siam. Van daaruit verspreidde de cultuur zich heel snel naar China en Japan, niet het minst onder invloed van de boeddhistische priesters die er een ideale stimulerende drank in vonden, die de mensen toch toestond hun verstand bij elkaar te houden. Noemden de Engelsen de thee niet 'the cup, that cheers, yet not inebriates'? Het kopje dat vrolijk, maar niet dronken maakt? In 780 werd er aan de thee zelfs een handboek gewijd door een beroemde geleerde, Loe Yoe geheten. Het werk heet *Tsj'a Tsjing*, het Boek van de Thee. Meneer Loe Yoe was dus een Kantonnees, gezien zijn uitspraak. Hij beschrijft de thee als een soort geperst blok dat men moet roosteren en daarna uit elkaar pluizen. De vezeltjes werden in gezouten kokend water afgetrokken. Het klinkt weinig aanlokkelijk. Wanneer de moderne wijze van theezetten in zwang kwam is niet bekend. Eén ding deden de Chinezen echter nooit. Ze bedierven het edele vocht niet met suiker en melk. Vóór alles gaat bij de Chinees de fijne geur, die uit het kopje wasemt en waarvan men ten minste evenveel geniet als van het drinken.
Van China uit verspreidde de thee zich over de wereld. In 850 maakten de Arabieren er kennis mee en nog altijd zijn zij grote theedrinkers, al geven ze vaak de voorkeur aan het toevoegen van munt aan de thee. In Europa was men er heel wat later mee. In 1559 hoorden de Venetianen er voor het eerst van; in 1600 de Portugezen. Aan de Hollanders komt de eer toe de eerste thee in 1610 naar Europa te hebben gebracht. Vijftig jaar later schreef de bekende Engelsman Samuel Pepys in zijn dagboek: „Ik bestelde een kop 'tee' (een drank uit China) die ik nog nooit eerder had gedronken''. Maar zij die de gewoonte invoerde 's middags thee te drinken was Ann, hertogin van Bedford. Om vijf uur in de namiddag kreeg ze altijd een 'inzinking', die ze tot haar genoegen kon bestrijden met thee en gebak en broodjes. En nog vandaag de dag doen wij net als die hertogin!

39. Paviljoen.

HOOFDSTUK 40

BETER WORDEN DOOR MET NAALDEN TE PRIKKEN

De geneeskunst bestond in China sinds de oudste tijd en men bezat reeds een behoorlijke medische kennis vóór er in Europa maar gedacht werd aan een geneeswijze die uitging boven bezweringen en toverformules. Reeds tijdens de Han-dynastie heeft er een arts geleefd die in een dagboek zijn klinische ervaringen bijhield; er is ook een chirurg geweest die verdovende middelen gebruikte bij zijn operaties en wiens patiënten ook werkelijk na een ingreep genazen. De chirurgie had overigens in China weinig kans daar men in een operatie een verminking of op zijn minst een beschadiging zag van het menselijk lichaam, dat ten slotte zo intact mogelijk in het graf moest worden bijgezet.

In oude boeken staat veel te lezen over gezonde levenswijzen, door artsen aanbevolen, die merkwaardig modern aandoen. Matigheid in alles; een rustig leven; regelmaat; de schone kunsten als uitlaatklep voor psychische spanningen; het wegwerpen van bedorven voedsel; later zelfs een arts die zegt, dat beriberi geneest indien men voldoende vitaminerijke groenten en kruiden gebruikt; het is alles voor ons zo vanzelfsprekend, maar uitermate merkwaardig in een tijd waarin de wereld buiten China vaak nog in de duisternis van onkunde en bijgeloof naar een meer verlichte tijd worstelde.

De Chinezen poetsten hun tanden en gorgelden na iedere maatijd. Ze wisten dat een dagelijks bad noodzakelijk was. Ze kenden de bloedsomloop op hun duimpje. Daarnaast bemoeiden ze zich ook met de alchemie, want de wens om goud te kunnen maken uit waardeloze stoffen schijnt de mensen altijd en eeuwig en over de hele wereld bezig te hebben gehouden, met uitzondering natuurlijk van die landen, waar dat edele metaal in voldoende hoeveelheid aanwezig was, zoals Mexico en Egypte.

Een van de merkwaardigste geneeswijzen die de Chinezen hebben uitgevonden is de acupunctuur, waarbij men de patiënt dusdanig met naalden bewerkt dat hij erdoor geneest. In de *Canon van de Interne Geneeskunst* uit de regering van de beroemde Gele Keizer wordt melding gemaakt van het gebruik van stenen naalden bij de acupunctuur. Deze naalden moeten ware meesterwerkjes zijn geweest, want het is de bedoeling dat zij zo dun mogelijk zijn om met een minimum aan pijn onder zachte druk in de huid te glijden. De moderne naalden die nu in de ziekenhuizen van China worden gebruikt zijn van roestvrij staal en hebben een doorsnede van een fractie van een milimeter. Het inbrengen van deze naalden is meestal volkomen onmerkbaar; soms voelt men een lichte prikkeling. Pijn is er beslist nooit te merken.

Van de stenen naalden ging men over op naalden van brons, van zilver en van goud. Uit het jaar 581 v. Chr. stamt een vermelding over een man, die in coma lag en die al was opgegeven. Maar een zeer bekwaam arts stak hem vijf naalden in de schedel op de juiste plaats – die hem alleen bekend was natuurlijk – en de man kwam niet alleen bij maar leefde nog lang en gelukkig. De grootste bloei beleefde de acupunctuur tijdens de T'ang-dynastie. Men was toen zo ver gevorderd dat men 365 punten kende om de naalden in te steken en men had negen soorten naalden. Men was toen al zeer bekwaam in pathologie, physiologie, anatomie en diagnostiek.

40. Porseleinen afbeelding van Lau-tse, onder andere de arbiter van de duur van het menselijk leven. Ming-dynastie.

Lezingen en cursussen door beroemde artsen vonden overal in in het land plaats. De acupunctuur beleefde een ware hoogconjunctuur.
Tijdens de Soeng-dynastie, om precies te zijn in het jaar 1027, werden er twee grote bronzen beelden gegoten waarop alle punten precies stonden aangegeven. Het ene beeld kwam in Japan terecht en bestaat nu nog. De Chinezen zijn met hun overgebleven exemplaar blijkbaar minder zorgzaam omgesprongen; in ieder geval is het spoorloos verdwenen. In 1443 maakte men een nieuw beeld. In 1644 beleefde de acupunctuur een ernstige achteruitgang. De keizers van de toen heersende Tsj'ing-dynastie, die Mandsjoes waren, beschouwden zichzelf als zó hoog, onaantastbaar en heilig dat er niet in hen geprikt mocht worden! En aangezien de keizer en zijn hof nu eenmaal de toon aangaven raakte de acupunctuur ernstig in discrediet en eigenlijk is ze pas weer in het zoeklicht gekomen toen Mau Tse-toeng in 1944 de acupunctuur aanbeval als een goede tweede na de moderne westerse geneeskunst.
Hoe gaat het prikken nu te werk? Steekt men lukraak naalden in een patiënt in de hoop op goede afloop? Niets is minder waar, want om de acupunctuur met succes toe te passen is een behoorlijke studie absoluut noodzakelijk. Bij dit systeem worden er twee groepen onderscheiden. In groep 1 die *tsang* heet vallen de organen: hart, lever, gal, longen en nieren. Tot groep 2 behoren de maag, de grote en de kleine darm, de gal- en de urineblaas en de urinewegen. Deze groep heet *foe*. Beide groepen zijn onderling verbonden door een ons onbekend kanaal, de *tsjing-mai* waarlangs een ons onbekend 'iets' stroomt, de *tsji* of levenskracht. Verder beschikt de mens dan ook nog over de bloedsomloop en het stofwisselingskanaal.
Het is echter de tsjing-mai die men behandelt bij de acupunctuur, want hierlangs ligt een aantal punten dat nu reeds meer dan 1400 telt – die de behandelende arts allemaal op zijn duimpje moet kennen wil hij de patiënt genezen en géén pijn doen – waarin de naalden gestoken moeten worden. Prikt men de naalden met de richting van de tsji mee dan heeft dat een stimulerende uitwerking. Steekt men de naalden echter tegen de stroom in dan geven ze ontspanning. Zo zal om een verlamming te genezen dus een stimulerende werking gekozen worden; om hoofd- of kiespijn weg te nemen een ontspannende. De naalden blijven tien minuten tot een kwartier in de patiënt gestoken, die zich gedurende die tijd roerloos moet houden. Hoofdpijn bestrijdt men bij voorbeeld met vier naalden in hoofd en nek en na 10 minuten is de pijn verdwenen.

VII

DE SJIA-DYNASTIE

HOOFDSTUK 41

ARME HI EN HO

In de Chinese traditionele geschiedschrijving neemt de Sjia-dynastie (van 2205-1766 v. Chr. volgens de oude Chinese gegevens; van 1994–1525 v. Chr. volgens de nieuwste gegevens die echter nog veranderen kunnen) de eerste plaats in. Als we de traditie mogen geloven was het een merkwaardige tijd, waarin China al een heel eind wás gevorderd op het lange pad der beschaving. De stichter van de dynastie zou keizer Yoe zijn geweest. Deze keizer was een geweldenaar, die het klaarspeelde om een geweldige overstroming te keren en het water af te voeren, voor die vroege tijd een onvoorstelbaar heldenfeit. Een dergelijk man verdiende het dan ook wel om de stichter te zijn van een keizershuis, zelfs al staat dit niet historisch vast.
Tijdens de Sjia-dynastie had er iets merkwaardigs plaats: er was namelijk een zonsverduistering. Nu komt iets dergelijks natuurlijk wel vaker voor, maar deze speciale zonsverduistering kostte het leven aan twee brave mannen, de keizerlijke astronomen Ho en Hi. Deze mannen hadden namelijk nagelaten te ontdekken dat en wanneer die zonsverduistering zou plaatsvinden. Volgens de traditie was men namelijk reeds tijdens de Sjia-dynastie al aardig op de hoogte van de astronomie en zoiets simpels als het voorspellen, dat wil zeggen het berekenen van een te verwachten zonsverduistering behoorde tot het gewone werk van de heren Hi en Ho. Waarom ze dit nagelaten hebben zal wel eeuwig een raadsel blijven, maar het is een feit dat Ho en Hi nalatig waren in deze kwestie. Nu waren zonsverduisteringen in die tijd gebeurtenissen die verschrikkelijke gevolgen konden hebben. Het volk was natuurlijk niet op de hoogte van de astronomie. Kwam het onvoorbereid voor een zoneclips te staan dan waren de gevolgen daarvan niet te overzien. Een paniek zou zich van heel China meester maken als men zou zien dat de zon langzaam maar zeker door een luguber 'iets' uit de hemel werd verdreven. Het was dus geen wonder dat de keizer zich ontzettend boos maakte op de nalatige Hi en Ho; zó boos dat hij beide ter dood veroor-

deelde en het vonnis meteen liet voltrekken. Dat alles vond plaats op 22 oktober 2137 v. Chr! Ook al weer volgens de traditie.

De dynastie kwam ten einde, zoals zo vaak het geval is, met de regering van een onverdragelijke tiran, keizer Tsjie Kwei, die zijn volk op een verschrikkelijke manier uitzoog en onderdrukte. Geen wonder dat nieuwe en veel krachtiger vorstenhuizen trachtten de macht in handen te nemen. De eens zo trotse en machtige Sjia-dynastie werd ten val gebracht door het volk van Sjang.

41. 'Kwei', een bronzen vat met tau-ti masker versierd. Sjang-dynastie.

VIII

DE SJANG-DYNASTIE

HOOFDSTUK 42

HET VOLK VAN SJANG

Volgens de Chinese traditie heette de tweede dynastie van Chinese keizers Sjang. Men wist dat deze heersers een hoofdstad hadden gehad die mooi en rijk was. Men wist zelfs waar die hoofdstad had gelegen: bij An-yang in Noord-Honan. Volgens de traditie hadden de Sjang goede tovenaars en een grote beschaving.

Op bijna melodramatische wijze heeft de moderne archeologie de oude traditie tot waarheid gemaakt. Zelfs omtrent die hoofstad bleek men gelijk te hebben! Vele geleerden hadden getwijfeld aan het werkelijke bestaan van een Sjang-dynastie, zoals men ook had getwijfeld aan het bestaan van de Sjia-dynastie en aan de grote en machtige heersers daarvoor. Maar nadat in 1927 de eerste spade in de grond was gestoken kwam er al gauw een einde aan de twijfel. Men kende reeds lang het prachtige vroege bronswerk, dat geregeld op de kunstmarkt verscheen en dat door sluikgravers werd geleverd. Nu kwam men te weten wáár die bronzen gevonden werden: bij An-yang. Die bronzen waren wel een van de kenmerkendste kunstuitingen van het volk van Sjang en ze kwamen tevoorschijn uit de talrijke graven, waarin ze de doden waren meegegeven op hun reis naar het hiernamaals. Uit wat men in de loop der jaren vóór en na de oorlog heeft gevonden kan men zich een heel aardig beeld vormen hoe het leven in China er toen moet hebben uitgezien. De heersers van Sjang moeten geweldig belangrijke mannen zijn geweest als men naar hun begrafenissen mag oordelen. Ze werden bijgezet in reusachtige kisten in onderaardse grafkamers. Talloze mensen en nog veel meer paarden werden gedood om hen op hun verre tocht te begeleiden. Bronzen vaatwerk van prachtige vorm en perfecte afwerking werd gebruikt bij de rituele handelingen, evenals heel mooi aardewerk.

De mensen van Sjang woonden in vrij primitieve huizen die waarschijnlijk van hout waren, gesteund door houten pilaren met een voet van brons op een fundering van rivierkeien. De vloeren waren van aangestampt leem. Ook om deze huizen en gebouwen op te trek-

ken bleken mensenoffers nodig te zijn geweest, want men vond skeletten van mannen die hun hellebaard bij zich hadden en ook weer dat prachtige bronzen vaatwerk.
Elf vorsten hebben waarschijnlijk geregeerd in de opgegraven hoofdstad An-yang, maar dat zijn niet alle heersers van de dynastie. Volgens de traditie moeten er eerdere Sjang-vorsten hebben geregeerd; alles met elkaar zouden het er zeker dertig geweest zijn. Waar de eerste hoofdstad moet hebben gelegen is (nog) niet bekend.
We moeten het land van Sjang niet zien als een 'staat' zoals wij die kennen. Vroeger heerste de vorst over een verzameling machtige mannen, die heer en meester waren in hun eigen gebied en hun eigen stad. Hun macht konden zij uitoefenen doordat ze in het bezit waren van bronzen wapens en tweewielige, door paarden getrokken rijtuigen. Maar de boeren die het land bewerkten deden dit met gereedschap, dat nog geheel tot het stenen tijdperk behoorde. Ze hadden houten spaden en stenen sikkels om het graan te oogsten. Het vaatwerk dat zij bezaten was grof en grauw van kleur.
Aan het einde van de Sjang-dynastie is misschien uit de samenstelling van de maatschappij van die dagen het feodale stelsel geboren, dat in China lang heeft bestaan. Het ontstond toen de door de vorst benoemde regeerders van de steden ook de meesters werden van de dorpen en landerijen, die om zo'n stad heenlagen. Zij beschermden de dorpelingen en boeren tegen eventuele vijanden, maar eisten daarvoor dan ook beloning in de vorm van werk en opbrengsten.
Ten slotte kunnen we nog vertellen dat de jaartallen van de Sjang-dynastie niet vaststaan Men houdt het meestal op ongeveer 1525-1028 v. Chr.

42. 'Koe', bronzen plengvat.
Sjang-dynastie.

HOOFDSTUK 43

DE TOEKOMST UIT BOTJES

Vanaf de vroegste tijden hebben de mensen willen weten wat hen in de toekomst te wachten stond. Op hetzelfde moment dat dit verlangen ontstond werd de tovenaar geboren. In China was het al niet anders dan in de rest van de wereld. Men had er echter een heel eigen systeem van toekomst voorspellen, dat vele eeuwen stand hield.

Iets dat van zoveel toevalligheden samenhangt als de toekomst wordt bijna vanzelfsprekend ook 'voorspelt' door toevalligheden. En als die voorspelling dan blijkt uit te komen, hetzij door een handige uitleg van de behaalde uitkomsten na veel peinzen van de tovenaar, hetzij door een zeer vooruitziende en geschoolde geest van diezelfde man, dan gaat men hoe langer hoe meer geloven in de onfeilbaarheid der gebruikte middelen.

In China placht men al van heel vroege tijden af, namelijk reeds tijdens de Loeng Sjan-tijd, de toekomst te voorspellen uit de beenderen van verschillende dieren. Het principe was eenvoudig en berustte eigenlijk op de structuur van het bot dat zal splijten in een bepaalde richting indien men het verhit. Moest er dus iets voorspeld worden dan nam de tovenaar een flink stuk been zoals bij voorbeeld een schouderblad van een schaap, een varken of een rund, en begon dat te bewerken. Hij boorde of priemde kleine gaatjes in het bot en stak er dan een sterk verhit bronzen staafje in. Door de uitstralende hitte werd het bot plaatselijk verhit, zette uit en barstte. Deze kleine barstjes die aan de andere kant van het bot ontstonden waren dan het orakelantwoord op gestelde vragen die op ieder denkbaar gebied konden liggen, want men gebruikte die orakelbeenderen letterlijk overal voor. Wilde iemand een reis ondernemen dan raadpleegde hij een tovenaar. Had men regen nodig of wenste men daarentegen droogte; wilde men een militaire aktie ondernemen; was er sprake van staatkundige problemen voor zo ver die in die heel vroege tijden voorkwamen, men maakte gebruik van een orakelbeen. De manier waarop men meende de toekomst te kunnen aflezen uit de barstjes was als volgt. Rond zo'n gat ontstond een aantal barstjes en er was er natuurlijk altijd wél een dat groter was dan de rest. Dit was de hoofdlijn. Van deze lijn uit lopen fijnere barstjes en de wijze waarop deze vertakking plaats heeft gaf de gewenste voorspelling. En het was de taak van de tovenaar om deze barstjes te 'lezen'.

Nu kunnen we lachen om een dergelijke manier van toekomstvoorspellen die ons wel uitermate primitief voorkomt, maar hebben *wij* het recht om te lachen? Hoeveel mensen zijn er niet die heilig geloven in een toekomst die uit de sterren voorspeld wordt? Of uit koffiedik? Of uit kristallen bollen? Heel wat belangrijker is dat de Chinezen uit die barstjes op een of ander tijdstip – wanneer is niet bekend – een schrift hebben ontwikkeld dat met de nodige varianten tot op de dag van vandaag is blijven bestaan. Uit een verzameling niets zeggende lijntjes van een verhit schouderblad of een schaal van een schildpad, die ook vaak gebruikt werd, ontstonden uiteindelijk karakters waarmee nog altijd de Chinese taal geschreven wordt!

Er zijn bij opgravingen tienduizenden van die orakelbeenderen gevonden. Het schijnt namelijk de gewoonte te zijn geweest om de beenderen, waarmee men heel belangrijke voorspellingen deed en waarop zowel de vraag als het antwoord gegrift staan, te bewaren. De-

ze voorspellingen waren soms heel lang. De grootste en uitgebreidste stonden op de schalen van schildpadden. Dankzij de grote gelijkenis met de moderne Chinese karakters heeft men vele ervan kunnen ontcijferen zodat we heel wat te weten zijn gekomen over die zo ver van ons af liggende tijden.
Tijdens de Sjang-dynastie maakte men nog steeds gebruik van orakelbeenderen, wat wel wijst op een heel lange verbindingslijn met het neolithicum. Maar één ding hebben ze niet helpen oplossen: wanneer begon die ontwikkeling die bij de Sjang-cultuur reeds zo'n grote bloei heeft bereikt...?

43. Orakelbeen met de oudste vorm van het Chinese schrift.

IX

DE TSJOU-DYNASTIE

HOOFDSTUK 44

DE OVERWINNING DOOR DE TSJOU

Ver in het westen van China, aan de uiterste rand der vruchtbare vlakten, leefde het volk van Tsjou. Het was een volk van boeren zoals alle Chinezen, maar ze hadden nog een tweede en vrij zware taak: ze vormden als het ware een bufferstaat tussen China en de westerse barbaren, die altijd klaar stonden om invallen te doen in de zoveel vruchtbaarder streken die door de Tsjou bevolkt werden. En het is zelfs heel wel mogelijk, dat de Tsjou zelfs eens zo'n groep emigranten waren geweest. Tsjou was een vorstendom en werd geregeerd door een sterk vorstenhuis, dat het goed met zijn volk voorhad. Het was geen groot land; wat dat betreft was de taak dus niet al te zwaar. Zij waren verantwoording schuldig aan de keizers van de Sjang-dynastie, maar omdat de Tsjou nogal ver weg zaten hoefde men dat in normale tijden niet al te zwaar op te nemen.

Nu regeerde er echter aan het einde van de Sjang-dynastie een wrede en onberekenbare figuur: keizer Tsjou Sjin (niet te verwarren met het volk van Tsjou!). In die tijd werd het land Tsjou geregeerd door een uitstekende vorst, die Wen Wang heette. Toen het al te

44. 'Yi', een bronzen vaatwerk, wijnvat of wasbekken voor de handen (?). Tsjou-dynastie.

erg werd met de wreedheden van de laatste Sjang-keizer meende Wen Wang in naam van zijn volk te moeten protesteren. Als gevolg daarvan werd hij gevangen genomen en in de gevangenis geworpen. Volgens de traditie zou hij daar toen het klassieke *Boek der Veranderingen* hebben geschreven.
Gelukkig voor Wen Wang had hij een zoon, Woe Wang, die even flink was als zijn vader. Hij wist de keizer te bewegen zijn vader weer uit de gevangenis te laten en terug te sturen naar zijn eigen land. Maar voor Woe Wang was dat nog maar het begin! Tezamen met zijn beroemde broer Tsjou Koeng, hertog van Tsjou, sloot hij een coalitieverbond met een aantal andere vorsten en zij bonden de strijd aan met de Sjang-keizer. De goede Wen Wang was inmiddels overleden. Woe Wang en zijn bondgenoten slaagden er in de Sjang-keizer ten val te brengen en een nieuwe dynastie te stichten: de Tsjou-dynastie, die het langst heeft geregeerd van alle Chinese dynastieën, namelijk negen volle eeuwen.
Woe Wang kwam als keizer aan de regering in 1121 v. Chr. volgens de traditionele, in 1027 v. Chr. volgens de nieuwe gegevens. Het einde van de dynastie valt in respectievelijk 221 en 222 v. Chr. Woe Wang heeft niet lang kunnen genieten van zijn succes. Hij werd opgevolgd door een minderjarige kroonprins, onder het voortreffelijke regentschap van de hertog van Tsjou. Dit regentschap heeft voor de Chinezen altijd gegolden als ideaal. Dat er in die negen eeuwen van het bestaan der Tsjou-dynastie heel wat gebeurd is spreekt vanzelf. De Tsjou-tijd wordt geschiedkundig in drie delen gesplitst zoals wij in de volgende hoofdstukken zullen zien.

HOOFDSTUK 45

VROEG-TSJOU

Het volk van Tsjou bezat zeker evenveel beschaving als het door hen overwonnen Sjang-volk en heel veel zullen zij er wel niet van verschild hebben. Evenals de Sjang bezaten zij paarden, maar in tegenstelling tot de Sjang brachten zij al geen mensenoffers meer bij de begrafenissen van hun heersers. Ze bezaten een staatsgodsdienst en de keizer was de bemiddelaar tussen zijn volk en de hemel. Hij bracht officieel de offers, die vrede en goede oogsten moesten waarborgen. Gedroeg de keizer zich niet zoals het behoorde dan gaf de hemel zijn misnoegen te kennen door grote rampen. Merkwaardig genoeg schenen er in die tijd geen priesters te bestaan. De riten waren in handen van het vorstenhuis.
De nieuwe dynastie begon ermee het machtsgebied flink uit te breiden. Van het westen uit beginnend bereikten zij uiteindelijk de zee in het oosten, de grenzen van Setsjoean in het oosten en de Yang-tse in het zuiden. Het keizerrijk uit die tijd moet gezien worden als een verzameling min of meer onafhankelijke staten en staatjes, die de Tsjou-keizer als hun soeverein erkenden. Na de eerste heersers echter schijnt de Tsjou-dynastie geen grote figuren meer gekend te hebben; het waren zeer middelmatige regeerders en sommigen van hen waren alleen maar bekend door de dwaasheden die zij uithaalden. Maar gelukkig voor de Tsjou-

dynastie telden de aan haar onderworpen staten vaak zeer sterke mannen onder hun vorsten. Deze mannen waren het die het rijk steeds groter maakten door veroveringen of het sluiten van verbonden. Het vroeg-Tsjou was in hoofdzaak in het westen georiënteerd. Het wordt geacht te hebben geduurd van 1122 (1027) tot 947 (900) v. Chr.

HOOFDSTUK 46

MIDDEN-TSJOU

Het midden-Tsjou duurde van 946 (900) tot 770 (600) v. Chr. In die tijd was voor de dynastie een zekere aftakeling begonnen, want de omliggende buurlanden waren langzamerhand machtiger geworden dan de staat Tsjou zelf. Wel bleef men Tsjou als de hoofdstaat beschouwen, maar de keizers waren niet veel meer dan een stel marionetten en het kwam

45. 'Tsoen', een bronzen wijnvat in de vorm van een uil. Tsjou-dynastie.

zelfs zo ver dat de Tsjou schatplichtig werden aan de Tsj'i, een schatrijke landbouwstaat in het gebied waar nu Sjantoeng ligt. Bovendien ging de hele handel in zout en ertsen via Tsj'i en dat legde voorwaar geen windeieren. Vooral zout was een eersteklas handelsartikel waar geen mens buiten kon.
Maar ondanks al die ongeregeldheden gebeurden er in China toch grote dingen, want de

beschaving bleef zich op een geweldige manier ontwikkelen. De landbouw nam een enorme vlucht dankzij nieuwe irrigatiemethodes en een goede en lonende verdeling van het land. Men kende het gebruik van talrijke metalen als brons, ijzer en goud. Er was een zeer ontwikkelde staatsgodsdienst met streng vastgelegde riten en gebruiken. Er was handel langs alle wegen en met alle landen, zelfs tot Siberië toe. De staat bezat archieven; dichtkunst en geschiedschrijving namen een hoge vlucht. Reeds was het familieleven de basis van de maatschappij en de voorouderverering een belangrijk onderdeel van het geestelijk leven. De basis was gelegd voor het kunnen bestaan van de grote figuren van de 6de eeuw: Confusius, Lau-tse en Mencius.

HOOFDSTUK 47

TIENDUIZEND LI DOOR HET LAND VAN HET VLIEGENDE ZAND

De Romeinen mochten dan al 'reizende keizers' hebben zoals Hadrianus, die evenals moderne toeristen vreemde landen bezochten en zich verbaasden over wat ze daar te zien kregen, de Chinezen hadden er ook één. Hij heette Moe-wang en was een keizer uit de Tsjou-dynastie. In de *Annalen van de Bamboeboeken* staan zijn reizen vermeld:
,,De keizer reisde tijdens zijn expeditie in de richting van het noorden duizend li door het Land van het Vliegende Zand (de Gobiwoestijn) en daarna nog eens duizend li door het Land van de Opgehoopte Veren (niet bekend wat hiermee bedoeld wordt, in ieder geval een heel koud, met sneeuw bedekt land). Toen onderwiep de keizer de horden van de Koean en keerde terug met vijf koningen, die zijn gevangenen waren. Toen vervolgde hij zijn reis naar het land waar de groene vogels hun veren afwerpen (papagaaien?). Tijdens de terugreis legde hij 190 000 li af.'' Tot zo ver de Bamboeboeken. Nu hebben 1000 li een lengte van 577 km. De ondernemende keizer zou dus een reis hebben gemaakt van bijna 11 000 km. Omdat hij er echter slechts anderhalf jaar over deed en het reizen in die tijd waarlijk niet snel ging, zeker niet met een geweldige hofhouding op sleeptouw, moeten we de afgelegde afstand met een korreltje zout nemen. Even onwaarschijnlijk is het bezoek dat de keizer tijdens die reis zou hebben gebracht aan Sé Wang-moe, de Koningin van het Westen. Bij die gelegenheid at de keizer een banket aan een tafel van jaspis en de Koningin van het Westen zong een lied voor hem. Daarop zong de keizer op zijn beurt een lied. De verzen waren elegieën, de genoemde Sé Wang-moe was... de koningin van Sjeba!
De reis van keizer Moe-wang was in wezen niet anders dan een krijgstocht. In het noorden leefden de gevaarlijke horden die steeds nieuwe invallen pleegden. Wat is er logischer dan dat een keizer daar een einde aan probeerde te maken? Wat de koningin van Sjeba betreft, of Sé Wang-moe zoals de Chinezen haar noemden, het kan zijn dat het hier gaat om een of andere onduidelijke, legendarische figuur, misschien wel een godin, maar *zeker* niet om haar die de geliefde werd van koning Salomo.

HOOFDSTUK 48

LAAT-TSJOU

De late Tsjou-tijd begint als een periode van grote verwarring en strijd. Nog altijd lagen de maar heel los samenhangende staten met elkander overhoop. Dit leidde tot ernstige conflicten met ver strekkende gevolgen. De altijd op de loer liggende nomaden, immer gereed hun kans te grijpen, hadden in het noorden van het huidige Honan de staat Wei aangevallen en geheel onder de voet gelopen. Dergelijke invallen zetten als regel zo'n ongelukkig land ten minste een eeuw achteruit.

In het zuiden had zich inmiddels een zeer machtig land ontwikkeld, het land van Tsj'oe. Dit reikte van Midden-Honan tot aan de Yang-tse en onder zijn invloed begonnen nu ook de nog totaal onontwikkelde gebieden in het verre zuiden tot bloei te komen. Ze maakten nu kennis met het Chinese landbouwsysteem en met de bronstechniek.

Voor de bevolkingen zelf was het niet bepaald een aangename tijd om in te leven, want de oorlogen volgden elkander op met onaangename regelmaat. Al te lastige volkeren werden verdelgd of op de knieën gedwongen. De veldslagen waren niet meer te tellen en werden met tienduizenden soldaten tegelijk (met honderdduizenden volgens de Chinese geschiedschrijvers) gevoerd. Overal bouwde men muren zoals de Chinezen altijd hebben gedaan tegen indringers, vooral in de 4de en de 3de eeuw v. Chr. toen de nomaden hoe langer hoe brutaler werden dankzij de zwakte van de regeringen en de verwarde politieke toestanden.

In die tijd, van 403–221 v. Chr. valt de periode die in de Chinese geschiedenis bekend staat als de tijd van de Oorlogvoerende Staten. In die tijd trachtten de diverse staten elkander volkomen te verdelgen. Voor de Chinezen mag de Tsjou-dynastie dan al de 'Klassieke Tijd' zijn geweest, voor de overige volkeren uit die tijd was het een allesbehalve aangename periode.

Maar zoals ook in Griekenland in een verwarde tijd een groot geestelijk bezit tot ontwik-

46. Doorsnede van een keizersgraf te Lo-yang: 1. Muur om het complex; 2. Graven van paarden; 3. Aflopende gang van ongeveer 300 m lang; 4. Grafkamer met sarcofaag, gevuld met bronzen vaatwerk. (600 v.Chr.)

keling kon komen, zo gebeurde dat eveneens in China. China's grootste filosofen leefden allen tijdens de Tsjou-dynastie: Confusius, Lau-tse, Mencius en anderen. Deze wijze mannen zouden China in de komende eeuwen volkomen beheersen door hun gedachten en hun schrifturen. Ook werden de grote klassieke werken van de Chinese literatuur geboren in de Tsjou-dynastie: het *Boek der Veranderingen*, het *Boek der Oden* en de *Annalen van de Lente en Herfst*.

Gedurende de Tsjou-dynastie was in China het feodale stelsel tot volle ontwikkeling gekomen. Bovendien was er een slavenstelsel voor bedienend personeel. De boeren zelf waren echter beslist géén slaven. Een ontwikkeld bestuur stelde de mensen reeds in staat werken te ondernemen van geweldige omvang. Zo groef men in de 5de eeuw een kanaal van de Gele Rivier naar de Yang-tse om betere handelsverbindingen te verkrijgen. Ook het bouwen van de Grote Muur, waarop we nog terugkomen, was een dergelijke onderneming, die alleen kon plaatsvinden in een goed geordende samenleving.

Het laat-Tsjou wordt ook wel oostelijk-Tsjou genoemd. Dit staat in verband met het verplaatsen van de hoofdstad. Oorspronkelijk had die gelegen in het westen, waar nu de stad Sian ligt. Die eerste Tsjou-hoofdstad heette Hau. De nieuwe hoofdstad lag in het oosten en heette Loyi. Die plek heet nu Lo-yang.

Tegen de tijd dat het begon af te lopen met de Tsjou-dynastie waren alle factoren voor het stichten van een werkelijke eenheid in de vorm van een groot keizerrijk aanwezig. Confusius had reeds het vorstenhuis van Tsjou vergeleken met de poolster: onwrikbaar als dit hemellichaam was dit centraal regerend vorstendom, alle verwarringen ten spijt. En om deze poolster heen draaiden de constellaties: de vazalstaten van Tsjou. Door heel China gold, ook weer alle verwarring ten spijt, de enorme invloed van Tsjou, want hun gewapende afgezanten werden overal heengestuurd om zich te vestigen tot in de verste uithoeken en daar hun invloed te doen gelden. Langzamerhand was er eenheid gekomen in al die honderden Chinese staten en staatjes, een eenheid van denken, van kosmische opvattingen en van regeringsvorm.

Maar voor de Tsjou-dynastie waren de laatste twee eeuwen, ondanks alle nieuwe geestelijk leven, een tijd van grote aftakeling, ook al waren de kiemen voor nieuw leven reeds aanwezig. Het hoge geestelijke niveau was alleen weggelegd voor de toplaag, waartoe ook een man als Confusius ten slotte behoorde. Het volk zelf was dan wel met zijn tientallen miljoenen aanwezig, maar het telde niet mee. De plaatselijke heersers behoorde tot de 'Honderd Families' – te vergelijken met de beroemde Amerikaanse Upper Ten – en zij hadden het voor het zeggen. Met hun ver ontwikkeld denken konden ze slechts de grootste minachting koesteren voor wat zij altijd het 'Zwartharig Volk' noemden: de boeren die uiteindelijk de grote massa uitmaakten. En er was geen sprake van, er kón ook nog geen sprake van zijn, dat het zo ontwikkelde geestelijke leven van de toplaag kon doordringen tot mensen die nog leefden als in het prille begin, die alleen geloofden in de geesten van rivier en heuvels en die nog altijd 'toverden' op de alleroudste manier. Maar ook dat 'Zwartharige Volk' was ondanks alles zo langzamerhand tot 'Chinezen' geworden, evenals de machtige oorlogsheren die hun meesters waren. Alle splitsing en ongeregeldheden ten spijt was 'China' toch al in principe aanwezig.

Ongeveer in 770 v. Chr., toen het Tsjou-land in het westen ineen stortte en het oosten aan bod kwam, verlegde men de hoofdstad. Voortaan was dat Lo-yang of zoals het vroeger heette Loyi.

HOOFDSTUK 49

VOLK VAN BRONS

Zó mogen wij gerust de Chinezen noemen die leefden tijdens de Sjang- en de Tsjou-dynastieën. Want wat er toen gemaakt werd aan bronzen voorwerpen is zelden in de wereldgeschiedenis overtroffen of zelfs geëvenaard! Wel moeten we weten dat het hier bronzen voorwerpen en geen bronzen beelden betreft.
De eerste keizer die bronzen vaatwerken zou hebben laten gieten was de beroemde Yoe, de vijfde in de lijn van afstamming na de Gele Keizer, de stichter van de Sjia-dynastie. Althans zo wil de traditie. Nu was er tijdens de regering van keizer Yoe een van die verschrikkelijke overstromingen waarover we al eerder lazen, maar deze was om zo te zeggen de vader en moeder van alle overstromingen. Hij was alleen te vergelijken met de Bijbelse zondvloed. Maar keizer Yoe, bekwaam in alles wat waterbouwkunde betrof, zag na lang wikken en wegen, rekenen en overpeinzen kans om deze overstroming aan banden te leggen en zelfs nog een reusachtig stuk land droog te leggen dat nooit eerder voor landbouw in aanmerking was gekomen. Duidelijk zien we hier een schone wensdroom van een volk, dat nooit wist wat de dag van morgen aan overstromingen kon brengen met een zo verschrikkelijke rivier als de Hwang-ho. Een land zó veilig, dat er nooit tevéél water kon komen moet hun wel een paradijs geleken hebben! En nu zag die onovertroffen keizer Yoe kans om een zó groot stuk land droog te leggen dat hij het in niet minder dan *negen* provincies kon verdelen! Geen wonder dat men keizer Yoe meer dan menselijke eigenschappen toedichtte! Toen deze provincies bevolkt en tot grote landbouwgebieden gemaakt waren en de mensen er leefden alsof het nooit anders was geweest, besloten de dankbare bewoners de keizer tribuut te brengen in de vorm van brons. En om zijn dankbaarheid te tonen liet keizer Yoe van dit brons negen geweldige vaatwerken gieten – voor elke provincie één – in de vorm van enorme kookpotten op drie poten, voorzien van inscripties die vertelden, wat ieder van de negen provincies aan produkten opleverde.
Langzamerhand werden die negen vaatwerken natuurlijk heilig en het symbool van de keizerlijke macht; iedere keizer erfde ze van zijn voorganger. In de tijd van Confusius moeten ze nog bestaan hebben, maar de laatste keizer van de Tsjou-dynastie, bang geworden door zijn eigen zwakte en vrezend dat de heilige vaten in handen van zijn vijanden zouden vallen, gooide de enorme stukken brons in de rivier. Natuurlijk liet de eerste keizer van de nieuwe dynastie proberen de vaten uit de rivier op te vissen, wat hem echter niet mocht lukken. Waarschijnlijk waren ze al té diep in het slib gezakt.
De Chinezen zelf hebben altijd het bestaan van Sjang- en Tsjou-bronzen gekend. Ze bewonderden deze om hun grote ouderdom, hun prachtige vormen en de perfecte gietkunst. Maar in het westen was men het er niet mee eens. Eerst de opgravingen in An-yang kon de westerlingen ervan overtuigen, dat het hier werkelijk ging om voorwerpen uit een zo ver verleden, niet om bronzen van een heel wat recenter datum. Men moest uiteindelijk toegeven, dat de Chinezen toch wel gelijk hadden met hun traditie!
De bronzen vaatwerken waren vaak een statussymbool voor de eigenaars ervan. Ze bleven natuurlijk altijd zeer kostbaar en waren dan ook vaak een geschenk als beloning voor bepaal-

de verdiensten. Het gebruik van de bronzen was tweeledig. Er waren vaatwerken voor rituele doelen, maar ook voor huishoudelijk gebruik. Er waren grote en kleine. Heel mooie waren met bladgoud verguld; andere waren ingelegd met goud of zilver of met een zwarte kleurstof. Een van de meest voorkomende versieringselementen is het zogenaamde *tau-ti* masker, dat heel lang in de Chinese kunst is blijven bestaan, zonder dat men later eigenlijk precies meer wist wat het voorstelde. Het is het bovendeel van een monsterlijk gezicht, zonder de onderkaak. Er is gedacht, dat het een tijger zou zijn of een stier. De waarheid is dat niemand het weet. De oorsprong van het geheimzinnige masker is verloren gegaan in het verleden.

Na de Sjang zette de Tsjou-dynastie het bronsgieten voort en ook uit die eeuwen stammen schitterende stukken. Maar deze missen toch het verfijnde en elegante van de Sjang-bronzen. Ze zijn zwaarder, wat opzichtiger. Er komt minder symboliek in de versiering en reeds wordt het tau-ti masker niet meer begrepen. Daarentegen staan ze vol met inscripties, terwijl de Sjang-bronzen zich beperkten tot drie of vier karakters.

Deze inscripties vertellen, dat dit of dat bronzen vaatwerk een geschenk was van de keizer voor betoonde diensten; er staan gesloten verdragen op, of wetten, of plechtige beloften. Er bestaat bij voorbeeld zo'n vaatwerk, dat een dochter van een belangrijke familie cadeau kreeg ter gelegenheid van haar huwelijk. Het was bedoeld voor rituele gelegenheden en een inscriptie wenst haar: ,,Dat zij ongelimiteerd zonen en dochters zal baren''. Hoe lang de inscripties op Tsjou-bronzen kunnen zijn bewijzen wel die, waarop meer dan driehonderd karakters voorkomen. Een compleet stel van dergelijke bronzen vormden soms een heel boek! Het is wel gebeurd dat een buitenlands leger, dat een inval deed in China, zich weer terugtrok omdat het tevreden was met een geschenk van een verzameling bronzen vaatwerken!

47. 'Ting', een vat voor voedsel (?), versierd met het tau-ti masker. Tsjou-dynastie.

HOOFDSTUK 50

CHINA'S EERSTE INGENIEUR

Er zijn in China nogal wat legendarische figuren geweest die men allerhande uitvindingen heeft toegedacht. Een van deze figuren zal wel de eerste ingenieur ter wereld, in ieder geval van China geweest zijn. Deze man, die in 2000 v. Chr. geleefd zou hebben, heette Yoe en hij was koning van een gebied dat zich uitstrekte in het stroomgebied van de Gele Rivier. Koning Yoe was een vorst zoals een volk zich graag wenst en maar uiterst zelden krijgt. Hij arbeidde met de boeren samen op het land en aan de dijken, die men toen reeds langs de rivieren opwierp. Hij droeg boerenkleding en at boerenvoedsel, want hij beschouwde zich als de gelijke van zijn volk. Zelfs zijn paleis was niet veel meer dan een lemen boerenhut. Alleen aan één ding kon men zien dat hier een bijzonder mens woonde: er hing een grote bronzen bel, die iedereen kon luiden als hij een klacht had die hij de koning wilde voorleggen.
Als men de verhalen, of liever legendes wil geloven die nu nog altijd over deze super-koning de ronde doen, dan was Yoe een uitermate bewegelijk mens. Hij was overal, behalve in zijn eigen huis. Hij reisde van oost naar west, van noord naar zuid en overal inspecteerde hij de aangelegde waterwerken. En waar deze niet aanwezig waren gaf hij de mensen goede raad en stelde hij hen in kennis van de door hem bedachte plannen die ten minste zo goed waren als de plannen van moderne ingenieurs, althans indien we weer die legendes mogen geloven. Hij legde kanalen en irrigatiegoten aan. Hij bouwde dijken langs de rivieren en dammen dwars door valleien en kloven. Ja, op iedere plek waar de moderne Chinezen nu bezig zijn met waterbouwkundige werken kunnen ze zeker zijn, dat er een verhaal in omloop is over hoe koning Yoe daar ook al bezig is geweest!
Maar Yoe bepaalde zich niet tot de waterbouwkunde, hij was ook een vredelievend regeerder die aan diplomatie de voorkeur gaf boven wapengeweld. Zo zou hij een expeditie tegen de Miau-volken in het zuiden hebben laten afweten. In plaats daarvan ging hij zelf naar die volken toe en vertelde, dat er nu een nieuwe staat bestond 'tussen de vier zeeën' en 'onder de hemel', die Het Middelste Koninkrijk heette en waar de mensen een hoge graad van vrede, geluk, tevredenheid en rijkdom hadden bereikt dank zij het verstandig

48. Tijger met halsband. Graf in Lo-yang. 300 v.Chr.

regeren van de koninklijke ingenieur. De Miau-volken lieten zich bepraten – of raakten ze misschien onder de indruk van de verhalen over een dergelijk machtig rijk? – ze beloofden tribuut te betalen en de superioriteit te erkennen van het rijk van koning Yoe. Yoe ging verder met het ontwikkelen van zijn land. Hij liet grondonderzoeken doen; hij moedigde de handel aan en hij legde een verzameling aan van alle geografische bijzonderheden die hem van dienst konden zijn bij zijn waterbouwkunde. Zijn volk bleek uiteindelijk dankbaar genoeg om aan hem na zijn dood een geweldig monument te wijden dat de naam droeg van de 'Herinneringstempel van de Grote Yoe'. Het moet een solide bouwwerk zijn geweest want 2800 jaar later stond het nóg, getuige een gedicht van de grote dichter Toe-foe!

49. Aangeschoten hert. Graf in Lo-yang. 300 v.Chr.

X

DE TSJ'IN-DYNASTIE

HOOFDSTUK 51

UIT DE ANARCHIE KWAM TSJ'IN

De laatste regeringsjaren van de Tsjou-dynastie waren een volkomen anarchie. Het individualisme, gepreekt door de grote geesten van die tijd, was in zichzelf doodgelopen en kon het land niet meer voor de ondergang redden. En in het verre westen ontstond, zoals eenmaal bij de aanvang van de Tsjou-dynastie een kentering. Daar lag het land Tsj'in, eveneens eenmaal een bufferstaat tegen invallen van buitenaf. Daar was een krachtig vorstengeslacht tot ontwikkeling gekomen, gestaald in de eeuwige strijd tegen de barbaren. Evenals de Tsjou vóór hen begonnen de Tsj'in een strijd om verovering en uitbreiding. Dat was niet moeilijk want het land Tsj'in was aanmerkelijk sterker dan de omliggende staten, die dan ook de een na de ander veroverd werden. In 249 v. Chr. maakte men een einde aan de Tsjou-dynastie. De laatste keizer werd afgezet door de vorst van Tsj'in, die de keizerlijke macht aan zich trok. Dat was pas in 246, want eerst moest er nog wel het een en ander bevochten worden. De nieuwbakken keizer noemde zichzelf Sji Wang-ti of Eerste Keizer. En hij bewees ook dat hij eigenlijk de eerste echte keizer was over een Groot-China.
De Chinese beschaving had zich namelijk over een reusachtig gebied verspreid en men kon nu werkelijk spreken over het land China, dat zijn naam te danken zou hebben aan het nieuwe geslacht Tsj'in. Dit nieuwe geslacht begon zeer voortvarend te regeren. Er werd een einde gemaakt aan het feodale systeem. Eigenlijk werd er een einde gemaakt aan alles wat ook maar even aan het verleden en de geschiedenis herinnerde. Deze nieuwe Eerste Keizer vatte zijn titel volkomen letterlijk op: hij wás de eerste keizer van een land, dat geen verleden mocht hebben!
Met hulp van zijn minister Li Sjoe, een zeer bekwaam en intelligent man, schafte hij alle erfelijke titels af, werd er een einde gemaakt aan alle kleine en grote staten die tot nog toe samen het oude China hadden uitgemaakt en werd het land ingedeeld in 36 provincies. Iedere provincie kreeg een goeverneur die alleen verantwoording schuldig was aan de keizer.

Er kwam weer eens een nieuwe hoofdstad, vlakbij het huidige Sian, een mooi gebouwde en centraal gelegen stad, een waardig symbool voor de enorme macht van de Eerste Keizer. Aangezien de regering voortaan helemaal centraal zou zijn stelde de keizer heel praktisch een uniform systeem in voor maten en gewichten; maar ook de wetten werden voor het hele land gelijk.

Men zal wel begrijpen dat deze Eerste Keizer geen gemakkelijk heerschap was. En werkelijk is dan ook geen keizer ooit zó gehaat geweest als de Eerste Keizer, die brak met alles wat tot dan toe als mooi, goed en waar was beschouwd. Die haat bereikte wel het hoogtepunt toen de keizer het verschrikkelijke bevel uitvaardigde, dat alle boeken verbrand en alle bronzen, die heilige bronzen van de Sjang- en de Tsjou-dynastieën, omgesmolten moesten worden voor een beter doel dan alleen maar toverij of nutteloos-mooi-zijn. Sji Wang-ti maakte voor de boeken echter één uitzondering: de boeken in het keizerlijk paleis zouden gespaard blijven en er werd ook een uitzondering gemaakt voor boeken die betrekking hadden op geneeskunst, farmacie, landbouwkunde, boomkweken en vreemd genoeg sterrenwichelarij. Maar de rest, al die antieke boeken met dichtkunst, met geschiedenis, met reisbeschrijvingen, maar bovenal met filosofische inslag gingen op de brandstapel. Natuurlijk weer niet allemaal, want gelukkig waren er nog genoeg mensen die boeken verborgen wisten te houden, zodat niet alles voor het nageslacht verloren ging. Ook van de bronzen vaten waren er enkele die de dans ontsprongen. De Eerste Keizer zal dit natuurlijk ook wel vermoed hebben; niet voor niets stelde hij voor geleerden en filosofen een verbod in om over het verleden te spreken, of er zelfs maar op te zinspelen!

Keizer Sji Wang-ti was niet tevreden met de afmetingen van zijn rijk. Hij zond zijn troepen tot ver over de grens en overal maakte hij veroveringen. Over de nieuw aangelegde wegen ging de handel, die langzaam maar zeker tot bloei kwam en die ook nieuwe wegen insloeg. Voor het eerst in de geschiedenis zocht China relaties met het buitenland.

Een wreed en bloeddorstig man als de Eerste Keizer kon niet verwachten bemind te zijn bij zijn volk. Daarvoor had hij veel te veel vijanden. Er zijn dan ook nogal wat aanslagen op zijn leven gepleegd. Heel sterk kreeg men ten slotte het gevoel, dat deze Eerste Keizer het mandaat des hemels totaal misbruikte, zodat revolutie volkomen wettig was. Toch was Sji Wang-ti krachtig genoeg om tot zijn dood in 210 v. Chr. de teugels van het keizerlijk

50. De vier begaafdheden.

bestuur met ijzeren vuist vast te houden. Maar éér hij stierf was er in China heel wat veranderd en was er een werk verzet, dat de werken van Hercules volkomen in de schaduw stelde. Tijdens zijn regering werd namelijk de Grote Chinese Muur gebouwd.

HOOFDSTUK 52

DE STENEN DRAAK VAN SJI WANG-TI

De Eerste Keizer was dus geslaagd in de bijna onmenselijke taak om van het verscheurde en leeggebloede China weer een wereldrijk te maken, nadat het lange tijd verdeeld was geweest in een ontelbaar aantal staten en staatjes, ieder met een eigen vorst. Na hun vreselijke wanbeheer, waarbij ze onderling strijd voerden en elkaars steden en dorpen, akkers en velden, kastelen en boerenhoeven hadden verwoest in hun mateloze honger naar geld en macht, was de glorie van het rijk van Tsjou roemloos ten onder gegaan.
Het volk van Tsj'in was keihard, gewend aan de oorlog en alles wat daarmee samenhing. Van alle krijgers was de keizer de moedigste, die steeds vooraan ging in de strijd zoals het een goed vorst betaamde. De legers van Tsj'in zwermden uit om de nieuwe inzichten van hun heerser te verbreiden. Ze veroverden het ene land na het andere. Sommige vielen zonder slag of stoot in hun handen, andere verzetten zich met hand en tand.
Toen Wang-ti zijn macht stevig genoeg gegrondvest wist begon hij aan zijn titanenarbeid, een werk waarvoor hij tot op de dag van vandaag beroemd (en ook wel berucht) is gebleven. Hij bouwde de Grote Muur. Muren, zelfs grote muren, waren in China niets nieuws. In zekere zin is het een land van muren. Iedere Chinees koesterde een onwrikbaar vertrouwen in muren en bouwde die waar hij maar kon of het nodig oordeelde. Geweldige muren met enorme poorten beschermden de steden. Ieder dorp had een zware aarden wal, zelfs al stonden er maar een paar krotten. Om iedere tuin, om iedere binnenhof, om ieder gebouwencomplex stond een muur. Maar keizer Wang-ti wilde méér. Hij wilde een muur langs de hele noordwestelijke grens van China om zijn reusachtige rijk te verdedigen tegen de steeds voortgaande invallen van de barbaarse horden uit het noorden.
En zo ontstond dus de *Wan-li-tsjang-tsj'eng*, de Muur-van-de-tienduizend-li! De Muur liep van de Kiayoe-pas in Tibet tot aan Sjan Hai-kwan aan de Golf van Liau-Tong, waar nu Port Arthur ligt.
Over de geweldige afstand van 2450 km slingert zich een reusachtig bouwwerk als een stenen draak, die het Rijk van het Midden moet beschermen. De Stenen Draak kronkelt over woeste bergen en door moordend hete woestijnen. Hij kronkelt over eindeloze lössgebieden en springt tweemaal over de Hwang-ho. Soms is hij meer dan zestien meter hoog, soms niet meer dan twee of drie. Bij Peking, veilig ingesloten tussen twee armen van de Muur, is hij het grootst en het zwaarst. Hier is hij geheel van steen opgetrokken, terwijl hij in de grote vlakten vaak een aarden wal is, bekleed met een dikke laag baksteen of behakte natuursteen.

In de bergen bestaat de Muur uit rotsblokken; daar volgt hij de natuurlijke golvingen van het terrein met duizend bochten en steile hellingen. Over de gehele immense lengte staan wachttorens verdeeld, 40 000 in getal, waarvan de garnizoenen de taak hadden te waken over China's veiligheid en grote vuren te ontsteken, als de tartarenhorden er weer aankwamen.

Over het nut van deze grandioze verdedigingslinie, die door geen andere ooit werd geëvenaard, is fel en heftig geredetwist. Sommigen noemen het een nutteloze inspanning, want de woeste horden kwamen er toch geregeld overheen, zoals bij voorbeeld Djenghis Khan die er in slaagde de Chinese troon te bezetten en zo een eigen keizersdynastie te stichten. Aan de andere kant heeft de Muur zelfs nog in moderne tijden zijn nut bewezen, onder andere tijdens de Japans-Chinese oorlog. Dat het bouwen van een dergelijke muur wanhopig zware eisen stelde laat zich indenken. En dat het eenvoudige volk – dat nooit veel van militaire zaken begreep – er niet voor voelde om dergelijke herendiensten voor de heersers te verrichten, is ook niets nieuws. Dus moesten er wel dwangmaatregelen komen, want Wang-ti was niet van zins zich door simpele boeren in de wielen te laten rijden. Die muur kwam er immers voor hún welzijn!

Wang-ti regeerde niet bepaald zachtzinnig. Maar in zijn tijd was dat dan ook ondenkbaar en ondoenlijk. Volgens de traditie commandeerde hij een derde deel van alle gezonde en krachtige mannen om aan de Muur te komen werken. Dat hiertegen honderden bezwaren rezen is te begrijpen.

Ten slotte onttrekt men niet zo maar ongestraft een derde deel van de mannelijke werkers aan het arbeidsproces! Maar wie niet werkte – uit onwil of uit zwakte, dat deed er niets toe... – werd kort en goed over de muur geslingerd en dit afschrikwekkend voorbeeld hielp dan wel weer voor een tijdje.

Over een man als die Eerste Keizer móeten natuurlijk wel fantastische verhalen de ronde gaan doen. Niet alleen liet hij de Grote Muur bouwen, maar ook liet hij de schitterendste paleizen neerzetten in parken, die hun weerga niet hadden, voor zijn zeer talrijke vrouwenschaar. Zo'n man móest naar het simpele oordeel van de weinig ontwikkelde bevolking wel worden bijgestaan door reuzen! En talloos vele waren de geesten, goed en kwaad, die de keizer hielpen bij zijn zware taak. De keizer bezat een toverpaard, zwart, afschrikwekkend en met vlammende ogen. Waar dit gevleugelde ros ging met de keizer op zijn rug, dáár moest de Muur verrijzen. En ook een toverzweep bezat Wang-ti, waarmee hij de bergen uit de weg geselde en de Hwang-ho, dat gele monster, beheerste. Er waren maar heel weinig Chinezen die in de Eerste Keizer een gewoon mens zagen: een man met een ijzeren wil die uit de bebloede puinhopen van de Tsjou-dynastie een nieuw en bloeiend rijk opbouwde.

Tegenwoordig is de Grote Muur een van de attracties van China, waar op zondag tienduizenden toeristen uit alle delen van Azië en Afrika de steile hellingen beklimmen en uit de venstergaten van de wachttorens staren over wat eens een kaal en geërodeerd land was, maar dat nu door plannen voor grootscheepse herbebossing, vooral in de buurt van Peking, een golvende massa groene heuvels en bergen is. Men heeft niet veel goeds te zeggen over Wang-ti, omdat honderdduizenden, zo niet miljoenen mensenlevens aan zijn Muur werden geofferd.

Alleen vergeet men dan wel het feit, dat die nu zo gesmade Muur toch ook heel wat tot de veiligheid van China heeft bijgedragen...

XI

DE HAN-DYNASTIE

HOOFDSTUK 53

DE GENERAAL DIE KEIZER WERD

De 36-jarige regering van de Eerste Keizer had niet alleen enorme veranderingen in China gebracht, maar was er ook in geslaagd die veranderingen zo stevig te vestigen, dat ze ook na de dood van de keizer bleven voortbestaan. Maar die keizer had zich zo vreselijk gehaat gemaakt dat er na zijn dood prompt opstand uitbrak, die zich ook richtte tegen zijn heel zwakke opvolger. Van voor naar achter stond het hele rijk in vuur en vlam en de tweede Tsj'in-keizer werd er het slachtoffer van. Toen de rebellen doordrongen tot zijn privévertrekken werd hem dat al spoedig duidelijk gemaakt. En van wat er toen gebeurde bestaat nog een verslag ook!

De aanvoerder van de rebellen sprak de keizer als volgt toe: ,,Gij keizer van China hebt gemoord en gedood zonder één enkele keer op recht of rede acht te slaan. Heel uw rijk is tegen u opgestaan wegens uw schaamteloos gedrag. Wat gaat u nu doen?''

,,Kan ik mijn minister raadplegen?'' vroeg de keizer.

,,Dat is onmogelijk'', verklaarde de aanvoerder kortaf.

,,Laat mij dan goeverneur worden van een provincie''.

,,Ook dat is onmogelijk.''

,,Laat mij dan een eenvoudig edelman zijn met een gevolg van tienduizend man.''

,,Ook dat is onmogelijk.''

,,Laat mij dan afzien van alles. Laat mij leven als een eenvoudig man met mijn vrouw en gezin.''

,,Er valt niet over te praten'', zei de aanvoerder streng.

,,Ik heb mijn bevelen en gij moet sterven. Het welzijn van het land eist uw dood. Gij zijt alleen al schuldig doordat gij de zoon van uw vader bent, en dan ook nog om uw eigen gedrag.''

De keizer werd vermoord. De prinsen werden vermoord. Alle mannelijke leden van zijn familie werden vermoord. De mooie hoofdstad Sjiën-yang met zijn weelderige paleizen en prachtige gebouwen werd in brand gestoken en brandde drie maanden lang. Zo ging in bloed en vuur de Tsj'in-dynastie ten onder na een zeer korte regering. Alleen de Grote Muur bleef bestaan, want die had zijn nut wel bewezen en wás bovendien niet te vernielen. In China brak als natuurlijk gevolg van de rebellie een chaos uit nu er geen centrale regering meer bestond. Uit deze chaos, die meer dan een jaar duurde, trad ten slotte een krachtige generaal naar voren, Lioe Pang geheten, die machtig genoeg bleek om een nieuwe dynastie keizers te vestigen, de beroemde Han-dynastie. De tijdsduur van deze dynastie is in drieën te verdelen. De eerste heette Westelijk Han en had Tsjang-an als hoofdstad, eveneens gelegen in de buurt van Sian. Deze periode duurde tot het jaar 8 en staat ook bekend als de Keizerlijke Periode. Dan komt er een tussenperiode van 9 tot 23, waarin de reeds eerder vermelde opstand van het geheim verbond der Rode Wenkbrauwen valt. En ten slotte is er het Oostelijk Han van 25 tot 220, waarin heel wat dingen gebeurde, zoals de uitvinding van het papier en een machtsuitbreiding naar de kant van Centraal-Azië. In deze periode wordt Lo-yang weer eens hoofdstad van het rijk.

HOOFDSTUK 54

DE KEIZERLIJKE PERIODE

Generaal, nu keizer, Lioe Pang moest uit de door de chaos nagelaten brokstukken zien een nieuw en krachtig rijk op te bouwen. Hij slaagde er volkomen in, want hij bleek een be-

51. Basreliëf uit een graf te I-nan (Sjantoeng), voorstellend een rijtuig uit de Han-dynastie.

kwaam regeerder die ondanks zijn generaalschap een open oog had voor vredeswerken. Het altijd zo gevaarlijke feodale systeem was genoegzaam door de Eerste Keizer geknakt om geen gevaarlijke partij meer te vormen; in grote lijnen kon Lioe Pang de bestuursvorm van zijn gehate voorganger blijven volgen, met natuurlijk de nodige nieuwe toevoegingen. In het begin probeerde de nieuwe keizer belangrijke posten te laten bekleden door de leden van zijn eigen familie, maar dit bestuur bleek na een eeuw niet te voldoen daar het een vruchtbaar terrein was voor corruptie, omkoperij en dergelijke. Veel belangrijker was dat het examensysteem voor ambtenaren werd ingevoerd, een systeem dat het eeuwen en eeuwen lang uithield en van groot nut bleek, al waren ook hier natuurlijk vaak uitwassen. Het confucianisme kwam ver boven de andere scholen der filosofie te staan en bleek in een grote behoefte te voorzien. Ook het tauisme had geweldig veel aanhangers gewonnen, ofschoon het pas tijdens het Oostelijk Han tot een echte godsdienst uitgroeide. Eén ding durfde de eerste Han-keizer echter niet aan: het weer toelaten van de door de Eerste Keizer verboden boeken, waarvan gelukkig nog altijd kopieën bestonden. Ze bleven verboden en eerst zijn opvolger stond weer toe dat ze gekopieerd en vooral gelezen werden. Toen het land eenmaal weer vrede, rust en regelmaat kende begon men blikken over de grenzen te werpen. In het noordwesten loerden alweer, de Grote Muur ten spijt, het eeuwig gevreesde Sjioeng-noe-volk op een kans om het rijke China binnen te vallen zoals ze dat al eeuwen gedaan hadden. Keizer Woe-ti, een van de meest briljante keizers van de Han-dynastie die lang en bekwaam regeerde, besloot een einde te maken aan dat gevaar. Hij sloot pacten met verscheidene belangrijke volkeren in Centraal-Azië en zond een zeer bekwaam generaal, Tsjang Tsj'ien, naar het verre westen, helemaal tot in Bactrië. In een serie veldslagen slaagde Tsjang Tsj'ien erin de barbaren te verdrijven en te vernietigen, zodat er, voorlopig althans, weer vrede was in het noorden en westen. Om de grenzen te verdedigen werd er een linie van forten en versterkingen aangelegd waarvan de resten nu nog te zien zijn. Maar ook naar het zuiden breidden de Han-keizers hun macht uit. Voortaan reikte deze tot in Korea en Tongkin. Met de vrede kwam ook een levendige handel. Langs de nu veilige noordelijke karavaanwegen kwam China in aanraking met produkten niet alleen uit Centraal-Azië, maar zelfs uit Griekenland, en de invloed hiervan bleef natuurlijk niet uit.
Uit deze vredige tijden stamt een van de belangrijkste Chinese klassieke werken. Dat is het boek *Sji-tsji*, of de *Verslagen van een Historicus*, geschreven door de befaamde Szoe-ma Tsj'ien (145–97 v. Chr.), die hiermee een waarlijk monumentaal werk schiep dat een voorbeeld bleef voor toekomstige generaties. Szoe-ma compileerde alle hem bekende oude teksten en voegde er die van zijn eigen tijd aan toe. Hij verdeelde zijn boek in vieren. In het eerste deel werden de keizerlijke regeringen behandeld; in het tweede lange rijen regeringsorganisaties; in het derde werden onderwerpen behandeld als de nieuwe kalender (die tijdens de Han-dynastie was ingevoerd), de aardrijkskunde en de economie van het land; in het vierde deel ten slotte waren de biografieën van belangrijke personen te vinden. De reeds eerder genoemde Pan Koe (32–92) zette de traditie voort en vestigde de gewoonte om voortaan geschiedenisboeken bij te houden.
De nieuwe kalender was niet de enige nieuwigheid die door de Han-regeerders werd ingevoerd. Voortaan kwam een rijksbelasting in de plaats van al de oude en zeer ingewikkelde heffingen. Tevens kwam er een officiële opslag van granen voor tijden van hongersnood. In de literatuur, en dan in het bijzonder de dichtkunst, begon men nieuwe paden te bewandelen

nu er ook invloeden van buitenaf voelbaar waren. Een merkwaardige instelling was het Keizerlijk Muziekbureau, dat allerlei melodieën moest optekenen van volksliedjes, die door bekwame dichters werden gepolijst, zodat de tekst geschikt werd voor de meer verfijnde hofmusici!

HOOFDSTUK 55

DE MACHTIGE HUNG BOND

In het jaar 386 werd een bond gesticht, die verschrikkelijk geheim was, heel hoge eisen stelde aan wie lid wilde worden en die ten slotte in de 19de eeuw leidde tot de verschrikkelijke Taiping Opstand. Die bond was de Hung bond en de geschiedenis ervan is eeuwen lang ten nauwste verweven geweest met de Chinese geschiedenis. De bond bestaat overigens nog steeds en heeft meer leden dan welke ook. *Hung* betekent drieëenheid. Een tweede ontzaglijk machtige bond, die vaak ten nauwste samenwerkte met de Hung, was die van de Witte Lotus.
Het is niet onmogelijk dat de Hung bond al bestond vóór 386, maar in ieder geval was er in die tijd een invloedrijke boeddhist die de cultus van de Amida Boeddha – een bepaalde boeddhistische sekte – over heel China wenste te verspreiden. Daartoe bestond geen beter middel dan een geheime bond, want dat was iets waar de Chinezen van hielden en die in allerlei soorten bestonden. De bond floreerde zowel religieus als politiek. In 1344 kwam hij voor het eerst belangrijk in aktie tegen de Yuan-dynastie, en later nog eens tegen de Mandsjoes.
Volgens het verhaal van de leden van de bond werd deze gesticht door vijf monniken die wisten te ontsnappen aan een bloedbad, nadat zij op de meest snode manier waren verraden door de keizer zelf, na hem eerst geholpen te hebben. In het verhaal komen ook drie

52. Jager met buffel. Tekening van Li-ti (1130–1180).

misdadigers voor. Een van hen is een keizer. In latere tijden krijgt die keizer zelfs een naam: K'ang-sji, een van de grote keizers van de Ming-dynastie. Dit was echter geen wonder, want de echte K'ang-sji achtte de Hung bond zo gevaarlijk dat hij een 'heilig edict' uitvaardigde in 1662, waarbij vijf geheime bonden verboden waren op straffe des doods. Tot die vijf behoorden de Hung en de Witte Lotus. In werkelijkheid was het edict bedoeld tegen de boeddhisten en tauisten, die veel te veel macht kregen naar de zin van de keizer. De leden van de bond moesten allerlei beloften doen en talrijke rituelen en ceremonieën maken en doormaken eer ze zelfs maar de laagste graad van inwijding konden bereiken. Deze tonen vaak een merkwaardige overeenkomst met de vrijmetselarij. In hoofdzaak komt de inwijding neer op een soort geestelijke reis van de ziel door de onderwereld en het paradijs naar een oord dat genoemd wordt de 'Stad der Wilgen'. Daar wordt de ingewijde dan spiritueel verenigd met het Opperwezen.

HOOFDSTUK 56

CHINEZEN AAN DE PERZISCHE GOLF

De eerste daad van de nieuwe regeerder van de Han-dynastie was het verplaatsen van de hoofdstad. Wederom werd dit Lo-yang, zoals ook tijdens het oostelijk-Tsjou het geval was geweest. Dit was het gevolg van het feit, dat de macht van de Han-dynastie sterk naar het oosten was verplaatst. Keizer Lioe-sjoei nam als eerste van het nieuwe geslacht de teugels ter hand en begon met het uitbreiden van de macht. Generaal Pan Tsjau, een groot soldaat, zag kans ook de Centraal-Aziatische landen onder Chinees beheer te krijgen en daarmee de karavaanwegen. En nu lag de weg open naar... Rome!
Ver naar het geheimzinnige westen lag een land dat bij de Chinezen bekend stond als Ta-ts'in. In de westerse geschiedenis staat het bekend als het Oost-Romeinse Rijk en van daaruit werd de handel op het oosten gedirigeerd. Via deze weg kwamen Chinese produkten naar hun westerse bewonderaars: de prachtige zijden stoffen waarop de Romeinen zo dol waren en die vaak hun gewicht in goud moesten opbrengen! Aangezien er ook in die tijd al mode bestond vond men vaak de Chinese patronen niet naar de smaak van de goedgeklede Romein. Daarom haalde men de zijdeweefsels draad vóór draad heel, héél voorzichtig uit elkaar om ze opnieuw te weven naar een meer aan de Romeinse smaak aangepast ornament. Dan zal een prijs van een ons goud voor een ons zijde ook niemand verbazen! De Chinezen bleven niet langer in hun eigen land. Ze zaten nu in Korea, in Siberië en in Tongkin. Waarom zouden ze dan ook niet naar het Oost-Romeinse Rijk zelf gaan? Ze stonden immers nergens meer voor. Zo kon het gebeuren dat een heel belangrijk gezantschap van Chinezen in Perzië verscheen.
Tijdens het Oostelijk Han werd ook het papier uitgevonden. Dat was in 105 en de man die het uitvond heette Tsai-loen. De naam van het papier mag dan al Grieks zijn – afgeleid van papyros – de uitvinding van *echt* papier was een zuiver Chinese aangelegenheid. Men ge-

53. Graanschuur. Model in aardewerk uit de Han-dynastie.

bruikte er plantaardige vezels voor en lompen. De rest van de wereld kwam pas in de 8ste eeuw met papier in aanraking doordat de Arabieren, die zich toen in Samarkand hadden gevestigd, werden aangevallen door de Chinezen. De Chinezen werden teruggeslagen, maar een paar van hen – en toevallig waren dat geroutineerde papiermakers! – werden gevangengenomen en leerden hun nieuwe meesters deze kunst. De Arabieren zagen meteen het nut in van deze wonderbaarlijke stof en begonnen een papierindustrie, die zich weldra uitbreidde door hun hele machtsgebied. Dit Arabische papier werd in hoofdzaak uit vlas gemaakt waarover men ruimschoots beschikte. De Arabieren, dat wil zeggen de Moren in Spanje, brachten de papierindustrie naar Europa. Valencia en Toledo waren de voornaamste centra. De Italianen ten slotte leerden het papiermaken van de Moren in Sicilië, maar merkwaardig genoeg hebben de Europeanen nooit de prachtige kwaliteit van het Arabische papier kunnen benaderen. Niet voor niets sprak koning Alphonso X van Spanje over 'perkament uit stof' in een wet uit het jaar 1263!

HOOFDSTUK 57

DE REIZENDE GENERAAL

Een van de meest geniale keizers van de Han-dynastie was Woe-ti (140–86 v. Chr.) die niet minder dan 54 jaar regeerde. Een van de mannen waar hij het best op kon vertrouwen was een generaal van uitzonderlijke klasse, die niet alleen als militair uitblonk maar ook en vooral als ontdekkingsreiziger. Deze generaal heette Tsjang-kien en zijn eerste reis duurde maar even twaalf jaar! In het jaar 138 v. Chr. ging de generaal op weg, maar er rustte geen zegen op die reis. Al spoedig werd de generaal door de Hunnen gevangengenomen en de ongelukkige man bleef tien jaar in hun handen. In die tien jaar zat hij echter niet stil. Hij leerde de talen van die gebieden en slaagde er waarlijk in om in het elfde jaar van zijn reis, toen hij op een of ander manier vrij gekomen was, zeer belangrijke handelsbetrekkingen aan te knopen met Samarkand, Bactrië, Bokhara en Ferghana. In 126 v. Chr. ging de moedige generaal slechts begeleid door één gids terug naar China, waar hij met het nodige eerbetoon begroet werd. Men had hem na die twaalf jaar waarschijnlijk wel afgeschreven, zodat zijn terugkomst een grote verrassing was. Het duurde echter tot 115 v. Chr. eer het land de zoete vruchten van de handelsbetrekkingen kon plukken, want eerst moesten de Hunnen voor de zoveelste maal worden verslagen en teruggedreven.

Tijdens zijn gevangenschap had de generaal wonderlijke verhalen gehoord over een geheimzinnig land, dat ver in het zuiden lag en dat het Olifantenland genoemd werd. Wij noemen het nu India. Tsjang-kien zat niet lang stil. In 122 v. Chr. ging hij opnieuw op reis, nu naar het Olifantenland. Maar helaas, er waren op de route zoveel boosaardige vreemde volkeren en zoveel niet te nemen hindernissen, dat de dappere generaal niet verder kon komen dan de grenzen van Birma, waar hij echter bevestiging kreeg van het in het noorden gehoorde verhaal: het Olifantenland bestónd en men reed er inderdaad op olifanten! Eerst aan latere Chineze reizigers gelukte het inderdaad in India te komen, na de verschrikkelijkste moeilijkheden overwonnen te hebben.

Keizer Woe-ti besloot, dat de beste kansen voor China in het noorden lagen indien men er in zou slagen de Hunnen in het Tarim-bekken te overheersen. In het jaar 121 v. Chr. werd dus een grootscheeps leger uitgerust, natuurlijk onder commando van generaal Tsjang-kien,

54. *Monster van jade met de 'zwam der onsterflijkheid'.*

maar ditmaal trof het ongeluk de moedige generaal. De Hunnen wonnen de slag en de generaal viel dus in ongenade. Al zijn waardigheden en titels werden hem ontnomen, evenals zijn fortuin en goederen. Gelukkig voor Tsjang-kien werden niet zo lang daarna de Hunnen toch verslagen en de keizerlijke ongenade werd toen weer opgeheven, want na de nederlaag van de Hunnen lagen eindelijk de grote karavaanwegen naar het westen open. Wederom werd de generaal op weg gestuurd om handelsbetrekkingen aan te knopen. Ditmaal duurde de reis twee tot drie jaar. Gezanten, door de generaal uitgezonden, drongen zelfs door tot in India en het land der Parthen en overal bleken de mensen open te staan voor nieuwe ideeën en het aanknopen van betrekkingen. In het jaar 115 v. Chr. keerde de zegevierende generaal terug naar China, echter om een jaar daarna te sterven. Maar gelukkig voor hem kon hij nog beleven dat de eerste handelskaravaan uit de geheimzinnige landen van het westen aankwam. Keizer Woe-ti zat intussen ook niet stil. Hij onderwierp de oproerige volkeren van Ferghana en zond gezanten naar het Tweestromenland. Curieus is nog, dat men in die tijd in China kennis maakte met *Syrische* acrobaten en muzikanten. Dat waren dus onderdanen van het Oostromeinse imperium, de eerste die in China verschenen. Ze oogstten ontzaglijke bijval.
Het prachtige erfdeel van keizer Woe-ti was totaal verspeeld aan zijn opvolger. Deze slappe figuur had niet de minste interesse in het buitenland en liet de handel totaal verlopen. En in het jaar 23 v. Chr. was de door de generaal met zoveel moeite geopende 'zijdeweg' weer totaal versperd. Eerst in 87 werd deze weer opengesteld.

HOOFDSTUK 58

DE TIJD VAN DE RODE WENKBRAUWEN

Natuurlijk kan een dynastie, al brengt die van tijd tot tijd nog zulke eminente keizers voort, niet altijd op dezelfde hoogte blijven regeren. Als slappe figuren aan het bewind komen volgen er kwade tijden. Dan sluipen er misstanden in en krijgen verkeerde figuren hun kans. Toen dan ook de regering in handen kwam van een kroonprinsje dat nog een baby was, zagen de tegenmachten hun kans schoon om in te grijpen. Dat was in het jaar 8. Toen slaagde een grote geheime bond, het Verbond van de Rode Wenkbrauwen, erin aan de macht te komen. Aan het hoofd van deze rebellen stond een van de merkwaardigste mannen, die ooit in de Chinese geschiedenis voorkwamen, een zekere Wang Mang, die in de historie is blijven voortleven als een groot man op het gebied van de landhervorming. Om echter te begrijpen wat hij wilde moeten we eerst iets vertellen over het landbezit, dat zo belangrijk is in een agrarisch land als China. In het antieke China had het land toebehoort aan de staat; de boeren konden de grond huren in ruil voor een deel van de opbrengst. Daarvoor waren ambtenaren aangesteld die verondersteld werden eerlijk te handelen. Tijdens de Sjang-dynastie kwam de eerste reformatie tot stand, daar het oude systeem onhoudbaar bleek. Het land werd nu verdeeld in *tsjings* en iedere tsjing had een oppervlakte

van ongeveer 70 000 m². Deze maat wisselde echter wel eens gedurende de vele eeuwen dat dit systeem in gebruik bleef.
Iedere tsjing kwam in handen van acht boerenfamilies die het land bewerkten voor hun heer, want we moeten wel bedenken dat het toen nog het feodale tijdperk was. Iedere familie kreeg een negende deel van de tsjing dat ze voor zichzelf bebouwden. Het resterende negende deel verzorgden ze gezamelijk; die opbrengst was voor de heer. In feite was dit dus een soort belasting van 11 procent. De eerste keizer van de Tsj'in-dynastie maakte evenals veel andere oude instellingen, ook een einde aan de tsjing. Voortaan werd het land privé-eigendom en kon het verkocht worden, wat met de tsjing nimmer het geval was. Het gevolg was dat de kleine boeren in hun armoede hun grondje verkochten aan rijke landheren, die hen voortaan voor zich lieten werken tegen waarlijk schandalige voorwaarden. Wang Mang maakte hier een einde aan. Hij naastte kort en goed het land en voerde het tsjing-stelsel weer in. Het was voortaan verboden land te kopen of te verkopen en ook het grondbezit bleef gelimiteerd, zodat grootgrondbezit was uitgesloten. Maar er bleek veel te veel weerstand te zijn en grotere machten waren tegen hem dan Wang Mang had kunnen vermoeden. En al noemde Wang Mang zich honderdmaal de eerste keizer van de gloednieuwe Sjin-dynastie, het gelukte hem niet de tegenstand te overwinnen. Zijn regering duurde niet langer dan ongeveer 14 jaar. In het jaar 23 zagen prinsen van het Han-huis kans hem te verslaan en te doden en opnieuw de Han-dynastie te vestigen als het keizerlijk huis van China. Het tsjing-systeem werd meteen afgeschaft. Er kwam opnieuw een levendige handel in grond en de voorname families werden rijker dan ooit tevoren door een reusachtig grondbezit. Maar het systeem van tsjing bleek krachtiger dan men voor mogelijk hield: het werd weer ingevoerd door een nieuwe hervormer, ditmaal keizer Kau-tsoe van de T'ang-dynastie. In 645 nam ook Japan het nieuwe systeem over; dáár bleef het voortbestaan tot... 1868 toe!

HOOFDSTUK 59

DE EERSTE SINAASAPPEL UIT CHINA

De naam sinaasappel zegt het al: China's appel! Ook die lekkere vruchten hebben we dus aan de Chinezen te danken? Ja en nee. De geschiedenis van de sinaasappel is echter aardig genoeg om hier even te vertellen. De eerste vermelding van sinaasappels vinden wij in oude manuscripten: ,,Wederom stuurde de Hemelse Heerser (de keizer van Japan) de Tayima-mori, de voorvader van de opperhoofden van Miyake, naar het Eeuwige Land (China) om de vruchten te halen van de eeuwig groeiende, welriekende boom. De Tayima-mori bereikte ten slotte dit land, plukte de vrucht van de boom en bracht ook acht twijgen mee. Inmiddels was de Hemelse Heerser gestorven. Toen hief de Tayima-mori de vrucht van de boom omhoog, klaagde en weende en sprak: ,,Ik breng de vrucht van de eeuwig groeiende, welriekende boom uit het Eeuwige Land en ik ben gekomen om u te dienen''.

55. De terugkeer. Tsj'en Hoeng-sjou. 17de eeuw.

En hij klaagde zó lang en weende zó hard, dat hij er ten slotte aan stierf! De vrucht van de eeuwig groeiende, welriekende boom is dezelfde als de tegenwoordige *tachibana* (sinaasappel)."

Wij zien aan de gebruikte namen dat het hier een Japans bericht betreft. Het gaat hier over een gezelschap Japanners, dat als eerste Chinese grond betrad; het jaar waarin dat plaats had zou liggen tussen 61 en 71. De Chinezen zelf spreken van het jaar 57. Het is echter heel goed mogelijk, dat er al vóór die tijd Japanners in China waren geweest, daar beide landen toen al keizerrijken waren. Er is een merkwaardige overeenstemming tussen Chinese en Japanse annalen over het halen van sinaasappels uit China. Nu waren die sinaasappels natuurlijk maar een onderdeel van wat er uit China naar Japan werd gebracht. Een veel belangrijker ding was het met purperen zijden lint omhulde massief gouden zegel, dat de gezant mee kreeg als geschenk voor de Japanse keizer. Nu was het met dat zegel grappig gesteld. De Japanners beschouwden het als een eervol geschenk en in zekere zin was het dat ook, want niet iedereen kreeg een dergelijk kostbaar geschenk van de Zoon des Hemels. Maar datzelfde gouden zegel was ook een bewijs voor het feit, dat de Chinezen Japan niet erkenden als een zelfstandig keizerrijk, maar als een vazalstaat, Wo geheten, van China! Die toestand heeft notabene eeuwenlang geduurd. Dit blijkt onder andere ook uit een brief van de keizer van Japan aan die van China; een brief die onbeantwoord bleef omdat de Chinezen hem 'onbeschoft' achtten. Die brief begon namelijk met de volgende woorden: „De Zoon des Hemels, die regeert over het Land van de Rijzende Zon (Japan), aan de Zoon des Hemels die regeert over het Land van de Ondergaande Zon (China)". Hier stelde de Japanse Zoon des Hemels zich dus op één lijn met de Chinese Zoon des Hemels, en dat terwijl de Chinezen de Japanners Wo-noe noemden, wat 'dwergslaven' betekende! Gelukkig voor de vrede tussen de twee landen konden de Japanners dit schriftteken, dat zelfs op het beroemde gouden zegel voorkwam, niet lezen. Pas eeuwen later verzochten de Japanners – inmiddels wijzer geworden – om hun land voortaan Jipenkwo te

noemen, het Land waar de Zon zijn oorsprong heeft. Dat klink heel wat beter. Ons woord 'Japan' is van deze naam afgeleid.
Wat de sinaasappels betreft, die kwamen natuurlijk niet alleen uit China. Het was typisch een vrucht uit tropische landen, zoals vele citrusvruchten. Ze kwamen ook voor in India en andere gebieden. Maar in Japan groeiden ze kennelijk niet, anders had de Tayima-mori ze niet hoeven te halen. Wél was China een grote producent van deze heerlijke vruchten en daardoor kregen ze de naam sinaasappels, in ieder geval in Nederland.

HOOFDSTUK 60

HET 'GEZANTSCHAP' VAN CAESAR

,,In het negende jaar van de Yen-sji-periode zond de koning van Ta-tsin, Antoen genaamd, een gezantschap naar China. Komend van de grens van Annam brachten de heren ivoor, stukken schildpad en hoorns van rhinocerossen mee. Op de lijst van geschenken kwamen echter geen edelstenen voor en dit doet het vermoeden oprijzen, dat het gezantschap deze edelstenen wel achterovergedrukt zal hebben.''
Dit fraais staat letterlijk te lezen in annalen van de Han-dynastie, die in de 5de eeuw werden gekopieerd. Wie waren die gezanten? En wie was koning Antoen?
We hebben al gezien, dat het Oost-Romeinse Rijk door de Chinezen Ta-tsin werd genoemd. Dus kwam het gezantschap daar vandaan. En die koning Antoen was niemand minder dan Caesar Antoninus Pius (138–161), die werd opgevolgd door zijn adoptief-zoon Marcus Aurelius. Zou deze Caesar dus een gezantschap naar China hebben gezonden? En heeft dat gezantschap niet geweten, dat keizer Antoninus die hen uitzond, gestorven was om opgevolgd te worden door Marcus Aurelius? Als ze dit laatste nieuws niet wisten, valt dat niet te verwonderen. Waar een reiziger ongeveer twee jaar nodig had om van Europa naar China te komen zullen ze wel niet erg op de hoogte zijn geweest van het laatste wereldnieuws. Maar dat het gezantschap inderdáád door een Caesar werd gestuurd valt sterk te betwijfelen. Eerder hebben we hier te maken met een sluw stelletje Syrische kooplieden, die zichzelf tot die rang verhieven om gemakkelijker toegang te hebben tot het Chinese hof en de keizer zelf. Voor ontdekking hoefden ze ten slotte niet bang te zijn. Aan hun verhalen ontleenden de Chinezen bijzonderheden over het voor hen zo geheimzinnige land Ta-tsin. Ziehier wat zij uit die verhalen distilleerden:
,,Het land (Ta-tsin dus) is zeer uitgestrekt. Er zijn veel steden. Men bouwt huizen van steen en er staan herbergen langs de wegen. De bewoners scheren hun haar af en hebben mooie kleren. In de hoofdstad staan tien paleizen en de zuilen daarvan zijn van kristal. (Het gaat hier om Byzantium.) Er is veel goud, zilver en edelstenen en de bewoners zijn zeer rijk door hun handel met de Parthen (zijde!) en de Indiërs. De bewoners hebben een eerlijk en rechtschapen karakter en hun kooplieden hebben nooit twee prijzen. Er is graan in overvloed en het schathuis is vol. Gezanten krijgen gouden munten ten geschenke als zij aan het

hof komen. Hun koningen wensten altijd al gezanten naar China te zenden, maar dat werd door de Parthen tegengehouden (zijdemonopolie!).''
Hoe was dat gezantschap nu naar China gereisd? Over land? Over zee? Het laatste is het meest waarschijnlijk, gezien het feit dat zij van de grenzen van Annam kwamen. Er moet een redelijk drukke scheepvaart van Europa uit geweest zijn naar de Bocht van Tongkin, om dan verder over land naar China te gaan. Dit was althans vanuit het zuiden de meest gevolgde manier van reizen naar China.
Toch is er wel eens een echt gezantschap naar China geweest, maar dat was veel later. Het betrof hier een groep reizigers onder leiding van een zekere Heraklius en diens broer die van de Chinezen de naam Po-to-lie kreeg, die in 284 naar de Chinese hoofdstad kwamen. Door welke Oost-Romeinse keizer dit officiële gezantschap werd gestuurd is niet bekend. In China zijn in de 19de eeuw tamelijk veel Romeinse munten opgegraven, wel een bewijs dus van de tegenwoordigheid van Romeinse onderdanen. Maar met het verval van de Han-dynastie kwam er een einde aan alle gezantschappen en China was weer totaal afgesloten van de buitenwereld.

HOOFDSTUK 61

DE WONDERDRAAD VAN EEN RUPS

Heel wat uitvindingen zijn het eerst door Chinezen gedaan. Ze hadden buskruit eer Europa er zelfs aan dacht. Ze hadden door dat buskruit al raketten, toen niemand nog aan die 'nuttige' dingen dacht; maar het waren heel vreedzame raketten, namelijk vuurpijlen. De Chinezen hadden papier. Ze hadden kruisbogen. Ze konden drukken. Eigenlijk was er niet veel wat ze niet hadden of konden. En zou het wel helemaal toeval zijn dat een van hun mooiste 'uitvindingen' door een vrouw werd gedaan, namelijk door de keizerin, die de echtgenote was van de Gele Keizer? Wie anders dan een vrouw zou de zijde hebben kunnen 'uitvinden'...?
Eens stond er in Peking een tempel waar de keizerin jaarlijks een offer van moerbeibladeren bracht – de zijdeworm voedt zich met het moerbeiblad – en bij het altaar bad om voor-

56. *'Pi Sjié', het Dier dat het Kwaad afwendt. Een legendarisch dier van jade. Han-dynastie.*

spoed voor de zijdecultuur. In zekere zin hing het leven van China met zijdedraden aan elkaar. En de zijde was het ook die China in contact bracht met de buitenwereld. Dwars door Azië liep de beroemde Zijdeweg, die ook Marco Polo volgde tijdens zijn reis naar het Rijk van het Midden. Langs de Zijdeweg trokken de eindeloze karavanen, jaar in jaar uit, eeuw in eeuw uit, en brachten de tere, glanzende stoffen naar het westen: naar Griekenland en India; naar Rome en Constantinopel; naar Rusland en Venetië. Aristoteles vermeldt zijde en Plinius klaagt over de schandalig hoge prijzen die er voor gevraagd werden. In het Nabije Oosten werd de tussenhandel schatrijk. Natuurlijk was de Chinezen er alles aan gelegen om de zijdecultuur geheim te houden en ze slaagden daar aardig in. Maar in de 1ste eeuw moet er een Chinese prinses zijn geweest, die de eitjes van de zijdevlinder mee smokkelde in haar kapsel; uit deze eitjes zou de zijdecultuur in India en Perzië zijn ontstaan. Een ander verhaal vertelt, dat Perzen de eitjes meesmokkelden in holle stokken.
Een beroemde Engelse archeoloog, Sir Aurel Stein, komt de eer toe de geheimen van de Chinese zijde uit de vroegste tijden te hebben onthuld. Tijdens een expeditie in Chinees Turkestan (1913 tot 1916) vond hij resten van zijden stoffen in door hem opgegraven tombes en deze stoffen voldeden al aan de hoogste eisen van *onze* tijd wat betreft weefsel en ornament. Later werden er zijdevondsten gedaan bij het Baikalmeer in Siberië; bij Palmyra in Syrië; in de Krim. Al deze stoffen waren gebruikt om doden een luisterrijke begrafenis te geven.
Van de vroegste tijden af kende men in China alle mogelijke weefsels: damast en gaas; faille en moiré; satijn en crêpe. Om nog meer luister te geven aan die sprookjesachtig mooie stoffen met hun ingeweven patronen werden ze ook nog geborduurd met zijde of met goud en zilverdraad van zo hoge kwaliteit, dat het nimmer dof of donker werd. De stoffen werden geweven op buitengewoon ingewikkelde weefstoelen, die nu nog ten grondslag liggen aan verscheidene moderne typen. Het was het zogenaamde 'staande getouw' dat door twee man bediend werd. De wever zelf zat beneden; zijn assistent klom bovenop de weefstoel, waar hij hielp de draden van de inslag te verwisselen. Merkwaardig is dat de oude zijdecentra nog steeds bestaan, zoals bij voorbeeld Hangtsjou waar de oude traditie nog altijd springlevend is en men met nieuwe grondstoffen experimenteert, waarbij men echter wel beseft dat de wonderdraad die zijde heet *niet* te vervangen is door kunstmatige vezels! Want welke nylondraad zal ooit tweeduizend jaar goed blijven, zoals de weefsels uit Palmyra?
De legende mag de vrouw van de Gele Keizer de uitvinding van de zijde toeschrijven, het volk dacht er anders over, want zij hadden een nog veel fantastischer verhaal. Er leefde namelijk heel, heel lang geleden, nog eer iemand ooit van een Gele Keizer had gehoord, een mooi meisje dat verliefd werd op een mooi paard. Begrijpelijkerwijze was haar vader hierover zó geweldig verbolgen dat hij zijn dochter meteen doodde. Toen ze dood was wikkelde hij haar in een paardehuid en hij hing haar op in een boom. Een paar dagen later zagen een paar mensen – de vreemdsoortige last van de boom was natuurlijk hét uitje van de dag – dat het geheel veranderde in een rups die een cocon begon te spinnen. Stomverbaasd haalden de toeschouwers de cocon uit de boom, maar nog verbaasder waren zij toen de cocon openspleet en het hele meisje gaaf en wel eruit stapte. Ze spon zijde van de rups tot een draad, ging er mee naar de markt en verkocht die voor veel geld. Toen besteeg ze de paardenhuid die meteen veranderde in een prachtige ros! Ze vertelde de verbijsterde omstanders, dat het voortaan haar werk zou zijn om de zijdecultuur uit te dragen en te

stimuleren en toen reed ze weg. Niemand zag haar ooit meer terug, maar in China werd de zijde-industrie een feit. En zo leidde de merkwaardige liefde van een vrouw voor een dier tot groot heil van de natie!

57. Twee uit het water opspringende vissen in jade.

XII

TUSSENPERIODE

HOOFDSTUK 62

DE DRIE KONINKRIJKEN

Hoe goed de Han-dynastie ook meestal had geregeerd, hoezeer deze van China één aangesloten geheel had gemaakt, toch kwam ook voor deze grote dynastie onafwendbaar het tijdstip, waarop zij de haar gestelde taak niet meer kon vervullen. De laatste keizers waren heel zwakke figuren geweest van een decadent geslacht. De ene opstand volgde op de andere; het ene oproer op het andere. Krachtige mannen, belust op eigen baatzucht en eigen macht, trachtten door oorlogen te verkrijgen wat ze niet konden bezitten. Door hun kuiperijen volgde er op het redelijk rustige Han-tijdperk met zijn grote bloei op velerlei gebied, een tijdperk van meer dan vier eeuwen, een nieuw en verward, voor China's volk desastreus tijdvak.

Dit is het tijdvak dat bekend staat als de Drie Koninkrijken. Het duurde van 220 tot ongeveer 265. Na de val van de Han-dynastie in 220 viel het keizerrijk uiteen in drie delen. In de Yang-tse-vallei lag het rijk Woe, zeer welvarend door de landbouw en met Nanking als hoofdstad. In het noorden lag Wei. Daar regeerde een koning die zijn eigen keizer verraden had en die de naam droeg van Ts'au-ts'au. Hij was eerste minister van de keizer geweest en dus uitnemend van alles op de hoogte. Hij verkeerde in de meest ideale positie om verraad te plegen. Ten slotte lag in wat nu Setsjwan heet het derde rijk, Sjoe geheten, geregeerd door vorsten uit het geslacht Han. In zekere zin konden zij dus wel aanspraak maken op de keizerstroon en ze deden dat dan ook, waardoor Sjoe ook wel Sjoe-Han genoemd werd.

Uit deze tijd, die uitmuntte door krijgshaftig vertoon en vele heldendaden of wat er voor doorging, bleven later heel wat verhalen hangen, die stof gaven voor romans en zeer geliefde toneelstukken. Een van de grootste helden was generaal Kwan-yoe die in zijn strijd werd bijgestaan door een uitnemend strateeg en uitvinder van moderne oorlogsmachines, Tsjoe-ko Liang. Tezamen met hun koning, de eerste van Sjoe-Han, die Lioe Pei heette, trachtten zij de twee rijken Woe en Wei te onderwerpen om ze weer tot één keizerrijk te kunnen maken uit het nu hevig verdeelde China. Jammer genoeg voor hen waren de drie rijken praktisch even sterk.

Zoals altijd in dergelijke roerige tijden kwamen ook de Mongoolse vijanden langs de grens, eeuwig en altijd loerend op hun kans, weer in beweging en de woeste horden stroomden het land binnen, moordden en plunderden en zagen er eenmaal zelfs kans toe om tot de Yang-tse door te dringen en daarmee China's rijkste landbouwgebied in handen te krijgen. Vanuit het noorden en het westen trokken de Mongolen, de Turkestanen en de verfoeide Sjioeng-noe weer op en zogen het ongelukkige land uit. Maar gelukkig voor China verging het de barbaren zoals het hen altijd was vergaan: zij bewonderden de Chinese beschaving. De Chinese godsdiensten trokken hen aan. Het Chinese leven beviel hen buitengewoon goed. Ze werden dus geassimileerd. Aangetrokken door het succes van het boeddhisme dat langzamerhand tauisme en confucianisme begon te verdringen – die uiteindelijk zo eng verbonden waren aan een keizerlijk China! – kwamen beroemde en hooggeplaatste monniken uit het buitenland naar China om zich daar te vestigen en om de boeddhistische boeken in het Chinees te vertalen. Daarnaast trokken vele vrome Chinese boeddhisten naar India om daar de heilige plaatsen uit Boeddha's leven te bezoeken. Zij brachten ook boeddhistische boeken mee terug, die ze vlijtig bestudeerden. Het gevolg hiervan was dat er een groot aantal nieuwe boeddhistische sekten ontstond.

Het tauisme werd in deze tijd langzamerhand een echte godsdienst, die door zijn geheimzinnige karakter vooral de grote massa van het volk aansprak. Aan de oorspronkelijke leer van Lau-tse voegden zij hun eigen goden toe, zodat het een vreemd mengelmoes werd en vaak vastliep in toverij, bijgeloof en de uiterste verwarring. Dat het tauisme zo machtig werd was mede te danken aan het feit, dat het in niet geringe mate had bijgedragen tot het afbreken van de Han-dynastie, hierin geholpen door een oproerige groep met een ontzaglijke invloed: de geheime bond van de Gele Tulbanden, die dezelfde rol vervulde als destijds de Rode Wenkbrauwen.

De drie koninkrijken kwamen ongelijk aan hun einde. Woe duurde van 222 tot 280; Sjoe

58. 'Apsara' van steen uit de grotten van Loengmen in Honan. Ongeveer 650.

hield het slechts uit tot 263 en Wei tot 265. Zij stierven een natuurlijke dood in een zó verwarde tijd, dat ten slotte niemand wist wie nu eigenlijk de baas was. In het noorden hadden de barbaren een eigen rijk gevestigd, terwijl vanuit het zuiden de Chinezen trachtten hen weer te verdrijven. Deze tijd staat bekend als die van de Zuidelijke en de Noordelijke Dynastieën. Toch begon er wat tekening in de zaak te komen toen er in het oosten een krachtiger vorstengeslacht opkwam, de Tsj'in. Nanking was daar de hoofdstad. Dit vorstenhuis was als het ware een verlengstuk van de Soeng (niet te verwarren met de latere beroemde Soeng-dynastie). Deze tijd wordt het Oostelijk Tsin genoemd (317–420); het vervolg erop heet Lioe Soeng (479) om het te onderscheiden van het 'echte' Soeng. In het noorden lag eveneens een machtig rijk, dat van de tartaren. Dit was Noord Wei, met een mooie hoofdstad op de plaats waar nu Tatoeng ligt. Dan waren er nog de Noordelijke Tsj'i-en en de Zuidelijke Tsj'i-en-dynastie. Deze zes dynastieën, of liever koningshuizen, gaven hun naam aan de periode die bekend staat als die van de Zes Dynastieën.
Alle onrust en narigheid ten spijt vond er in China toch een grote ontwikkeling plaats. Wiskunde, astronomie, de geneeskunst, de chemie en de plantkunde gingen met sprongen vooruit. Door boeddhisten uit verre landen en terugkerende Chinese pelgrims raakte men bekend met de buitenwereld.
De handel tussen China en het zuidelijk deel van Azië bloeide als nooit tevoren en er werden nieuwe zeewegen gevolgd om de handel uit te breiden. Tijdens de periode van de Zes Dynastieën bloeiden ook de schone kunsten. Onder de steeds groeiende invloed van het boeddhisme ontplooide zich vooral de beeldhouwkunst.

HOOFDSTUK 63

DE OORLOGSGOD DIE NIET VAN OORLOG HIELD

Mercurius mocht dan de god zijn van de handel en de dieven, in China hield men er een god op na van de oorlog en de literatuur! Als men echter iets meer van China en de Chinezen weet is dit laatste minder vreemd dan het lijkt. Een man van betekenis in China was immers tevens een man van de literatuur. Zonder geestelijke ontwikkeling kwam men niet omhoog op de maatschappelijke ladder. In China bezat de oorlogsgod nóg een voor ons gevoel ietwat vreemde eigenschap, behalve dat hij van literatuur hield: hij hield *niet* van oorlog! Hij was er niet om de oorlog aan te wakkeren of te veroorzaken, maar om hem te bestrijden en te voorkomen. Hij was dus eigenlijk een negatieve oorlogsgod...
De oorlogsgod heette Kwan-ti en was niemand anders dan die generaal Kwan-yoe die we in het vorige hoofdstuk hebben ontmoet. Hij werd uiteindelijk zó beroemd; er kwamen verhalen en later legenden over hem in omloop, dat er maar één logisch gevolg kon zijn: uit de generaal groeide de oorlogsgod-die-niet-van-oorlog-hield.
In China is de figuur van Kwan-ti overal te vinden, maar vooral als een woeste figuur op de daknokken. Tezamen met helden te paard, wilde duivels en dreigende dieren behoedt hij

59. Jachtvoorstellingen uit het graf van Kokoeryo. Drie Koninkrijken.

woning en paleis tegen boze geesten. Vaak heeft hij in rustiger momenten een boek in handen, al legt hij zijn wapenrusting nooit af. Dit symboliseert zijn liefde voor de beroemde *Lente en Herfst Annalen* van Confusius, die hij zijn leven lang bestudeerde. Het volk noemde hem: ,,een krijger die zo brutaal is dat hij de baard van een tijger durft te strelen, maar toch blijft hij altijd even ridderlijk". Een van zijn (veelzeggende) titels was Vorst-van-de-Vrede-die-door-Strijd-gewonnen-werd.

HOOFDSTUK 64

OVERZEESE VERBINDINGEN MET JAVA

Reeds heel vroeg onderhielden China en Java diplomatieke betrekkingen met elkaar. Dit vond zijn oorzaak in het zeeverkeer tussen China en India, waarbij Java werd aangedaan als tussenstation, om water in te nemen en te provianderen. De betrekkingen waren meestal vriendschappelijk. In het jaar 132 zond de toen heersende Javaanse koning Devavarman een gezantschap naar de toen regerende Han-keizer om geschenken aan te bieden. Maar net als met de Japanners het geval was beschouwde de Chinezen deze geschenken als van een vazal afkomstig. Als zodanig kreeg ook hij een gouden zegel met een purperen lint.
In de 5de eeuw gingen de Javaanse gezantschappen geregeld naar China; vijftienhonderd jaar lang bleven de betrekkingen heel vriendschappelijk, wat de handel alleen maar ten goede kwam. Maar in 1292 kwam er een kink in de kabel en dat was de schuld van Koeblai Khan. Deze meer dan normaal hoogmoedige heerser zond een gezant, Meng-ki genaamd, naar Java om de koning te vertellen dat hij vazal was van Koeblai Khan en zich als zodanig te gedragen had. De woede van de verbaasde Javanen kan men zich voorstellen! En Meng-ki was er het ongelukkige slachtoffer van. Hij werd op zijn wangen gebrandmerkt

60. Knielende soldaat in brons. 4de eeuw v.Chr.

en teruggestuurd. Natuurlijk nám Koeblai Khan dat niet! Hij stuurde een geweldige vloot naar Java en er ontbrandde een oorlog. In het begin zag het er naar uit dat de Chinezen zouden winnen, maar later werden ze teruggeslagen en moesten zij zich inschepen.
Gelukkig voor Java en China en hun beider handelsbetrekkingen stierf Koeblai Khan in 1294, waarna er een einde kwam aan deze ietwat duistere Javaans-Chinese oorlog, die niemand eigenlijk gewild had.

HOOFDSTUK 65

NOORDELIJKE EN ZUIDELIJKE DYNASTIEËN

Nog altijd kwam er maar geen einde aan de verwarde toestand in het voormalig keizerrijk. Maar toch was er een verandering gekomen. De politieke toestand was als het ware uitgekristalliseerd in twee krachtige vorstenhuizen: in het noorden de Soeng, later gevolgd door de Tsj'i (479–502), de Liang (502–577) en de Tsj'en (557–589); in het zuiden volgden elkaar op de Noordelijke Wei (386–534) die het het langst volhielden, de Oostelijke Wei (534-550), de Westelijke Wei (535–557), weer de Noordelijke Wei (550–577) en ten slotte de Noordelijke Tsjou (557–581). Aan de data zien we duidelijk hoe deze geslachten van vorsten vaak naast elkaar regeerden. In het zuiden bleef Nanking steeds de hoofdstad, want de vorstenhuizen daar volgden elkander normaal op. In het noorden was het eerst Lo-yang, later Sjang-en, met een tussenperiode van Yeh in Honan.
De ene oorlog na de andere woedde tussen noord en zuid, die hun oorzaak meestal hadden in het feit, dat de noordelijke vorsten import waren vanuit barbaarse landen, terwijl die van het zuiden zich de enigen achtten die het recht bezaten over China te regeren, daar zij Chinezen waren. De zuidelijke vorsten hadden het idee, dat ze weer terug waren in het feodale tijdperk. Zij woonden in paleizen van huizen en bezaten privileges waar zij nooit

van hadden kunnen dromen. Intussen hadden van noord naar zuid ware volksverhuizingen plaats en steeds meer mensen gingen op pelgrimsvaart naar het buitenland. Ook in dit verwarde tijdperk bleven kunsten en wetenschappen zich ondanks alles ontwikkelen. Uit deze kookpot van vele rassen – Chinezen en barbaren – en mede door vermenging door huwelijken onderling, vooral door Chinese prinsessen uit te huwen aan barbaarse vorsten ter wille van de lieve vrede, ontstond uiteindelijk een nieuw ras. Aangezien vreedzame migratie nooit werd belemmerd kwam er ook een aanzienlijke vermenging tot stand in het volk zelf. Dit ging zowel van noord naar zuid als omgekeerd. Heel veel Chinezen trokken in die tijd bij voorbeeld naar Mongolië en dergelijke landen. Uit die vermenging ontstond dan ook een nieuw China met hoop voor de toekomst onder een nieuw keizershuis, de Soei, dat wel niet lang regeerde – van 581 tot 618 – maar toch tot stand bracht wat zo lang onmogelijk had geleken. China was weer een keizerrijk.

61. Drakenkop in keramiek.

XIII

DE SOEI-DYNASTIE

HOOFDSTUK 66

EEN NIEUWE OPBLOEI

De man die de kort regerende Soei-dynastie stichtte was ook weer een generaal, die er in slaagde de heersers van alle andere staten de een na de ander te overwinnen en onder zijn bestuur te brengen. Deze man kwam dus zeker in aanmerking om over het nieuw ontstane keizerrijk te regeren. Hij heette Yang-ti, regeerde van 589 tot 618, dus niet zo heel lang, maar in die korte tijd deed hij een heleboel. Hij liet het beroemde Grote Kanaal aanleggen. Het was overigens niet het enige kanaal waarmee men het waterprobleem van China te lijf ging, wel het belangrijkste. Verder liet hij de Grote Muur, die door verwaarlozing lelijk geleden had, restaureren en waar dat nodig was verbeteren, verlengen en verhogen. Daar Yang-ti een voortvarend vorst was liet hij ook prachtige paleizen bouwen en parken aanleggen. Het was minder fraai dat hij dit werk door dwangarbeiders liet verrichten. Ook liet de keizer, die een zeer vroom boeddhist was, een heel groot aantal tempels bouwen. Bovendien werd het een strafbare misdaad als iemand een boeddhistisch beeld stal of beschadigde.

Ook de administratie van het rijk kreeg een grondige herzieningsbeurt en er werden tal van verbeteringen in het systeem aangebracht. Vooral de strafwetten werden aangepast aan de nieuwe tijd.

In vergelijking met wat er gedurende de Han-dynastie gebouwd werd leek de bouwaktiviteit tijdens de Soei-dynastie een ware explosie. In de eerste plaats wenste de keizer een prachtige nieuwe hoofdstad te hebben. Dat werd Tsjang-an, waar dan ook de meeste paleizen en tempels kwamen te staan. Keizer en hofhouding hechtten zeer aan *mooi* bouwen en een nieuwe stijl, en goede architecten werden zó overladen met rijkdommen, eerbewijzen en roem dat velen naar Tsjang-an stroomden om daar hun geluk te beproeven. Vier van die architecten zijn ons bekend gebleven. Een van hen was Yang-soe die beroemd was als bouwer van de grootste, mooiste en meest luxueuze jachten waar ooit een keizer mee

62. Kameel met vrouwelijke ruiter. Soei-dynastie.

ging spelevaren. Hij kreeg ook de taak een nieuwe stad te ontwerpen en te bouwen, Lo-yang geheten. Een tweede beroemdheid was een waterbouwkundig ingenieur die een paviljoen had ontworpen dat door een vernuftig mechanisme kon ronddraaien om zijn eigen as. Dan was er een genieofficier, tevens bekwaam strateeg, kunstkenner en connoisseur om rivieren tijdens oorlogshandelingen snel en veilig over te steken. Hij ontwierp een gevechtstoren die in één nacht kon worden opgezet, compleet met grachten en wallen! Maar hij had nog meer pijlen op zijn boog: hij ontwierp graag prachtige hofkleding en organiseerde weelderige feesten. Hij construeerde ook nog een imposant mausoleum voor de keizerinmoeder van de tweede Soei-keizer. Nummer vier van deze illustere heren was een schilder en kalligraaf die prachtige lustpaleizen ontwierp, maar ook kanalen waarlangs de keizerlijke legers Korea konden bereiken, waarmee China op voet van oorlog stond. Hij was de architect die de Grote Muur moest restaureren.
Alles bij elkaar werden tijdens de Soei-dynastie de grondslagen gelegd voor de daarop volgende T'ang-dynastie, waarin de Chinese letteren hun gouden eeuw beleefden. Het rijk was opnieuw één geheel; het was er redelijk veilig en door een zich goed ontwikkelende economie kon men beschikken over allerlei rijkdommen. De grote vraag naar luxe en schoonheid gaf alle gewenste mogelijkheden aan de schone kunsten. Zelden kon een nieuwe dynastie beginnen op een dergelijke stevige basis.

HOOFDSTUK 67

HET GROOTSTE KANAAL VAN DE WERELD

Het klinkt misschien onwaarschijnlijk, maar het grootste kanaal van de wereld is niet dat

van Suez, evenmin dat van Panama, maar het Grote Kanaal van China, aangelegd op bevel van keizer Yang-ti.
Natuurlijk ontstond in de loop der eeuwen een mooi verhaal rond de aanleg van dit kanaal dat vertelt, hoe op een goede dag de keizer zich met een van zijn zangeresjes vermaakte in een zaal van het schitterende Magnolia-paleis. Nu was op een van de muren van die zaal een wandschildering aangebracht van een bekend kunstenaar. Deze stelde een landschap voor in Zuidoost China en het zag er daar zo paradijselijk uit, dat de keizer totaal onder de betovering kwam. Daarbij kwam nog dat hij vroeger als jonge prins over dat deel van China had geregeerd. Het deed het verlangen bij hem oprijzen dat heerlijke land nog eens terug te zien en hij besloot dus een inspectietocht erheen te maken. Toentertijd sprak men nog niet van werkbezoeken want een keizer werkte niet, al had hij het over het geheel drukker met allerlei vervelende dingen dan enig vorst van vandaag.
Nu kwam er tegelijk met het verlangen van de keizer ook een onheilsbericht binnen. Er hing namelijk juist boven Zuidoost China een lugubere mist, die de ergste dingen voorspelde. Het zag er naar uit dat de inspectiereis van de keizer een militaire onderneming zou moeten worden. Het was echter niet zo eenvoudig om er te komen. De keizer zou met schepen de hele Gele Rivier moeten afzakken en dat in een zeer ongunstig jaargetijde. En wie kon ooit staat maken op de grillen van China's Vloek?
Toen kreeg een van de hovelingen een schitterend idee. Hij herinnerde zich een dergelijk geval heel lang geleden. Toen had een keizer, ongerust geworden door precies zo'n mist, dwars door de bergen een tunnel gegraven die de wateren van de Hwang-ho hadden afgevoerd en die keizer had veilig kunnen reizen. Wat lette ditmaal keizer Yang-ti om een kanaal te laten graven van de Hwang-ho naar de Yang-tse? Dan had de keizer een veilige weg naar het zuidoosten en de Gele Rivier werd ook geknecht.
Meteen werd er met het kanaal begonnen. Iedere man boven de vijftien werd opgeroepen en er stonden de vreselijkste straffen op eventuele ontduiking. Naar schatting moeten er ongeveer drieëneenhalf miljoen mannen aan het kanaal hebben gewerkt! Voor de ravitaillering moest men per vijf gezinnen, die een werkende man of mannen leverde, een oude vrouw of man meesturen om voor de keuken te zorgen. Vanuit heel China kwamen ze aanstromen; het leek een Babylonische spraakverwarring. Vijftigduizend soldaten hielden toezicht. En men ging aan het werk. Ondanks het feit dat er bij het gigantische project ontelbare doden vielen kwam het toch in recordtijd gereed en de keizer kon met zijn vijftig prachtige drakeboten, gebouwd door de bewoners van het dal van de Yang-tse als hún bijdrage aan de keizerlijke reis, op weg gaan naar het land van belofte. Het schip van de keizer was... 600 meter lang en 13 meter hoog! Het bevatte zelfs een troonzaal en schitterende kajuiten voor de hofhouding. Goud noch jade waren gespaard bij de inrichting. Het schip heette 'De Kleine Rode', omdat rood de kleur van de voorspoed was. De keizerin en háár hof voeren op de 'Vliegende Gele Draak', en deze was ten minste even mooi. De rest van het gevolg had eigen schepen, waarvan merkwaardig genoeg er één 'De Groene Draak' heette!
De schepen werden gesleept door sterke mannen, maar tussen hen in liepen mooie meisjes, aan zijden linten vastgebonden om het geheel decoratief te maken. Om voor schaduw te zorgen had men beide oevers van het kanaal van de hoofdstad tot het einde met wilgebomen beplant. Ieder die een wilg had gegeven kreeg als dank twaalf meter zijde. Het kanaal bestond uit drie delen en was meer dan 1500 km lang. Het bleef in de loop van meer dan

duizend jaar een van China's belangrijkste handelswegen. Aan het begin van het kanaal, in Lo-yang, stond het Westelijk Paleis temidden van schitterende tuinen. De keizer kon onder mooie bomen naar zijn schip wandelen. In herfst en winter vervingen uit zijde geknipte blaadjes in vurige kleuren de echte bladeren van de zomer. Als deze lelijk werden moest men ze meteen vervangen. In het park lag een lotusvijver en eromheen stonden zestien kastelen, waarin mooie meisjes woonden om het geheel nog fraaier te maken. Het was de bedoeling dat deze meisjes rondwandelden en zongen als de keizer in de buurt was!
Dat het kanaal schatten gekost heeft zal niemand verbazen. Dat er geregeld gemurmureerd werd tegen de verregaande verkwistingen van keizer Yang-ti evenmin. Maar het Grote Kanaal heeft dit door zijn praktisch nut over zo lange tijd meer dan goed gemaakt. Bezitten we nú ergens op de wereld een kanaal dat het tien eeuwen zal uithouden?

63. *Haan van beschilderd aardewerk. Zes Dynastieën.*

XIV

DE T'ANG-DYNASTIE

HOOFDSTUK 68

DE GOUDEN EEUWEN VAN T'ANG

Merkwaardig genoeg is de T'ang-dynastie in onze tijd het meest bekend door de prachtige zogenaamde T'ang-paarden, grafbeelden van keramiek van een zo schone vorm en een zo gespannen houding, dat eigenlijk alleen de paarden van het klassieke Griekenland en die van de Egyptische tempelreliëfs ermee kunnen wedijveren. Dat deze paarden geproduceerd werden was natuurlijk geen toeval. Reeds tijdens de Wei-dynastieën uit Noord-China werden dergelijke paarden vervaardigd. Die Wei waren echte ruitervolkeren, de afstammelingen van de noordelijke nomaden. De T'ang-paarden waren bedoeld om mee te geven in het graf opdat de dode in het hiernamaals de beschikking zou hebben over goede rijdieren. Tijdens de T'ang-dynastie bereikte het meegeven van grafbeelden dermate overdreven afmetingen dat er een wet moest komen om het aantal te regelen.
Tijdens de regering van de tweede T'ang-keizer, Tai-tsoeng geheten (627–649), kreeg China door allerlei oorlogssuccessen in Korea, Pamir, Turkestan en Tibet een oppervlakte, die het tot het grootste land van de wereld maakte. De hoofstad Tsjang-an was de belangrijkste stad van de wereld. En vanuit die hoofdstad begon opnieuw een modernisering van het regeringssysteem. De bureaucratie werd geperfectioneerd; de examens herzien om ze nog efficiënter – en moeilijker! – te maken dan ze al waren, opdat de ambtenaren nog beter werk konden leveren. Tot dat doel werd de Han-li Academie gesticht, waar men later vooral de geschiedschrijving van het land verzorgde.
Onder de tweede keizer van de T'ang-dynastie, Tai-tsoeng, ging China een stralende toekomst tegemoet. De vader van deze jonge keizer, de vorst van T'ang, was degene die het nieuwe Chinese rijk stevig grondvestte. Toen hij daar na negen jaar mee was klaar gekomen gaf hij de teugels van de regering in handen van zijn zeer begaafde jonge zoon. Aan keizer Tai-tsoeng heeft China heel wat te danken gehad. Aan zijn weelderige hof verbond hij de grootste kunstenaars en de grootste denkers van zijn tijd, zodat Tsjang-an een waar Athene

64. T'ang-beeldjes van muzikanten en danseres. Ongeglazuurd aardewerk

werd. Waar vele geleerden zoals in China te doen gebruikelijk was ook kunstenaars van formaat waren, bereikte het geestelijke leven een ongekende hoogte. Vele kunstenaars, die hun carrière begonnen in de uiterste armoede, werden dank zij hun kunstzinnige keizer en zijn even kunstlievende hofhouding mannen van grote rijkdom.

Vooral de dichtkunst beleefde tijdens de T'ang-dynastie een zelden geëvenaarde bloei. Er zijn niet minder dan *duizend* dichters van *groot* formaat, waarvan voor ons Li Tai-po en Toe-foe de grootste zijn, wier namen uit de T'ang-dynastie bekend zijn gebleven. Hoeveel *kleine* dichters moeten er dan wel niet geweest zijn...?

Een uitvinding van het grootste belang was die van het drukken met houtblokken, waardoor reproduktie op grote schaal mogelijk werd. De kunst van het porseleinbakken nam zo'n vlucht, dat de Chinese produkten tot ver in het buitenland beroemd werden om hun weergaloze schoonheid. De kommetjes, die gebruikt werden voor het drinken van wijn, inspireerden door hun volmaakte schoonheid zelfs de grootste dichters. Toe-foe schreef:

> Het porselein van Ta-yi is licht en sterk;
> Het klinkt met de klank van jade en is beroemd door de hele stad;
> Die tere witte kommen overtreffen rijp en sneeuw.

Vaak werden de wijnkommetjes vergeleken met 'lotusbladeren die stroomafwaarts drijven' of met 'schijfjes van het dunste ijs'. De Arabieren waren bij voorbeeld zo onder de indruk van de Chinese keramiek, dat ze er complete boekwerken aan wijdden.

Dat deze porseleinen voorwerpen gretig aftrek vonden in het buitenland, waar ze ongelooflijk kostbaar waren en hoog geschat werden, zal niemand verbazen. In de stad Samarra aan de Tigris werden bij opgravingen Chinese kommen, of liever de scherven ervan, gevonden!

De geweldige vraag naar grafbeelden en -meubilair deed ook een uitgebreide aardewerkindustrie tot bloei komen. Dank zij deze beeldjes, waarvan de reeds vermelde T'ang-paarden slechts een onderdeel vormden, zijn we een heleboel te weten gekomen over hoe China

er in die tijd moet hebben uitgezien. Van letterlijk alles werden kleimodellen gevormd: van huizen, boerderijen, graanschuren, hele kudden vee, orkesten, bedienden, molenstenen en wat al niet. De vrouwen kregen huishoudelijke voorwerpen mee in het graf, zodat ze in het hiernamaals niet onthand zouden zijn. Deze uitgebreide grafmeubileringen vonden hun oorsprong in het grijs verleden. Ze waren eigenlijk een vervanging voor de mensen- en dierenoffers, die vroeger noodzakelijk werden geacht. De laatste hecatombe vond plaats bij de begrafenis van keizer Sji Hwang-ti, de man van de Grote Muur.
Wat er toen gebeurde was meer dan verschrikkelijk! Duizenden slaven werden uitgezocht om de keizer in het hiernamaals te dienen. Alle concubines, die geen mannelijke kinderen hadden gehad moesten sterven. Al die ongelukkigen werden levend begraven... En dat terwijl al zó lang geen mensenoffers meer gebracht werden! Maar de despoot wenste een hem waardige begrafenis of wat hij daarvoor aanzag. Uit de grafbeeldjes kunnen we opmaken hoe rijk en sierlijk de kleding uit die tijd geweest moet zijn. Natuurlijk genoot zijde altijd de voorrang. Voor de winter voegde men daar de kostbaarste bontsoorten aan toe als nerts en sabelbont. De vrouwen, die slank en buitengewoon elegant zijn, dragen lange, wijde rokken, korte bloesjes met brede ceintuurs. De handen gaan schuil in heel lange, heel wijde mouwen waarmee ze sierlijk konden gebaren. Het haar was ingewikkeld gekapt, getooid met bloemen, edelstenen, kammen en spelden. De sieraden van goud en edelstenen en parels waren wondermooi. De zijden schoentjes aan de sierlijke voetjes, die nog niet gebonden waren zoals een latere barbaarse gewoonte zou eisen, hadden opgewipte neuzen die later in veel gematigder vorm bleven bestaan en die de Chinese schoenen met hun dikke, maar geruisloze zool zo opvallend maken.
Een nieuwigheid van de T'ang-dynastie was ook het papiergeld – mogelijk gemaakt door de

65. Verschrikt paard. Beschilderd aardewerk. 7de tot 9de eeuw.

drukkunst – dat in de plaats kwam van het onhandige, loodzware metalen geld. Acht eeuwen voor onze eigen Laurens Koster in de Haarlemmer Hout een gesneden letter in de modder liet vallen lazen de Chinezen al boeken en ze hadden de drukkunst ook al naar Japan gebracht, waar men in één jaar tijd van een bepaalde toverspreuk bijna twee miljoen afdrukken maakte!
De meeste keizers van de T'ang-dynastie waren tauisten, behalve de eersten. Zij legden echter andere godsdiensten geen strobreed in de weg, wel een bewijs voor de zeer tolerante houding die de Chinezen altijd getoond hebben tegenover diverse geloofsvormen. Tijdens de T'ang-dynastie verschenen in China de eerste christenen – Nestorianen – en moslims. Hun zendelingen konden rustig hun gang gaan en maakten dan ook vele bekeerlingen.
De eerste keizer, de vorst van T'ang, was niet van zuiver Chinese afkomst, maar had barbaars aristocratenbloed in de aderen. Zijn zoon Kai-tsoeng bleek een even goed generaal te zijn en volgde dan ook zijn vader waardig op. Zijn zoon was weer een veel zwakkere figuur, die volkomen onder invloed stond van de beroemde en beruchte keizerin Woe waarover straks meer.
Met keizer Sjoean-toeng of Ming Hoeang (712–756) kwam er weer een briljante persoonlijkheid als keizer op de oude troon en onder zijn regering bereikte de T'ang-dynastie haar hoogtepunt. In zijn tijd leefden de grootste dichters die China ooit gehad heeft en een aantal van de grootste schilders en tekenaars. Keizer Ming Hoeang beschikte over aantal eminente ministers die hem bijstonden in het ontwerpen van nieuwe administratieve regelingen, betere belastingen en dergelijke. Deze ministers, die in hoofdzaak uit aristocratische kringen stamden, kwamen echter in botsing met een heel nieuwe klasse, die van de grote landeigenaren die door hun rijkdommen ontzaglijk machtig waren en niet van zins waren daaraan te laten tornen door nieuwe inzichten. Het einde van deze politieke strijd was dat een zekere Li Lin-foe, een familielid van de nu sterk verouderde keizer, praktisch dictator was om dat de keizer zich had teruggetrokken in een leven van niets dan plezier en weelde, tezamen met zijn geliefde Yang Kwei-fei. Dat gebeurde in 736, zodat de keizer nog twintig jaar van zijn plezierig leven als pseudo-keizer kon genieten.
Gedurende Ming Hoeangs leven werden de grenzen van China belangrijk uitgebreid. Dit ging echter ten koste van de binnenlandse veiligheid, want er moesten zulke enorme legers op de been gehouden worden om de onderworpen volkeren rustig te houden, dat die niet alleen uit Chinese soldaten konden bestaan. Er kwamen dan ook grote contingenten die geheel uit buitenlanders bestonden, op wier loyaliteit men maar vertrouwen moest, wat natuurlijk heel gevaarlijk is. Bovendien keerden de krijgskansen ook nogal eens. In Centraal-Azië bij voorbeeld leden de Chinezen grote nederlagen tegen de opdringende Arabieren. Een heel gevaarlijke figuur bleek An Loe-sjan te zijn, van afkomst een Turkestaner, die zich mocht verheugen in de gunst van de dictator Li Lin-foe. Die dictator namelijk stelde zoveel mogelijk buitenlanders aan, uit angst dat er een Chinese concurrent voor zijn machtige positie zou kunnen opdagen! In 755 rebelleerde An Djoe-lan en greep de macht in het noordoosten van China. Hij had zoveel succes dat hij kon doordringen tot de hoofdstad Tsjang-an, die hij innam en bezette, bij welke gelegenheid de keizer nog net wist te ontsnappen. De kroonprins Soe-tsoeng liet zich tot keizer uitroepen in het trouw gebleven noordwestelijk deel van China. Hij regeerde van 756–762, maar slaagde er nimmer in de oproerlingen te overwinnen en China weer tot één rijk te maken. In 762 werd een soort

compromis bereikt. De noordoostelijke provincies bleven onder het bestuur van rebellengeneraals, die echter erkend werden als T'ang-goeverneurs.
De hoofdstad Tsjang-an was inmiddels heroverd, maar deze ging in 763 weer verloren, ditmaal aan de Tibetanen die ook altijd oproerige vazallen bleken te zijn en nu een ontzaglijke macht ontwikkelden en nergens voor bleken terug te deinzen. De keizer, bevreesd voor zijn persoonlijke veiligheid, trachtte zijn positie in ieder geval in het paleis veilig te stellen door middel van de zeer invloedrijke eunuchen, die hij aanstelde tot aanvoeders van de paleistroepen. Deze eunuchen vormden in de hofhouding een niet te onderschatten macht en hun invloed reikte dan ook heel ver. Zij waren uit hoofde van hun lichamelijke verminking de enigen, die toegang tot de harem des keizers hadden; daardoor waren ze op de hoogte van alles wat er in het paleis omging. Hun macht ging ten slotte zo ver, dat zij na 805 het aanstellen en afzetten van keizers geheel in handen hadden! Toen er dan ook een keizer verscheen, Hien-tsoeng (805–820), die niet aan hun leiband wenste te lopen en die vrij krachtig regeerde, stond dat de eunuchen helemaal niet aan. Zij lieten deze keizer dan ook vermoorden!
Hij werd opgevolgd door twee zwakke keizers, maar de derde keizer Wen-tsoeng (827–840) belegde een plan met zijn ministers om de eunuchen hun militaire macht te ontnemen. Jammer genoeg voor de keizer mislukte dit plan ten gevolge van het 'Zoete Dauw-Incident' van 833. Een groot aantal hofdignitarissen en ook drie ministers werden afgeslacht. De macht van de eunuchen bleef even groot.
Met de opvolgende keizers bleef de narigheid. Er waren oproeren; er waren burgeroorlogen; nu en dan was het eens een tijdje vredig. In het midden van de 9de eeuw was de macht van Tibet en van het rijk Oeigoer tot nul teruggelopen en dit gevaar leek dus bezworen. Maar nu werden de Manichese christenen, die de gunst van Oeigoer hadden genoten, blootgesteld aan vreselijke vervolgingen door de vrijgekomen volkeren, die nu hun kans zagen om deze gunstelingen van de barbaren uit te roeien. Toen de kansen keerden volgden hieruit verschrikkelijke vervolgingen en massamoorden van de boeddhisten. Als gehiervan heeft het boeddhisme in China nooit meer die vroegere bloei gekend.
Het was heel duidelijk dat het met de T'ang-dynastie ten einde liep. De leiders der provincies stoorden zich nergens aan en deden wat hun goed dacht. Corruptie en slechte administratie leidden ten slotte in 875 tot de grote boerenopstand, die bekend staat als de 'Hoeang Tsj'au Opstand'. Hoeang Tsj'au was de aanvoerder van geweldige troepen zoutsmokkelaars die in hun wanhoop, ontstaan door honger en ellende, overal door het land zwierven,

66. De Mystieke Knoop, het symbool van het eeuwigdurende geluk.

moordend en plunderend waar zij maar konden. Dát de boeren oproer maakten viel volkomen te begrijpen, want nooit was hun lot zo verschrikkelijk geweest. Uitzuiging via de belastingen door de grootgrondbezitters; overstromingen; droogten en plasregens hadden hun het leven totaal onmogelijk gemaakt en door de honger stierven de mensen overal als ratten. In 881 slaagde Hoeang Tsj'au er in Tsjang-an te bezetten. Met de daar opgeslagen voedselvoorraden hoopten de rebellen de hongersnood te kunnen opheffen maar zij slaagden er niet in. Geholpen door Turkestaanse troepen gelukte het het T'ang-leger om Hoeang Tsj'au te verdrijven uit Tsjang-an. In 833 werd hij gevangen genomen en gedood. De roversbenden echter bleven het land terroriseren. In 903 slaagde een van hun aanvoerders er in goeverneur te worden van een strategisch belangrijke provincie en daardoor kreeg hij absolute macht over de toen heersende keizer Tsj'au-tsoeng (888–904). Aan het eunuchenprobleem maakte de goeverneur kort en goed een einde door hen allemaal zonder uitzondering over de kling te jagen. In 904 liet hij de keizer vermoorden en een kind op de troon zetten, dat men daarna dwong tot abdicatie.
Dit was voorlopig weer het einde van China als een grootmacht. Het land viel uiteen in een aantal aparte staten. Pas met de nieuwe Soeng-dynastie werd China in 960 weer een keizerrijk.

HOOFDSTUK 69

KEIZERIN WOE DE ONTEMBARE

Toen het heel mooie meisje Woe Tse-tien in het jaar 639 naar het Chinese hof kwam om daar als concubine van de keizer te worden opgenomen was zij pas veertien jaar oud. Tien jaar lang mocht zij zich verheugen in de gunsten van keizer Tai-tsoeng, die toen al een oudere man was. Toen de keizer in 649 overleed bleek dat zijn opvolger op de troon, keizer Kau-tsoeng, even verliefd op haar werd als zijn voorganger. Het kostte de nog altijd stralend mooie vrouw dus geen moeite om deze nieuwe heerser er toe over te halen dat zij aan het hof mocht blijven, wat overigens geen gewoonte was voor weduwes.
Keizer Kau-tsoeng nam op zijn beurt het mooie meisje Woe tot concubine. Toen zij hem een zoon schonk verhief hij, alle weerstanden die er ongetwijfeld geweest zullen zijn ten spijt, Woe Tse-tien tot keizerin van China. Dertig jaar lang regeerde zij hof, land en keizer met straffe hand, want ze was even heerszuchtig als mooi. Na de dood van keizer Kautsoeng in 683 volgde zijn zoon Tsjoeng-tsoeng hem op, maar daar was zijn keizerlijke moeder het helemaal niet mee eens. Na een maand regeren werd de jonge keizer door zijn moeder afgezet en zij nam zelf het landsbestuur in handen als regerende keizerin van China, een handeling die zonder weerga was in de Chinese geschiedenis, want nimmer had een vrouw als heerseres op de troon gezeteld. Keizerin Woe Tse-tien, die nu ook wel Woe-Hou werd genoemd, werd in het jaar 690 regerend vorstin en bleef dat tot haar dood in 705.

Een lieve vrouw was ze zeker niet; al te bemind zal ze ook wel niet zijn geweest. Maar dat ze een voortreffelijk heerseres was viel niet te ontkennen, al kenden haar wreedheid, haar genadeloosheid en haar ambities geen grenzen. Onder haar leiding ontwikkelde China zich tot de grote natie van de T'ang-dynastie. Zij had oorspronkelijk haar dynastie de naam Tsjou gegeven, maar veranderde die weer in T'ang toen er een beroep moest worden gedaan op de loyaliteit van het volk in verband met dreigende invallen in het noordoosten van Turkestanen en andere barbaarse stammen.
Onder het bestuur van keizer Kau-tsoeng, maar in werkelijkheid van keizerin Woe die de zwakke man volkomen overheerste, werd Noord-Korea veroverd. Dat kostte heel wat mensenlevens want de strijd was verbitterd en duurde heel lang. Te allen tijde was Korea – en dat is het nu trouwens nog! – een van die ongelukkige gebieden die zó strategisch belangrijk zijn, dat men er geregeld op oorlog kan rekenen.
Uiteindelijk werd keizerin Woe in 705 toch afgezet. Ze was toen tachtig jaar oud en zal door haar hoge leeftijd wel niet meer zo machtig zijn geweest. Zij werd eerst opgevolgd door haar oudste zoon Tsjoeng-tsoeng (705–710) en daarna door de jongere Yoei-tsoeng, die niet langer op de troon bleef dan twee jaar. Beide keizers stonden door hun zwak karakter, waarin niets stak van de kracht van hun moeder keizerin Woe, onder invloed van machtige hofklieken. De ene hofkliek had zich gegroepeerd rond keizerin Wei, de gade van Tsjoeng-tsoeng; een tweede groepeerde zich rond de zuster van de twee keizers, de prinses Tai-ping.
Ten slotte liep het uit op de abdicatie van keizer Yoei-tsoeng ten gunste van zijn zoon Sjoean-tsoeng, de beroemde 'Stralende Keizer, Ming Hoeang', die regeerde van 712 tot 756. Deze krachtfiguur bleek het bloed van zijn grootmoeder Woe in de aderen te hebben!
Keizerin Woe was als alle vrouwen van hoge stand heel ontwikkeld, belezen en kunstzinnig. Zij nodigde allerlei belangrijke en veelbelovende figuren op het gebied van kunsten en wetenschappen naar het hof. Als vurig boeddhiste liet zij ook veel doen aan het bouwen van tempels en kloosters en talloze pelgrims gingen van China naar India om daar de zuivere leer te bestuderen en de heiligdommen te bezoeken.

HOOFDSTUK 70

EEN VAN DE VIER SCHOONHEDEN

In het lange bestaan van het Chinese rijk hebben vier vrouwen bestaan, die zó mooi waren dat men nu nog hun namen weet. Een van haar leefde tijdens de regering van keizer Ming Hoeang en was zijn geliefde. Haar naam was Yang Kwei-fei.
Keizer Ming Hoeang – de Illustere Soeverein zoals zijn bijnaam luidde – was een kunstenaar van niet gering formaat en een minnaar van iedere vorm van literatuur en schone kunsten. Hij bezat een bibliotheek van meer dan 200 000 boeken en begreep zozeer het nut van een goede ontwikkeling, dat hij er op stond dat ieder dorp van zijn grote rijk, of

het nu een gehucht betrof of een bloeiende samenleving, ten minste één school moest hebben. Aan zijn hof verzamelden zich de grootste geesten van zijn tijd, geleerden en kunstenaars. Rijkdom en kennis en geest maakten dit hof tot een van de grootste in China's geschiedenis. De stralende ster aan dit firmament was de schoonheid Yang Kwei-fei die door de keizer aanbeden werd als een godin. Behalve mooi was Yang Kwei-fei ook intelligent. Anders had zij aan dit hof dat zulke hoge geestelijke eisen stelde het nooit ver gebracht. Want schoonheid alleen kan ten slotte niet voldoende zijn om een keizer van grote allure te kunnen boeien.

De invloed die Yang Kwei-fei aan het hof kreeg grensde aan het ongelooflijke, want de keizer was volkomen verblind door haar stralende persoonlijkheid. Tezamen genoten zij van een leven, dat aan weelde en genoegens zijn gelijke niet had. Maar het zijn sterke benen die de weelde kunnen dragen en Yang Kwei-fei bezat die kracht niet. Steeds duurdere, steeds fantastischer genoegens eiste zij als haar goed recht. Er werd gesmeten met geld. De grootste willekeur was merkbaar op ieder gebied want de keizer had nergens meer oog voor, behalve voor die stralend schone vrouw, die hem in razende snelheid naar de ondergang meesleepte. Het einde kon natuurlijk niet uitblijven.

Yang Kwei-fei was de meest benijde, maar ook de meest gehate vrouw van China geworden. Het leger kwam in opstand tegen de keizer en eiste, dat Yang Kwei-fei zou worden uitgeleverd om met haar leven te betalen voor al het kwaad dat zij veroorzaakt had en waartoe zij de keizer had aangezet in haar grenzeloze zucht naar macht en weelde. Lang vocht de keizer voor zijn geliefde, maar het mocht niet baten. Hij werd gedwongen toe te geven aan de eisen van zijn soldaten. Yang Kwei-fei moest sterven. Maar men liet haar de dood van een vrouw van hoge stand. Zij kreeg bevel zich op te hangen aan een pereboom door middel van een zijden sjaal. Op de plaats waar de keizer gewend was geweest om de acteurs voor het keizerlijk toneel zelf op te leiden, stierf een schone vrouw door eigen hand.

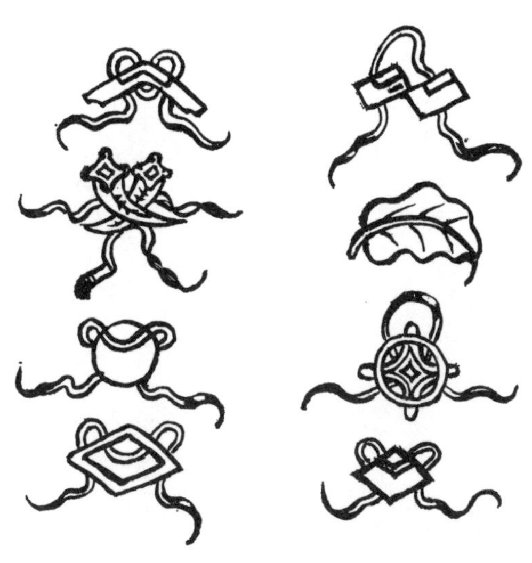

67. De Acht Kostbaarheden
(of de Acht Gewone Symbolen).

HOOFDSTUK 71

DE STAD VAN DE EEUWIGE VREDE

De naam Tsjang-an van de Chinese hoofdstad betekende Stad-van-de-Eeuwige-Vrede. In die naam kwam een wensdroom tot uiting, die echter niet in vervulling ging. Om Tsjang-an is vaak en soms heel hard gevochten. De T'ang-dynastie erfde de stad van de Soei-dynastie, die haar hadden ontworpen en aangelegd volgens regels die verbijsterend modern aandoen. Men had een heel eenvoudige grondslag van brede boulevards, waarop onder een rechthoek smallere straten uitkwamen. De hele stad was nog het best te vergelijken met een schaakbord of met een moderne Amerikaanse stad! Maar het gebrek aan fantasie en schoonheid waaraan de laatste lijden ontbrak geheel en al bij een Chinese stad, waar schoonheid en een mooie compositie altijd voorop stonden. Tsjang-an was een reusachtig grote stad. Hoge wallen en muren met sterke poorten omgaven haar. Het keizerlijk paleis lag op de grote as die dwars door de stad liep (dit is ook in Peking het geval) helemaal achteraan, zodat de toegangsweg alle kansen bood voor grandioze bouwideeën en een schitterende ligging. Het was omgeven door zware muren met monumentale poorten, die in tijd van nood ook ter verdediging dienden. Binnen deze muur lagen ook de regeringsgebouwen. De paleizen der hooggeplaatsten lagen er buiten aan de grote avenues. Buiten de stad stond nog een tweede paleis, dat men voor een plezieriger leven had ontworpen, zoals

68. De emblemen van de Acht Onsterflijken.

dat ook het geval was met het Zomerpaleis van Peking. Het heette Ta-ming. Dit paleis was gebouwd volgens de strengste regels uit de Tsjou-dynastie, die eisten dat de keizer regeerde 'vanuit drie binnenplaatsen'. Bij de bouw van de T'ang-paleizen resulteerde dit in drie ontzaglijk grote en rijk versierde hallen voor rituele en ceremoniële plechtigheden. Ook keizerin Woe had als alle T'ang-heersers een geweldige passie voor bizarre en grootscheeps opgezette bouwwerken. Zo liet zij bij voorbeeld een *lou* bouwen, een hal van helemaal opengewerkt metselwerk. Keizer Ming Hoeang muntte weer uit in gebouwen, die een speciaal genotskarakter hadden. Hij paste zelfs luchtkoeling toe, want bij hete dagen – en in China is de zomer héél warm! – liet hij kunstmatige regen vallen op de daken van de weelderige paviljoentjes. Bovendien liet hij verwarmde vijvers aanleggen met eilandjes erin, waarop hij met het koudste weer kon spelevaren in weelderige bootjes. De architectuur had wel een heel lange weg afgelegd van de oorspronkelijke, aan het begin der T'ang-dynastie afgekondigde ware eenvoud en soberheid. Toen werden zelfs de paleizen gedekt met stro!

HOOFDSTUK 72

EEN DICHTER ALS MILITAIRE ADVISEUR

Er zullen niet veel dichters zijn, die over zulke militaire gaven beschikken dat ze adviseur op dit gebied kunnen worden. Maar Toe-foe, die met Li Po als grootste dichter van China wordt beschouwd, speelde dat klaar. Toe-foe, kleinzoon van een mandarijn die ook dichter was, zoon van een kleine ambtenaar en van moeders zijde verwant aan het keizershuis, begon zijn leven (712–770) als iedere intellectuele Chinees van goede huize. In 736 zakte hij voor de ambtenarenexamens. Dat hinderde hem uiteindelijk niet in zijn carrière. Bevrijd van het studeren voor de examens ging hij reizen, onder andere naar Tsjang-an, waar hij al spoedig roem en grote bekendheid verwierf door zijn prachtige verzen. Hij maakte kennis met de grote poëten van China en Li Po werd zijn grote vriend. Aangemoedigd door zijn successen wierp Toe-foe zich opnieuw op de studie voor het gevreesde examen en weer zakte hij! Men schatte hem echter zo hoog, dat hij desondanks werd gerekend als te behoren tot een groep zeer hooggeplaatste hofdignitarissen, al bezat hij dan graad noch titel. Tussen 751 en 755 stelde Toe-foe, begaan met het lot van de plattelandsbevolking, een aantal schrifturen op, waarin hij in bloemrijke en vleiende taal politiek advies gaf aan de keizer. Het gevolg hiervan was, dat hij eindelijk de officiële aanstelling kreeg die hem zo dubbel en dwars toekwam. Waarschijnlijk in 752 trouwde hij. In die tijd kreeg hij ook een ernstige longaandoening, waarschijnlijk tuberculose.
Tijdens de rebellie van An Loe-sjan kon hij zich niet tijdig genoeg uit de voeten maken. Hij werd gevangen genomen en leed de verschrikkelijkste ontberingen. Twee jaar later wist hij te ontsnappen aan zijn cipiers en na eindeloze omzwervingen slaagde hij erin zich bij de keizer te voegen in diens ballingschap. Hij kreeg een aanstelling als 'vermaner' van de kei-

zer, maar zijn verwijten aan het adres van de keizer betreffende bepaalde kwade daden door de Zoon des Hemels begaan vielen helemaal niet in goede aarde. Toe-foe kreeg zijn ontslag, begon in zijn grote armoede weer te zwerven en kwam ten slotte terecht in Tsjengtoe, waar vrienden hem hielpen en hij ten slotte een hutje kon kopen.
Opnieuw lonkte het fortuin hem toe. Een plaatselijke oorlogsheer, die wist dat hij een soort universeel genie was, nam hem in dienst als militair adviseur. Na een tijdje vertrok hij weer, zwierf rond en kwam opnieuw in dienst bij een oorlogsheer, waar hij ditmaal een zo groot salaris kreeg, dat hij landerijen kon kopen en hereboer werd, een prettig en niet al te moeizaam leven dat hem veel tijd voor dichten liet. Zijn gezondheid had echter zo geleden dat hij ernstig ziek werd en zelfs drinken laten moest, wat hij heel erg vond, want op dat punt was hij nogal onmatig, te meer daar zijn beste werk ontstond als hij een flinke kom wijn op had. In 768 greep de onrust hem weer. Doelloos rondzwervend kwam hij terecht in het zuiden van China, waar hij uiteindelijk stierf. Een van zijn mooiste verzen is gewijd aan Tsjang-an:

Tsjang-an, o mijn moederstad...
Speelt men er nog het spel der spelen?
Ach nee, er zijn zo weinig kinderen en zoveel doden...
In het paleis heerst een gunsteling die Lijden heet.
Hij draagt een spitse groene kap,
Tsjang-an, o mijn moederstad!
En een zilvergroen kleed.
Tsjang-an, o mijn moederstad –
Ik zag soldaten naar de oostpoort rijden;
Ik zie een bloemschip in de mist verdwijnen,
Bezield buig ik mij naar mijn waaier –
Tsjang-an, o mijn moederstad!
Achter alle wolken straalt gij...

69. De acht boeddhistische symbolen van het Geluk.

Hier ook nog een van die improvisaties, waarin hij zo weergaloos bedreven was:

De libelle zweeft sidderend en glinsterend over de vijver.
Die ligt zo glad, zo roerloos stil...
Zo beeft ook mijn hart
Boven jou hart.

HOOFDSTUK 73

'OP DE KOP STAANDE IN HET PAVILJOEN VAN PORSELEIN'

Toen Li Po – of Li Tai-po zoals hij ook vaak genoemd wordt – tien jaar oud was leerde hij reeds uit het *Boek der Oden* en het *Boek der Historie* en hij begreep het gelezene ook nog! Hij stamde af van keizer Sjing-sjeng, al was hij dan negen generaties van hem verwijderd, maar voor de Chinezen met hun liefde voor het voorgeslacht legde dat niet het minste gewicht in de schaal. Bij zijn geboorte had zijn moeder een visioen van de planeet Venus en dus gaf men hem de naam Po, de Stralende. Li Po, die in 701 geboren werd, vond dat hij op zijn twintigste genoeg geleerd had. Hij ging aan het zwerven, waarbij hij zich bij een groep vrienden voegde die bekend staat als de 'Zes Luilakken van de Bamboebeken'. Li Po had al meteen zoveel succes met zijn gedichten, dat hij een aanstelling kreeg aan het hof, maar hij nam niet eens de moeite te antwoorden. Hij had slechts drie passies: drinken, schermen en avonturen en alleen daaraan wenste hij toe te geven. In 742 kwam hij echter al zwervend in Tsjang-an terecht en daar wekten zijn gedichten de bewondering van een minister, die tevens directeur was van de Han-lin academie. Er was toen net een koerier uit Korea aangekomen die een in het Koreaans gestelde brief bij zich had. Niemand kon die brief lezen, behalve Li Po. Keizer Ming Hoeang wilde dolgraag kennis maken met dit talenfenomeen en nodigde hem aan het hof. Li Po zag wel in dat hij hier niet onderuit kon; hij liet zich dus gelaten huldigen en nam ook nog een promotie in ontvangst.
Een mooi verhaal vertelt, dat Li Po, die erg dol was op drinken in herbergen van het allerlaagste allooi, een keer door de keizer genood werd om een lied voor hem te dichten en op muziek te zetten. De vrienden van de stomdronken Li Po wasten hem stevig met koud water. Toen hij weer toonbaar was zonden zij hem naar het weelderige paviljoen, waar de keizer en de mooie Yang Kwei-fei reeds aanwezig waren en ongeduldig zaten te wachten. De mooie concubine speelde op de Chinese gitaar; de keizer zelf nam de fluit ter hand en Li Po dronk en dronk van de dure keizerlijke wijn. Toen dichtte hij het ene vers na het andere. Het was zo'n heerlijke avond dat het drietal pas lang na middernacht opbrak, ter wijl de hele hofhouding zich in de handen wrong over dergelijke toestanden.
Toch was Yang Kwei-fei uiteindelijk degene, die Li Po's ondergang bewerkte. Op een avond was Li Po zo dronken dat hij nergens meer van wist en toen beval de keizer zijn minister om het de brave dichter wat gemakkelijk te maken door hem zijn schoenen uit te

trekken. De minister voelde zich hierdoor zo verschrikkelijk beledigd dat hij meteen begon te intrigeren tegen de dichter. Hij fluisterde Yang Kwei-fei in, dat vele gedichten van Li Po beledigend voor haar waren; daarom haalde zij iedere keer als de keizer hem een hoge rang wenste te geven deze over om dat toch maar niet te doen. Li Po, die dit wel voelde, vroeg bij de keizer zijn ontslag aan en verzocht weer te mogen gaan zwerven. De keizer stond dit toe maar beloonde zijn geliefde dichter met een edict, dat hem in staat moest stellen in iedere herberg van het rijk vrij wijn te drinken. Tezamen met zeven trouwe vrienden stichtte Li Po toen een nieuwe groep, die zich de 'Acht Onsterfelijken van de Wijnkom' noemde. Uiteindelijk nam Li Po toch weer een betrekking aan, ditmaal bij vorst Lin van het land Yoeng. Maar toen deze prins in narigheid kwam verweet hij dat de dichter. Ten slotte vergaf hij Li Po weer zijn zonden. De dichter begaf zich ditmaal naar een familielid, maar onderweg viel hij uit de boot toen hij in dronken opwinding trachtte de weerspiegeling van de maan te omhelzen...
Li Po schrijft een ongeëvenaard zuivere stijl, maar vooral munt hij uit in zijn verzen over vrouwen en wijn. Alleen de schoonheid had waarde voor hem; met ethiek liet hij zich nooit in, in tegenstelling tot zijn vriend Toe-foe.
Hier zijn enige voorbeelden:

De Keizerin
De jade trap glinstert van dauw.
Het gewaad van de hoge vrouwe strijkt de druppels zachtjes af.
Met de linkerhand beschaduwt zij haar gelaat
Er valt een manestraal in het paviljoen...
Zij slaat het kralengordijn achter zich dicht,
Ruisend als een waterval, glanzend in het maanlicht.
Om haar slanke lichaam
Beeft een rilling van de eerste najaarskoude.
Vervuld van leed dat zich niet uit laat klagen
Kijkt de keizerin naar de milde vlammen van de maan.

Een vrolijker vers is dat van de herberg in de lente:

Zeven schimmels draven
Over bergen, langs de hemel.
De bloesemwind moet sporen hebben!
Voor de herberg werkt een oude totebel.
Zeven heren bukken zich
In hun zilverblanke zadels.
Zeven denken tegelijk:
Lente! Jonge meisjes! Goede wijn!
Zeven gaan naar binnen.

De verzen van Li Po hebben de componist Gustav Mahler geïnspireerd tot zijn prachtige 'Lied von der Erde', waarin de Chinese teksten gezongen worden. Het mooiste is daaruit het Paviljoen van Porselein, waarvan het laatste couplet luidt:

Kijk! In dronken waan der vrienden
Welft zich onder water de jade brug,
Zachtjes schommelend als een halve maan.
Hun gewaden sidderen! Op hun kop staan zij
In een paviljoen van porselein!

70. Draak. Graf in Lo-yang. 300 v.Chr.

XV

DE VIJF DYNASTIEËN

HOOFDSTUK 74

DERTIGDUIZEND KLOOSTERS VERWOEST

Met het verdwijnen van de laatste T'ang-keizer werd China in de grootste ellende gedompeld. Van 907 tot 960 vochten verscheidene vorstengeslachten om de suprematie, stichtten nieuwe dynastieën en verdwenen weer in het niets. Er waren twaalf aparte koninkrijken, maar in de algemene verwarring wisten ten slotte vijf generaals zichzelf tot koning te maken in Kaifeng en in Lo-yang. Geen van hen regeerde langer dan een paar jaar. De voornaamsten, die ten minste enige aanspraak konden maken op een soort dynastie en die dan ook hun namen gaven aan deze periode zijn de volgende:
Laat-Liang met de hoofdstad Kaifeng; duur der regering van 907 tot 923. In dat jaar wordt de hoofdstad verlegd naar Lo-yang en de volgende dynastie heet Laat-T'ang (923–936). De daarop volgende Late Tsing-dynastie verhuist weer naar Kaifeng en regeert van 936–947. De opvolger is de Late Han-dynastie (duidelijk aanknopend op het klassieke Han) en duurt van 947 tot 950. Ten slotte kwam nummer vijf, het Late Tsjou, dat het iets langer uithield: precies negen jaar, tot 960. In deze periode van de vijf dynastieën hadden vooral de boeddhisten het zwaar te verduren. In een tijd van ruim vijftig jaar werden meer dan dertigduizend boeddhistische kloosters met de grond gelijk gemaakt! China wachtte opnieuw op een krachtige man.

71. Twee van de vier begaafdheden.

XVI

DE SOENG-DYNASTIE

HOOFDSTUK 75

NIEUWE GROOTHEID

Tsjau Kwang-yin, de stichter van de Soeng-dynastie, noemde zijn geslacht bij een eervolle oude naam. In de loop der tijden had het begrip van het oude Lioe-Soeng een waas van schoonheid en van rijkdom gekregen. Wie zou het de nieuwe keizer kwalijk nemen dat hij opnieuw een Soeng-dynastie stichtte, die echter de Tsjau-Soeng werd genaamd om deze te onderscheiden van de eerste. Naar het feit dat de hoofdstad voorlopig Kaifeng bleef, wordt de eerste regeringsfase van de Soeng-dynastie Noordelijk Soeng genoemd (960–1127). Toen later een nieuwe hoofdstad werd gekozen, Hangtsjou dat nu nog een van de mooiste steden van China is, begon het Zuidelijk Soeng (1127–1279).

De nieuwe keizer begon zeer voortvarend te regeren. Hij verenigde zoveel mogelijk landen onder de keizerskroon en consolideerde alle autoriteit in een centrale regering. Maar daarmee was hij er nog niet. Om het nieuwe China heen lagen een aantal machtige staten: Khitan, Tangoet en Djoetsjen Toengoes, die een grote bedreiging voor China vormden daar er heel krachtige vorstenhuizen regeerden, die niets moesten hebben van een machtig China en een heerszuchtige keizer. De nieuwe keizers die allemaal confucianen waren, met zeer intellectuele interessen en smaak voor wetenschappen, regeerden gewetensvol en strikt eerlijk tot grote verbazing van een volk dat niet erg verwend was op het gebied van eerlijkheid. Het rijk werd zeer welvarend dank zij een grote opbloei van de handel; de veiligheid van het land was gewaarborgd door strenge wetten en goede administrateurs; kunsten en wetenschappen kwamen tot volle ontplooiing. Het zogenaamde neo-confucianisme heeft het land aan de Soeng-keizers te danken. In zekere zin deed de ontwikkeling op ieder gebied heel sterk denken aan de zoveel latere Europese renaissance.

Langs de grote rivieren en de kanalen ontstonden overal gloednieuwe handelscentra, evenals langs de zuidoostkust. De steden bereikten een ongekend formaat. Hangtsjou had op een gegeven ogenblik meer dan een miljoen inwoners, wat voor een stad uit die tijd ongeloof-

lijk was. Thee- en wijnhuizen; winkels en wisselkantoren; lommerds en juweliers; zaken waar men handelde in inwisselbare geldspapieren tussen verschillende steden; dat alles was te vinden langs de drukke en overvolle straten van de steden uit die tijd. Er waren brandweer, gemeentepolitie, weeshuizen, ziekenhuizen en openbare baden. Er was zelfs een sociale dienst van staatswege! Landbouwproefstations onderzochten nieuwe en betere rijstsoorten die uit tropisch Azië werden geïmporteerd. De grote jonken bevoeren de zeeën, de rivieren en de kanalen en brachten het buitenland naderbij. Boeken die nu gemakkelijk en vlot gedrukt werden brachten de kennis der klassieken onder geheel nieuwe lagen der maatschappij zoals bij voorbeeld de eens zo verachte, nu snel rijk wordende winkeliers en grote zakenmensen. De jongelui die werden uitverkoren voor de examens kwamen nu ook uit andere lagen van de maatschappij dan voornamelijk die van de vooraanstaande families. Door hen kregen de mindere standen ook invloed op het regeringsbeleid. Ook de examens zelf werden herzien. De kandidaten, die anoniem moesten blijven, kregen een nummer; de papieren werden gecontroleerd door speciaal aangestelde ambtenaren. Nooit waren de regeringsmensen zulke uitgezochte intellectuelen en kunstenaars als tijdens de Soeng-dynastie. Universele genieën waren aan de orde van de dag. Mannen die tegelijkertijd filosofie, dichtkunst, politieke wetenschappen, schilderkunst en kalligrafie plus de schone letteren beheersten waren niet te tellen. En ook de vrouwen lieten zich niet onbetuigd. Ook door hen woei een frisse wind van intellectuele ontplooiing. En van de beroemdste onder haar was Li Tsjing tsjau, een dichteres die tevens een beroemd archeologe was! Als prototype van dé begaafde mens tijdens deze Soeng-periode gold keizer Hoei-tsoeng, een schilder van formaat, maar daarnaast ook nog kalligraaf en archeoloog, terwijl hij een eerste klas mecenas was voor alle schone kunsten.
Aangezien het keizerlijk huis bovenal een geslacht van eminente politici was genoot het politieke debatteren een tijd als nooit tevoren. Helaas kwam na vier vorsten een kentering in het geslacht en het begon te degenereren. Enige keizers werden geestesziek, anderen hadden geen ruggegraat en lieten de keuze van hun medewerkers aan anderen over. Gelukkig voor het land werd de macht van deze heren sterk beknot door verschillende censurerende lichamen als de Vereniging van Academici, de staatspolitie en de keizerlijke censuur zelf. Over het geheel werden de door Confusius opgestelde regels voor het regeren zoveel mogelijk gevolgd.
Op den duur kwamen er echter grote problemen waarvoor geen oplossing leek te bestaan. De boerenbevolking nam heel snel in aantal toe, terwijl de oppervlakte van de grond gelijk bleef. Vele boeren waren dan ook gedwongen hun grond te verkopen om aan geld voor eten te komen. De veel te hoge belastingen werkten dit ook nog in de hand. De staatsinkomsten in hoofdzaak uit die belastingen en uit monopolies op zout, buitenlandse import, aluin, wijn en nog een paar dingen. Met de slechte toestand onder de boeren liepen deze inkomsten alarmerend achteruit en ze werden op geen andere wijze aangevuld.
Het werd de hoogste tijd om nieuwe wetten in te stellen en een ander regeringsbeleid in te voeren. De man die hiermee werd belast was Wang An-sji, een kunstschilder van grote bekendheid, tevens een eerste klas econoom en politicus. Hij ontwierp een aantal sociale hervormingen en legde die aan de keizer voor, die er zeer mee was ingenomen. Wang Ansji werd belast met de uitvoering en het toezicht erop, maar dat viel hem niet mee want er was ontzaglijk veel tegenstand, en dat was waarlijk geen wonder. Wang An-sji voerde namelijk een soort socialisme in! Prijzen en lonen werden voortaan door de staat vastge-

steld; handel, industrie en landbouw kwamen onder staatscontrole. Als verdediging voerde Wang An-sji aan, dat hij precies volgens de regels van Confusius handelde. Maar zijn tegenstanders bewezen dat ook *hun* methodes die van Confusius waren!
Nu waren de Chinezen altijd van mening geweest, dat de beste regering diegene was waar men het minst van merkte. Toen dus nu Wang An-sji aankwam met een nieuwe regeringsvorm waar men geweldig véél van merkte – staatscontrole, vaste prijzen, hogere belastingen – toen moest het volk er niets van hebben, al was het dan honderdmaal voor hun eigen bestwil. Er vormde zich een sterke antipartij, waarin grote mannen plaatsnamen. Een van hen was Soe Toeng-po, een geleerde die op zijn eenentwintigste jaar al het laatste examen met succes had afgelegd. Daar hij een heel goedhartig, vrolijk en buitengewoon eerlijk man was zowel als een groot dichter, kalligraaf en kunstcriticus, werd hij heel populair en kreeg een hoge positie bij de regering. Toen hij wegens de dood van zijn vader moest terugkeren naar zijn ouderlijk huis om daar drie jaar rouw te bedrijven, kwam hij pas aan het hof terug nadat Wang An-sji middenin zijn plannen zat. Soe Toeng-po vond die plannen waardeloos en niet passend voor China en de Chinezen; hij nam beslist geen blad voor zijn mond om dat te zeggen. Omdat Wang An-sji het gevoel had dat Soe en zijn vrienden hem op een ergerlijke manier in de wielen reden liet hij hen uit de hoofdstad verbannen. Hij ging zelfs zo ver om er ook nog een paar van zijn beste eigen vrienden bij te tellen, omdat ook zij er eerlijk voor uitkwamen dat ze die plannen ongeschikt vonden.
Tegen die enorme tegenwerking van het volk kon Wang An-sji niets beginnen. Hij behaalde dan ook droevig weinig resultaten. De keizer verloor zijn vertrouwen in hem en zijn plannen en liet Soe Toeng-po terugkomen. De twee aanvoerders hadden wisselend geluk. Nu eens werd de een, dan de ander verbannen, telkens met zijn gehele aanhang. Merkwaardig genoeg bleven Wang An-sji en Soe Toeng-po ondanks alles goede vrienden, omdat ze elkanders goede eigenschappen kenden en respecteerden; maar zoals Soe zei: „Wang An-sji en ik zullen het nooit op politiek gebied met elkaar eens worden, evenmin als ijs het eens wordt met brandende houtskool".
In zijn jeugd stond Soe Toeng-po bekend als het 'Vrolijke Genie', maar persoonlijk vond hij dat hij maar bitter weinig plezier aan zijn genie beleefde! Bij de geboorte van een van zijn zoons schreef hij een gedicht:

72. Leeuw van celadon. Wierookvat. 12de eeuw.

Als in een gezin een kind wordt geboren
Wenst men het intelligentie toe.
Ik heb met mijn intelligentie
Mijn hele leven verwoest.
Ik hoop alleen dat deze baby zal zijn
Zo onwetend en dom als maar mogelijk is.
Dan kan hij zijn rustig leven bekronen
Met het baantje van minister-president!

Toen er een nieuwe jonge keizer op de troon kwam werd Soe weer eens verbannen en het duurde ditmaal een hele tijd voor hij werd teruggeroepen. Hij leefde daarna nog slechts twee maanden. Bij zijn dood ging het hele land in de rouw, want men voelde dat met hem een heel grote geest van de aarde verdwenen was.

Intussen zag het er met de militaire toestand van het land niet zo best uit. Om te voorkomen dat de militaire bevelvoerders langs de grens te machtig zouden worden besnoeiden men hun rechten, opdat er niet weer nieuwe krijgsheren zouden ontstaan zoals diegenen die de val van de T'ang-dynastie bewerkt hadden. Een tijdlang bleef het tamelijk vredig, maar in het midden van de 11de eeuw kwam er een uitbarsting. De troepen waren door de lange vrede lui en laks geworden. Wang An-sji liet militietroepen oproepen en eiste van de boeren, dat zij paarden voor de soldaten op hun boerderijen hielden. Dit alles kon echter niet baten toen de vijand over de grens trok en uiteindelijk zelfs de hoofdstad Kaifeng bezette. Er werd een vreselijk vernederende vrede afgesloten; keizer Hoei-tsoeng, die een groot kunstenaar maar een zwak regeerder was, viel in handen van de vijand en moest aftreden. Zijn zoón Tsjin-tsoeng werd in het jaar 1126 tot keizer uitgeroepen. Een jaar later werd hij evenals zijn vader gevangen genomen. De vijand trok de Yang-tse over en bezette het rijke akkerland.

Gelukkig voor China was de volgende keizer, Kau-tsoeng (1127–1162), een sterke figuur die met behulp van zijn generaal Yoeé-fei voor de Soeng-dynastie een nieuwe en veel veiliger hoofdstad stichtte in de mooie stad Hangtsjou. Tegelijkertijd dreef generaal Yoeé-fei, bijgestaan door zijn adoptiefzoontje van twaalf jaar oud, de vijand terug over de Yang-tse. Hiermee kreeg men de kans om het noorden weer te heroveren, maar de keizerlijke raadgever Tsjin-kwei zag hiervan af, waarschijnlijk om economische redenen. Hij sloot in 1411 vrede met de vijand en toen generaal Yoeé-fei recalcitrant bleek liet hij hem ter dood brengen, nadat de generaal door verraad in zijn handen was gevallen.

Gedurende de Soeng-dynastie begonnen de legers hoe langer hoe meer te steunen op de wapens van die tijd: brandprojectielen, explosieve granaten en kanonnen, die aan het einde van de dynastie in de 13de eeuw in gebruik kwamen. Met zulke wapens meende men het ook met minder soldaten te kunnen doen, maar dat viel bar tegen. Want eerst de Djoertsjen, later de Mongolen leerden ook die wapens gebruiken en omdat zij keiharde soldaten waren hadden ze veel meer succes dan de zachtere Chinezen.

Toch mocht China nog een volle eeuw van welvaart en rust genieten, waarin ook kunsten en wetenschappen zich bleven ontwikkelen. Wel was er steeds een dreigende inflatie en ook het boerenprobleem kon maar niet opgelost worden, maar al met al was de toestand toch niet ongunstig.

Toch begonnen de noordelijke vijanden weer op te trekken. Ze bestookten de Chinezen

met hun eigen wapenen en boekten grote overwinningen, ondanks het feit dat de Chinese technici alles op alles zetten om nog nieuwere, nog effectievere wapens te maken. Omstreeks 1240 viel een lange rij vestingen langs de Han-rivier – versterkingen langs de zo belangrijke noordgrens – in handen van de oprukkende vijand na een lange en wanhopige belegering. Onder de korte regeringen van keizer Koeng-tsoeng (1274–1276, en de twee kind-keizers Toean-tsoeng (1276–1278) en Ti-ping (1278–1279) werd de regering steeds verder naar het zuiden gedreven, totdat zij uiteindelijk in de delta van Kanton een veilig oord vond. Daar lag op zee de Chinese marine klaar, maar ook deze werd verpletterend verslagen. Na de nederlaag stierf de admiraal in de golven met de baby-keizer in zijn armen, liever dan het kind in handen van de vijand van zijn land te laten vallen.
Ook aan de Soeng-dynastie was een einde gekomen, maar niet dan nadat er op ieder denkbaar gebied een grote ontwikkeling was gekomen die bleef voortbestaan, alle ellende ten spijt.

HOOFDSTUK 76

DE 'STINKENDE VERRADERS'

Het zal wel niet vaak voorkomen dat een generaal veertien eeuwen na zijn dood nog altijd vereerd wordt door de mensen van de stad die eenmaal de zijne was! In China blijkt zoiets echter tot de mogelijkheden te behoren. De generaal in kwestie is Yoeé-fei waarover wij in het vorige hoofdstuk reeds lazen. Yoeé-fei had voor zijn keizer het land heroverd. Hij had zijn eigen leven en dat van zijn adoptiefzoon in de waagschaal gesteld. Het was dan ook geen wonder dat de generaal hevig verontwaardigd was toen ná deze overwinning, terwijl Noord China open lag voor verovering door de keizer, de raadgever Tsjin-kwei heel anders hierover bleek te denken en de keizer dan ook adviseerde maar van verdere oorlog af te zien. Tsjin-kwei was altijd al een vijand van Yoeé-fei geweest; nu zag hij zijn kans schoon om de machtige generaal dwars te zitten.

73. Porseleinen bord in blauw en wit met de keizerlijke draak (vijf klauwen!) temidden van gestileerde wolken. Tsjia Tsjing.

Nu was Yoeé-fei een uitermate koppig man die niet gauw afzag van eenmaal genomen besluiten en gemaakte plannen. Als zodanig bleek hij veel te lastig en ook gevaarlijk te zijn voor adviseur Tsjin-kwei. Er zat niets anders op dan de generaal van het toneel te verwijderen eer het te laat was en hij en zijn aanhang machtiger zouden zijn geworden dan de raadgever zelf. Tsjin-kwei aarzelde niet langer. Door verraad viel Yoeé-fei in zijn handen en het doodvonnis werd uitgesproken over hem en de kleine jongen Yoeé-yoen. Het vonnis werd ten uitvoer gebracht en de lichamen van de twee gevonnisten bijgezet in het familiegraf buiten Hangtsjou. Waarschijnlijk hoopte Tsjin-kwei dat de bevolking hen nu wel vergeten zou, maar daarin kwam hij bedrogen uit, al duurde het wel een hele tijd eer het noodlot hém achterhaalde. Yoeé-fei en Yoeé-yoen stierven in 1141. In het jaar 1163 kwam er een nieuwe keizer op de troon, Sjau-tsoeng geheten, en deze liet de dode generaal in ere herstellen. De lichamen van de generaal en zijn adoptiefzoon werden opgegraven en op een nieuwe plek met veel pracht en praal bijgezet onder twee grote stenen koepels. Alles wat nodig was kwam erbij: een stenen vooroudertablet, beelden van paarden en dienaren, alles uit steen gebeeldhouwd, een prachtig park, een stenen poort. Niets werd nagelaten om het de doden behagelijk te maken. En de keizer deed meer. Hij wist nu welk een verradelijke rol de keizerlijke adviseur had gespeeld. Hij liet niet alleen Tsjin-kwei maar ook diens vrouw ter dood brengen, benevens Moetsji-sjoeé en Tsjeng-tsoen die geholpen hadden om het bevestigd te krijgen. Van deze vier misdadigers werden vier gietijzeren beelden gemaakt, waarbij ze met de handen op de rug gebonden en nederig geknield werden afgebeeld. Deze ijzeren beelden kwamen als afschrikwekkend voorbeeld links en rechts van de poort te staan. En van de eerste dag af wende de bevolking van Hangtsjou, die altijd op de hand van de eigen generaal was gebleven, zich aan om bij een bezoek aan de tempel uitgebreid op deze vier beelden te spuwen als blijk van minachting!
De keizers die na Sjau-tsoeng op de troon kwamen deden niet voor hem onder in eerbewijzen aan generaal Yoeé-fei. In 1221 werd er een schitterende tempel gebouwd die genoemd werd naar de generaal. Deze tempel staat er nu nog en is alleen maar steeds verfraaid en vergroot door opvolgende keizers, want Yoeé-fei was langzamerhand een legendarische figuur geworden. Tijdens de Ming-dynastie kreeg de tempel bij een dergelijke uitbreiding een nieuwe naam; voortaan heette deze de 'Tempel van Trouw en Heldenmoed'.
Hoe groot de eerbied en de liefde van het volk voor hun grote held was blijkt uit het volgende. Tijdens de Ming-dynastie werd in Hangtsjou een nieuwe goeverneur benoemd die de naam droeg van Tsjin. De goede man had er natuurlijk nooit bij stilgestaan wie nog meer de naam Tsjin zouden kunnen hebben, want het is ten slotte helemaal geen bijzondere naam. Maar toen hij in Hangtsjou arriveerde werd hij dat al gauw gewaar. Tsjin had immers ook die verguisde moordenaar geheten! De nieuwe goeverneur vond het verschrikkelijk en voelde het als een vreselijke vernedering, waar nodig iets aan gedaan moest worden. Hij kon maar één ding verzinnen: die twee ijzeren beelden van Tsjin-kwei en zijn vrouw moesten verdwijnen. En zo gebeurde het. Er kwamen arbeiders die de twee ijzeren kolossen weghaalden en met een grote plons in het Westmeer wierpen, in de mening dat het zo wel bekeken zou zijn. Maar dat bleek helemaal het geval niet te zijn...
Diezelfde avond begon er over het meer een miasma te hangen en een vreselijke stank. De volgende dag dreven alle vissen met de buik omhoog in het meer. Men meende dat een of andere ziekte onder de vissen was uitgebroken en viste de dode dieren eruit. Maar het hielp niets. Steeds erger werd de stank die uit het meer opsteeg en ten slotte moest men

wel tot de overtuiging komen dat er maar één oorzaak voor die stank kon zijn: verrader Tsjin-kwei en zijn vrouw! Er zat niets anders op dan de ijzeren beelden er maar weer uit te vissen en terug te zetten. Het was immers zo duidelijk als wat: de goden eisten dat de goede mensen van Hangtsjou zouden blijven spuwen op de verraders. En dús staan Tsjin-kwei en zijn vrouw weer bij de poort en nog altijd spuwen bezoekers van Yoeé-fei's graf met evenveel overtuiging en genoegen op die twee gietijzeren beelden!

HOOFDSTUK 77

HANGTSJOU, HET PARADIJS OP AARDE

De Chinezen hebben een gezegde: „Boven ons is de hemel. Daaronder liggen Hangtsjou en Soetsjou".
Toen onder de Soeng-dynastie de prachtige stad Hangtsjou tot hoofdstad werd, had men een schitterende keuze gedaan. Om Hangtsjou is het land groen en vruchtbaar en levert vele oogsten op. Om de stad heen ligt een ring van lage bergen van grote schoonheid. Een groot kunstmatig meer vol eilanden, waarop elegante paviljoentjes staan, vergrootte nog de schoonheid van het geheel. Om Hangtsjou heen liggen de relieken uit die stralende tijd: pagodes, paleizen, tempels en de mooiste parken. 'Tijgerrugbruggen' wippen in een elegante boog over de watertjes die de meren onderling verbinden en nog altijd rijdt het moderne verkeer over deze bruggen uit de 10de eeuw.
De kunstenaars die in het gevolg van de keizer meereisden naar Hangtsjou waren uiterst tevreden met het oord waarin zij terechtkwamen. Reeds bestond daar een academie voor schilders waarvan de beroemde schilder Li Tang directeur was. Dit instituut moeten we echter niet zien als een tekenacademie uit onze tijd. Eerder was het een regeringsbureau voor kunstzaken waarvan kunstenaars lid konden worden. Tijdens de Soeng-dynastie ontstond ook de beroemde zijde-industrie van Hangtsjou en Soetsjou, een industrie die nu nog steeds bestaat, zij het natuurlijk in gemoderniseerde vorm. Maar nog altijd zijn de Hangtsjou-weefsels bekend om hun rijke kleuren en mooie patronen. Er werden damast, bro-

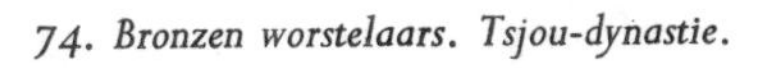

74. Bronzen worstelaars. Tsjou-dynastie.

kaat, fluweel, gaas geweven en ook tapisserieën waarvan de naam Ko-szoe is en die uitmunten door een soort heel fijne gobelintechniek, dikwijls aangevuld met gouddraad. Deze weefsels waren vaak kopieën van tekeningen van beroemde meesters en ze waren zo precies gekopieerd dat er haast geen onderscheid viel te maken tussen een getekende en een geweven lijn, vooral als de schilder oorspronkelijk op zijde had getekend. Toen het keizerlijk hof zich eenmaal in Hangtsjou gevestigd had nam de zijdeweverij natuurlijk een enorme vlucht, want er was veel nodig voor de schitterende statiegewaden. Hierbij kwam natuurlijk ook heel wat borduurwerk te pas om nog meer glans en gloed te geven aan de kostbare weefsels. Ieder Chinees meisje leerde borduren en als zij dat heel goed kon, als haar steken zó fijn waren dat deze als één oppervlak in elkander overgingen, dan werd haar borduursel even hoog aangeslagen als een tekening of een kalligrafisch meesterwerk van een man. Raakte een meisje verloofd dan werd er eerst een proeve van haar borduurwerk naar de aanstaande schoonmoeder gestuurd, opdat zij kon oordelen of het meisje haar zoon wel waardig was. Er bestaat een aardig verhaal over een prinses uit de T'ang-dynastie, die met haar naald 3000 paar mandarijneendjes borduurde op een satijnen sprei. De tussenruimten vulde zij met bloesemtakken en het geheel werd nog opgehoogd met kralen van kostbare edelstenen. Met het allermooiste borduurwerk werden natuurlijk de gewaden van de keizer bewerkt. Hij was de enige man in heel China die geel mocht dragen – de keizerlijke kleur – en de vorm van zijn gewaad was volgens vaste regels, die uit heel vroege tijden stamden, vastgelegd. Ook de symbolen die op ieder gewaad waren aangebracht in weefsels of borduursel stonden vast voor iedere gelegenheid. 's Zomers droeg men gazen gewaden, met de dunste zijde gevoerd; 's winters was het zwaar satijn of brokaat, gevoerd met zeldzaam bont, dat nooit aan de buitenzijde werd gebruikt maar te zien was langs de zomen. Niet alleen het hof droeg zijde, maar iedereen die het betalen kon. Alleen was dan het borduurwerk heel wat minder overdadig dan op de hofkleding.

Voor de wevers der zijden stoffen waren patroonboeken beschikbaar met alleen al vijftig ornamenten voor brokaat. Enkele daarvan waren: een draak rolt door duizend bloemen; leeuwen spelen met een bal; paleizen en paviljoens; draken en feniksen; draken op zoek naar juwelen. Maar niet alleen de mensen van het hof, ook de tempels waren grote afnemers van zijde. Als lange rechte banen hingen zijden banieren, geborduurd met karakters van de beschilderde zolderingen der boeddhistische tempels omlaag. Van zijde waren de kussens waarop de grote gelakte trommen rustten. Van zijde waren de gordijnen die voor het aangezicht der gouden boeddha's getrokken konden worden.

Merkwaardig is ook nog dat de Chinese patronen zo'n grote invloed hebben gehad op de Europese weefkunst. Zo was het beroemde granaatappelpatroon van het Florentijnse fluweel niets anders dan een gestileerd Chinees ornament, dat later naar China terugkeerde zonder dat men daar toen meer wist dat het patroon in het eigen land ontstaan was!

75. Twee van de vier begaafdheden.

XVII

DE YUAN-DYNASTIE

HOOFDSTUK 78

DE VOLMAAKTE KRIJGER

Bij zijn geboorte heette hij Temoetsjin zoals zijn vader hem genoemd had. Later koos hij zelf een naam: Djenghis Kahn, de Volmaakte Krijger. Hij werd geboren in 1162 tijdens afwezigheid van zijn vader Jesoekai, een Tartaars opperhoofd, de gewikkeld was in een van die verschrikkelijke Mongoolse oorlogen, die geregeld de noordelijke landen teisterden. Jesoekai was een heel groot en bovenal machtig opperhoofd die vele stammen onder zich verenigd had. Altijd was er echter zijn gevaarlijke tegenstander Temoetsjin. Maar ditmaal waren de krijgskansen mét Jesoekai; hij versloeg en doodde Temoetsjin en keerde terug naar zijn eigen tentenkamp in de eindeloze steppe. Daar kwam men hem al tegemoet stormen met het blijde bericht, dat zijn vrouw Joeloen hem een zoon geschonken had, een sterk en gezond kind. Jesoekai begaf zich zo snel mogelijk naar de grote tent, waar hij Joeloen vond met het kind, dat inderdaad groter en krachtiger was dan alle andere kinderen. Jesoekai nam hem op de arm en bekeek hem goed. Daarbij ontdekte hij dat de baby iets in het stijfgesloten knuistje hield. Voorzichtig wrong Jesoekai het handje open en zag een gestolde bloeddroppel, glanzend rood als een edelsteen. Bijgelovig als alle Mongolen zag Jesoekai hierin tot zijn grote vreugde een omen: zijn zoon zou een groot krijger worden. Hij noemde het kind Temoetsjin naar zijn verslagen vijand, die hij altijd had weten te eren als een krachtig man. Met het geven van die naam hoopte hij dat de kracht van Temoetsjin zou overgaan op zijn kind.

Temoetsjin kreeg de opvoeding van iedere Mongoolse jongen. Hij leerde rijden alsof hij op zijn paard geboren was. Hij leerde boogschieten, vechten met lans en zwaard. Hij kreeg sober en toch voedzaam eten en werd gehard in het verdragen van de verschrikkelijkste ontberingen. Alleen op die manier kon een Mongool hopen zich te handhaven in die keiharde en genadeloze wereld, die de zijne was.

Toen Jesoekai stierf was Temoetsjin dertien jaar oud, nog niet helemaal volwassen maar wel reeds een persoonlijkheid met wie men terdege rekening had te houden. Hij was intelligent; wreed als al zijn volksgenoten; genadeloos in de krijg, maar recht door zee in zijn handelingen. Als zoon van zijn vader viel de jongen de Mongoolse troon toe, maar voor enkele stammen was dit een reden om in opstand te komen. Alleen de ijzeren vuist van Jesoekai had hen trouw kunnen doen blijven. Temoetsjin stoof op, maar de opstandelingen hadden hun antwoord klaar: „Waarom zouden wij jou aanhangen?" zeiden ze. „Iedereen weet dat de beste bron van tijd tot tijd droog kan komen te staan en dat een steen kan breken. Dat is nu het geval. Wij vertrekken."

Maar Temoetsjin had niet alleen een machtige vader gehad, ook zijn moeder was een Mongoolse vorstin naar de beste tradities. Zij wist dat de toekomst van haar zoon op het spel stond. Zij was het die de opperhoofden van de verschillende stammen opriep naar haar kamp en hen op het spoor zette van de oproerige stamhoofden. Er volgde een verschrikkelijke strijd; het resultaat was, dat een groot deel der rebellen zich weer onderwierp. De macht van Temoetsjin was voorlopig althans veilig gesteld.

Voor Temoetsjin volgde nu een tijd van strijd, zoals men dat in Mongolië altijd gewend was geweest. Hij bleek een kundig krijgsman wat de omliggende stammen terdege merkten, want de één na de andere werd door hem verslagen en ingelijfd bij zijn rijk. In 1206 kon Temoetsjin zijn grote slag slaan: zich laten uitroepen tot heerser over een geweldig rijk. De stammen kwamen bijeen aan de oevers van de Ononrivier. Zo ver men zien kon was de steppe bedekt met vilten tenten. Temidden van zijn krijgers liet Temoetsjin zich uitroepen tot hun aller absolute heerser; op hun verzoek nam hij de naam aan van Djenghis Khan, de Volmaakte Krijger. De nieuwe heerser had echter nog één vijand met wie hij geducht rekening moest houden. Dat was een zekere Polo, de khan van de stam der Naiman, die natuurlijk niets heeft te maken met Marco Polo.

Om zijn macht onbetwist te vestigen zat er maar één ding op: de strijd aanbinden op leven en dood met Polo. Er volgde een veldslag die in verbittering, moordlust en bloeddorstigheid zijn weerga niet had. Polo sneuvelde op het slagveld en zijn aanhanger Toto, khan van Merkit-tartaren, vluchtte zo ver mogelijk buiten het bereik van Djenghis Khan. Nu lag de weg naar het rijke China open en hoe lang droomde Djenghis er al niet van om dat land in te nemen, waarvan de sprookjes vertelden, dat ieder huis er van goud was en dat er zoveel mooie vrouwen waren als een Mongolenopperhoofd maar wensen kon? Er was echter één struikelbok. Tussen China en Mongolië lag het sterke land Kin, dat Noord China had veroverd op de zwak geworden Soeng-dynastie. Djenghis Khan nam snel een besluit; hij zou eerst Kin innemen en dan het verzwakte China binnen vallen met zijn horden.

Het leek echter eenvoudiger dan het was. In de geweldige zomerhitte van de steppen viel de strijd zo zwaar dat deze bijna onmogelijk was. Sneeuw en ijs konden de Mongolen trotseren; deze verschroeiende hitte was hun te erg. Zij trokken zich terug nadat zij een aantal versterkingen hadden ingenomen. Djenghis Khan koos voor zijn kamp de stad Loengting, waar het redelijk koel was, en beidde zijn tijd. Toen kwamen er echter koeriers met nieuws: Toto had van Djenghis' afwezigheid gebruik gemaakt om terug te keren met zijn legers. Meteen wierpen Djenghis' volgelingen zich in het zadel; ze reden alsof de duivel hen op de hielen zat naar de Itiesjrivier, waar Toto hen opwachtte. Weer volgde een bloedige slag. Toto sneuvelde en de rest werd vermoord. Djenghis ging terug naar Loengting en versloeg daar het leger der Kin, dat aangevoerd werd door een zoon van de vorst. En nu lag de weg naar China open, want zelfs de Grote Muur was geen moeilijkheid meer, nadat hij de

Woe Liang-hai-pas had veroverd en bezet. Zijn horden stroomden links en rechts langs de Muur het land binnen; vele Kin-aanvoerders die zich nog niet hadden overgegeven, sloten zich veiligheidshalve bij hem aan en zo kon Djenghis Khan in 1213 in alle ernst beginnen met de verovering van het Hemelse Rijk van het Midden.
Onder aanvoering van drie zoons van Djenghis trok één vleugel naar het zuiden. Een tweede leger onder aanvoering van drie van zijn broers trok naar het zuiden, naar de zee; het derde leger stond onder bevel van Djenghis zelf en van zijn meest geliefde zoon Toelé. Zij trokken naar het zuidoosten. De verovering van China was waarlijk niet moeilijk. Stad na stad viel in de handen der Mongolen, want wie durfde zich tegen hen te verzetten? Ten slotte veroverde hij zelfs Sjantoeng en eerst daar hield Djenghis Khan stil. Was hij vermoeid van de nimmer aflatende strijd? Werd het toch weer onrustig in zijn eigen Mongolië, dat zo lang de heerser niet gezien had? Het is nooit bekend geworden, maar Djenghis besloot onverwacht in 1214 om een pact te sluiten met de vorst van Kin, waarbij deze eerst ontzaglijke sommen moest betalen om de bloeddorst der Mongolen wat te verminderen. Djenghis wist, dat hij eisen kon stellen met dergelijke dreigementen achter de hand! De vorst van Kin nam alle voorwaarden gretig aan en als vredesoffer bood hij Djenghis een dochter aan van wijlen de Chinese keizer, een heel mooi meisje dat in deze kwestie na-

76. Djenghis Khan (Yuen Toe-tsoe),
Groot Khan der Mongolen.

tuurlijk niets had in te brengen. Behalve haar kreeg Djenghis ook nog een andere, minder hooggeplaatste prinses van de keizerlijke familie, vijfhonderd uitgezocht mooie jongens en meisjes en drieduizend paarden. Met al deze cadeautjes op sleeptouw trok Djenghis terug naar Mongolië. Toen hij goed en wel vertrokken was verlegde de vorst van Kin meteen zijn hoofdstad – die hem veel te dicht bij de Grote Muur lag – naar Kaifeng. Dit was echter een grote misgreep, want Djenghis zag hierin een verraderlijke daad waarvoor de vorst zou moeten boeten. Dat wil zeggen, nadat hij klaar was in Mongolië, waar wel het een en ander te regelen viel!

Djenghis versloeg de vijanden in Mongolië; sloot pacten met machtige khans die te ver weg woonden om gevaar te bieden voor zijn eigen rijk en meende, dat het nu wel weer veilig genoeg was om naar China terug te keren. Dit was echter een misrekening. Een verraderlijke khan in de buurt van het Karakoroem-gebergte maakte korte metten met een Tartaars gezantschap dat door Djenghis Khan naar hem toe gezonden was. Hij sloeg de aanvoerder van het gezantschap het hoofd af en liet de rest hun baarden afscheren. De baardeloze mannen zond hij terug, wel wetend dat hij geen dodelijker belediging had kunnen bedenken tegenover de Mongool, die zijn baard beschouwt als zijn kostbaarste bezit. Ten gevolge hiervan zond Djenghis in 1219 zijn troepen naar de Karakoroem. Dit had een schrikbarend effect daar niemand dit ooit verwacht had.

Bij een veldslag, waarbij de verraderlijke khan een leger van 400 000 man inzette, bleven alleen al aan zijn kant 160 000 op het slagveld achter! De khan vluchtte naar Samarkand terwijl de troepen van Djenghis onder aanvoering van zijn zoons verder optrokken. Zo bereikten zij uiteindelijk Bokhara, dat na een korte belegering spoedig in hun handen viel. Djenghis trok de stad binnen, beklom de treden van de moskee en sprak zijn mannen toe: „Het hooi is gemaaid; voedert de paarden!" En dat betekende het einde van de stad Bokhara. Het werd een verschrikkelijk bloedbad, waarbij onvoorstelbare wreedheden gepleegd werden, zodat de inwoners liever stierven dan in handen der Mongolen te vallen. Ten slotte werd de stad in brand gestoken met uitzondering van een paar paleizen en de grote moskee. Van het beroemde centrum van wetenschap, dat Bokhara geweest was, bleef niets over dan rokende puinhopen. En de Mongoolse horden trokken verder. Samarkand viel bijna zonder slag of stoot in hun handen. Toelé trok aan het hoofd van zijn troepen door tot Khoerasan; bezette uiteindelijk Turkestan; trok door Azerbeidsjan, waarbij in één week tijd *anderhalf miljoen* mensen vermoord werden. De Mongolen trokken door tot de rivier de Don en in Rusland ontstond paniek over die geheimzinnige vijanden die niet te verslaan leken en die als baarlijke duivels kwamen optrekken uit het hart van Azië. De Russische vorsten van Kiew verzamelden troepen aan de Dnjepr in de hoop de horden te kunnen tegenhouden. Hier ontvingen zij een gezantschap van de Mongolen. Maar de Russische vorsten deden niet onder voor de Mongolen waar het verraad en wreedheid betrof. Ze vermoordden de gezanten langzaam en met veel genoegen en zonden de resten terug. Een oorlog was onvermijdelijk. Het hele Russische leger werd tot de laatste man gedood, want wie kon weerstand bieden aan de Volmaakte Krijger?

Bulgarije werd nog ingenomen en geplunderd en toen hielden de horden eindelijk halt. Maar door hun binnentrekken in Europa hadden zij een volk voor zich uit gedreven dat er helemaal niet thuis hoorde. Dat waren de Turken, die door de Mongolen uit hun Noord-Aziatische vaderland waren verdreven en die nu voor de horden uit vluchtten naar veiliger oorden, die ze ten slotte vonden langs de Bosporus.

Ook in China behaalden de Mongolen succes op succes. Ten slotte was het hele gebied ten noorden van de Hwang-ho bezet, met uitzondering van een paar steden. Na de dood van de vorst van Kin in 1223 werd ook dit rijk een deel van het Mongoolse gebied. Nu lag de grens van Mongolië langs de grens van China, waar de zwakke keizers der Soeng-dynastie wachtten op het einde. En Djenghis Khan maakte zich op om de rest van China aan zijn rijk toe te voegen. Hij begon de campagne in West China.
Maar toen gebeurde er iets dat niemand had kunnen voorzien. Op een gegeven ogenblik stonden vijf planeten in een bepaalde conjunctie, die volgens de astrologen de grootste rampen voorspelde. Zij moesten Djenghis Khan mededelen, dat er voor hem kwade dingen op komst waren. De bijgelovige Djenghis was diep onder de indruk; zó diep dat hij terug wilde naar Mongolië om eventueel in zijn vaderland te sterven. Maar een gevaarlijke ziekte achterhaalde hem onderweg. In 1227 stierf de geweldige veroveraar, die de vernietiging van miljoenen en nog eens miljoenen mensenlevens op zijn geweten had en die een werelddeel ondersteboven had gekeerd, in zijn verplaatsbaar paleis in Ha Lau-toe in Mongolië. Volgens zijn testament werd zijn zoon Ogotai zijn opvolger. Maar er was één moeilijkheid. Niemand mocht namelijk weten dat de Volmaakte Krijger gestorven was eer men het lichaam naar het voornaamste kamp aan de Keroelen-rivier had kunnen brengen. De

77. Ogotai (Yuen Toe-tsoeng), Groot Khan der Mongolen.

dode Khan moest namelijk eerst worden getoond aan al zijn wettige vrouwen, die als vorstinnen in haar eigen kamp leefden. Om te beletten dat het bericht van Djenghis' dood bekend zou worden doodde men iedereen, die de stoet onderweg tegenkwam. Ten slotte werd het lichaam van Djenghis Khan bijgezet in de vallei van Kilien; Ogotai was nu heerser der Mongolen, over een rijk dat zich uitstrekte van Zuid-China tot aan de Dnjepr!

HOOFDSTUK 79

DE YUAN-DYNASTIE

Djenghis Khan, de Volmaakte Krijger, na zijn dood opgevolgd door Ogotai, was *niet* de stichter van de nieuwe dynastie, die zich met een Oudchinese naam Yuan noemde. Ogotai regeerde van 1227 tot 1229 en was de derde zoon van Djenghis. Na hem kwam zijn zoon Koeyoek (1229–1246) en op hem volgde niet diens zoon, maar Mangoe, de oudste zoon van de beroemde Toelé, de jongste van Djenghis' vier zonen bij zijn lievelingsvrouw.
Koeblai Khan, de beste en bekendste regeerder van de Yuan-dynastie, was de tweede zoon van Toelé en volgde Mangoe op na diens dood in 1252. Koeblai was toen 36 jaar oud, een goed soldaat maar zoals later duidelijk bleek een nog veel beter keizer. Hij was dan ook de lievelingskleinzoon van Djenghis Khan geweest. Hij had zijn sporen als soldaat al vroeg verdiend zoals dat met alle Mongolen jongens het geval was. Reeds op zijn tiende jaar volgde hij zijn illustere grootvader in de strijd, tegelijk met zijn nog jongere broer Hoelagoe, die de latere stichter werd van een Perzisch keizershuis.
Mangoe was erfgenaam van een groot deel van China, maar in het zuiden regeerde nog altijd een Soeng-keizer vanuit de stad Hangtsjou. Koeblai was aangesteld als Mangoes bevelhebber in Noord China, dat bekend stond als Kathay, en in 1235 begon de strijd om het zuiden. In 1257 begon Mangoe een campagne in West China, waar hij sneuvelde twee jaar later waarna Koeblai aan het bewind kwam. Er waren echter twee mensen die het niet eens waren met zijn benoeming. Dat waren zijn oom Arikboega en zijn neef Kaidoe, die prompt een oorlog begonnen om de hegemonie. Deze oorlogen hielden de verovering van het zuiden een tijdlang tegen, want het was iets heel anders om tegenover Chinezen te staan dan tegenover mede-Mongolen, die aan hen gewaagd waren. Maar in 1246 stichtte Koeblai een nieuwe hoofdstad voor zijn reusachtig gebied, een stad die de naam Peiping droeg, maar die ons beter bekend is als Peking. Ten noordoosten van die oude stad bouwde Koeblai een nieuwe, die nu nog bekend staat als de Tartaarse Stad. Het was een rechthoekige stad naar Chinees model, met een omtrek van meer dan twintig kilometer. In Peiping hadden een aantal jaren ook de vorsten van Kin geregeerd, want de ligging was strategisch heel sterk. De nieuwe stad kreeg de officiële naam Tai-toe. De Mongolen noemden haar in hun eigen taal Khanbalikh, wat betekende Stad-van-de-Khan. De stad, gesticht in 1254, was gereed in 1267 en van hieruit werd de strijd tegen de Soeng-dynastie verbitterd voortgezet. In 1276 werd eindelijk de Soeng-dynastie verdreven. Hangtsjou gaf zich over. Het was toen-

tertijd de grootste stad van de wereld. Overigens had die verovering van Zuid-China meer dan vijftig jaar geëist! Maar nog nooit had een keizer geregeerd over een zo ontzaglijk groot rijk. En er was nog iets merkwaardigs gebeurd: de wereld wist nu wie de keizer van China was! Zijn voorgeslacht en in het bijzonder zijn grootvader had de bevolking van Europa dat waarlijk wel bijgebracht!

Om zich heen verzamelde Koeblai een regering en een aantal adviseurs uit alle delen van de wereld. Perzen, Armeniërs, zelfs Venetianen behoorden er toe. Zijn veldslagen werden gevochten onder het bevel van generaals van allerlei nationaliteiten. De keizerlijke zegels stonden afgedrukt op perkamenten, die vanuit Perzië naar de koning van Frankrijk werden gestuurd!

Van zijn geslacht was Koeblai de eerste die op cultureel gebied Chinees begon te denken en te voelen, ofschoon hij toch altijd de krijgshaftige Mongool was en bleef. Hij was ongewoon intelligent en had een vérziende blik. Van nature was hij grootmoedig en vriendelijk. Door zijn grote honger naar kennis maakte hij zich populair bij de Chinezen, zelfs al zocht hij uit veiligheidsoverwegingen nooit zijn naaste medewerkers onder de voorname Chinese families. Koeblai bestudeerde de Chinese klassieken. Hij was een mecenas voor kunstenaars en geleerden. Hij liet een aantal wereldberoemde astronomische instrumenten vervaardigen die later, in 1900, naar Duitsland verhuisden. Hij deed veel moeite om het Chinese volk tot ontwikkeling te brengen en liet daarvoor zelfs Europese priesters uitnodigen via Marco Polo. Deze kwamen echter niet en daarom liet de keizer boeddhistische priesters uit Tibet komen. Een jonge lama, vorst van Tibet en Mati-Djawa geheten, stond aan het hoofd van die priesters. Hem werd in het bijzonder opgedragen een alfabet te bedenken, waarin de Mongoolse taal geschreven kon worden. Dit liep echter op een mislukking uit.

Koeblai zat niet stil; dag in dag uit was hij bezig om de ontwikkeling van zijn keizerrijk op te voeren. Hij liet door heel China de mooiste tempels bouwen als bewijs van het feit, dat hij een erudiet was, en vooral om in de gunst te komen bij zijn volk. Veel van deze tempels staan nog overeind en verkeren in voortreffelijke staat. Er kwam een uitgebreid en ingewikkeld postsysteem en er werd papiergeld uitgegeven dat gelijk was voor het gehele rijk. Hij voelde niet veel voor het tauisme. Confucianisme en boeddhisme genoten echter zijn gunst. Maar natuurlijk had hij ook zijn minder goede kanten. Zo was hij als rechtgeaard

78. Paard op een tegel uit een tombe in Loyang. Ingekraste tekening op klei. 300 v.Chr.

Aziaat dol op weelde, pracht en praal. Zijn paleizen waren zo fantastisch, dat Marco Polo er zijn ogen op uitkeek. Verder was hij dol op grootscheepse jachtpartijen die fortuinen kostten. En ten slotte waren er nog zijn veroveringsoorlogen, die hem heel weinig geluk brachten. Dat er dus met geld gesmeten werd valt niet te verwonderen. En ook dat dat geld er komen moest, hoe dan ook. Dat hóe wilde Koeblai maar liever niet weten. Vandaar dat zijn agenten hun gang konden gaan, daarbij genadeloos te werk gingen en daardoor soms opstanden verwekten.
Als geboren Mongool was Koeblai nooit tevreden met wat hij aan gebied bezat. Hij wilde meer, veel meer. Hij wilde Japan hebben, Korea en Birma, Java en Cochin China. Hij zond zelfs meer vreedzame expedities uit naar Zuid India, Oost Afrika en Madagascar. Van deze reizen brachten zijn mannen de meest vreemdsoortige geschenken mee, waar de khan dol op was. De oorlogsexpediteis mislukten echter meestal tot grote woede van Koeblai. Een van zijn ergste daden was de verovering van Birma, waar hij de schitterende hoofdstad Pagan met de grond gelijk maakte. Japan heeft hij nooit gekregen, dat bleek veel te sterk. Ook Korea was moeilijker dan hij gedacht had, maar ten slotte kwam dit land toch onder zijn beheer.
Koeblai stierf op hoge leeftijd, hij was 78 jaar oud (1294). Maar zelfs op zijn oude dag zat hij niet stil. In 1287 was er nog een opstand, die er meer dan gevaarlijk uitzag en die geleid werd door een van zijn neven, prins Nayan. Persoonlijk ging de oude Khan er op uit. Hij overwon Nayan, nam hem gevangen en liet hem afmaken.
Bij zijn dood liet Koeblai twaalf zonen na; zijn lievelingszoon heette Tsjingkim en die werd als zijn opvolger aangesteld. Deze kroonprins stierf echter reeds in 1284 en zijn zoon Timoer kwam uiteindelijk op de troon. Na Koeblai heeft de Yuan-dynastie geen goede regeerders meer gehad. Het leek of het taaie Mongolenbloed verwaterd was in de decadente nakomelingen van de Volmaakte Krijger. De negende heerser na Koeblai, Togon Timoer, werd na een wel lange, maar volkomen imbeciele regering in 1368 afgezet ten gevolge van een aantal ongehoorde schandalen. Hij werd verbannen. En de Chinezen zelf kwamen weer aan bod in hun eigen land met de roemruchte dynastie der Ming.

HOOFDSTUK 80

DE MANNEN UIT VENETIË

De verovering van Centraal-Azië door Djenghis Khan had één groot voordeel: voortaan lag de weg naar Europa open. Reizen langs die eindeloos lange karavaanwegen leidden tot nieuwe contacten en zo ontmoette Europa eigenlijk voor het eerst Azië. Tot de eerste die op deze wijze handelscontacten opnamen met China behoorden de Venetianen, die blijkbaar over voldoende avontuurzucht beschikten om zich te wagen in gebieden waar vroeger nooit iemand heen was getrokken. Lang vóór Marco Polo aan het Chinese hof verscheen, hadden enkele Venetianen reeds contacten gelegd. Na de Polo's kwamen er nog anderen, waaronder frater Odoric van Ordonone een van de bekendste was. Deze moedige man trok in de 14de eeuw door India, China en Tibet, waar hij als eerste Europeaan de hoofdstad Lhasa bezocht, en hij bereisde ook de Indische archipel. Een tweede was een Arabier die fascinerende reisverhalen heeft nagelaten: Ibn Batoeta die tussen 1325 en 1355, dus in de loop van dertig jaar, een bezoek bracht aan India, Arabië en Perzië plus nog een bezoek van acht jaar aan China. Aan het hof van keizer Timoer verscheen de Spanjaard Don Ruy Gonzalez de Clavijo en wat later uit Italië Nicolo de' Conti, die niet minder dan 25 jaar in China en Japan verbleef.

Toch zijn de drie Polo's: Maffeo en Nicolo Polo en de zoon van de laatste, Marco, de mannen wier namen onverbrekelijk aan China verbonden blijven en dan natuurlijk in het bijzonder die van Marco, want hij liet over zijn reis door het Hemelse Rijk van het Midden een boek na, dat nu nog leesbaar is omdat hij beschikte over een zeer groot opmerkingsvermogen en een overvloed aan details beschreef die een ander over het hoofd zou hebben gezien.

Maffeo Polo, waarschijnlijk een edelman, woonde in San Felice en had een broer, Nicolo, die weer een zoon had, Marco.

In het jaar 1260 bevond Nicolo zich met zijn vrouw in Constantinopel, evenals zijn broer Maffeo. Van daaruit trokken Nicolo en Maffeo tezamen naar Bokhara, waar ze afgezanten ontmoetten die Koeblai Khan bezocht hadden. Door hun verhalen aangemoedigd besloten de twee broers door te reizen naar het hof van de keizer, waar ze met groot eerbetoon werden ontvangen en diep onder de indruk kwamen van wat ze te zien kregen. Zij vielen zó bij Koeblai in de smaak, dat hij hun brieven meegaf voor de paus met het verzoek geestelijken te sturen die als leraren konden optreden. Jammer voor Koeblai was die paus, Clemens IV, overleden en men had nog geen nieuwe paus gekozen. De twee broers keerden terug naar Venetië en vertelden daar wat ze beleefd hadden. Ze waren echter zelf zo betoverd door dat vreemde, verre Kathay dat ze twee jaar later al weer op weg waren, ditmaal met Nicolo's zoon Marco. Deze keer brachten ze twee dominicaners mee, maar die hadden al zo gauw genoeg van de ontberingen en gevaren van de reis, dat ze op hun sporen terugkeerden naar veiliger oorden. In november 1271 verlieten de Venetianen Acre en reisden naar Ormoez aan de Perzische Golf, met de bedoeling over zee naar China te gaan om de eindeloze reis door Azië te vermijden. Maar om of andere reden lieten ze uiteindelijk dat plan varen en via het Pamirplateau kwamen zij naar Kasjgar, Yarkand en Khoetan, plekken waar daarna pas in 1860 weer voor het eerst Europeanen kwamen! Toen doorkruisten zij de Gobiwoestijn naar Tangoet, waar ze op de Grote Muur stootten. Vroeg in het jaar 1275 werden ze met veel pracht en praal en de grootste vriendelijkheid ontvangen door Koeblai Khan. En daar in China bouwde Marco de carrière op die hem zo lang in China zou houden. Meer dan normaal taalkundig begiftigd leerde de 'jonge vrijgezel', zoals de

79. De 'Gebroeders Polo' op weg met hun gevolg en bagage tijdens hun grote reis naar China. Atlas van Catalan.

Chinezen hem noemden al spoedig verscheidene talen perfect spreken en schrijven, waardoor de kahn er toe kwam hem een hoge aanstelling aan het hof te geven.
Marco doorkruiste China in vele richtingen en kwam ook in Tibet. Koeblai, die dol was op verhalen over vreemde volkeren, genoot van de uitgebreide verslagen vol nuttige en onnuttige, maar vaak amusante details, die Marco steeds weer van zijn reizen meebracht. Drie jaar lang was hij bestuurder van de stad Hangtsjou en hij deed het even goed als welke goede Chinese goeverneur. Overigens lieten zijn vader en oom zich ook niet onbetuigd. Zij ontwierpen voor Koeblai oorlogsmachines die zeer veel dienst deden bij de verovering van Zuid China.
Inmiddels werden alledrie de Polo's schatrijk. Maar ergens knaagde toch de onrust. Koeblai was een oude man. Hoe zou het hen vergaan als hij onverwacht overleed? Zou men hen dan ongehinderd terug laten gaan naar Europa...? Maar Koeblai wenste niet te horen van hun vertrek. Toch kwam nog onverwacht hun kans. In 1268 had de khan van Perzië, een achterneef van Koeblai, zijn liefste vrouw verloren en op haar sterfbed had zij haar man laten beloven, dat hij wederom een Mongoolse prinses tot vrouw zou nemen. Dat een Mongoolse vorst weduwnaar zou blijven was ten enen male uitgesloten. Alleen een prinses van de eigen stam van de overledene kon in aanmerking komen. Dus werden er gezanten gestuurd naar Peking om daar een kandidate te zoeken aan het keizerlijk hof. Men koos de zeventienjarige prinses Koekatsjin. Nu was er echter oorlog uitgebroken langs de karavaanweg naar Perzië en men besloot over zee te gaan. Met dat doel voor ogen smeekten de gezanten Koeblai om de ervaren Polo's mee te geven als reisgenoten. Koeblai stemde toe en voorzag zijn goede vrienden van alle mogelijke brieven voor de potentaten van Europa, zoals de koningen van Spanje, Frankrijk en Engeland. In 1292 gingen zij op weg, maar ze hadden een lang oponthoud bij Sumatra en later nog eens in Zuid India, zodat het twee volle jaren duurde eer ze in Perzië voet aan wal konden zetten. Inmiddels waren verscheidene van hun reisgenoten gestorven ten gevolge van de geleden ontberingen. Maar de drie Venetianen en de Mongoolse prinses waren gezond en wel. Vermeldt wordt, dat de jonge vrouw haar drie Europese beschermers beschouwde 'met dochterlijke eerbied'! Jammer voor de prinses was de haar toegedachte bruidegom inmiddels overleden, maar geen nood! Zijn broer was hem opgevolgd, en diens jonge zoon trouwde met het mooie prinsesje uit Peking zodat ze uiteindelijk wel tevreden zal zijn geweest.
De Polo's reisden verder. Via Tebriz, Trebizonde en Constantinopel trokken ze naar hun geliefd Venetië, waar ze eindelijk in 1295 aankwamen. Maar daar wachtte hun een teleurstelling. Met hun uitheemse, zij het zeer rijke Chinese kleding werden ze scheef aangekeken toen ze bij hun landhuis aankwamen en ze moesten verscheidene listen te baat nemen om zelfs maar binnen te kunnen komen!
In 1298 brak er oorlog uit tussen Genua en Venetië, die al heel lang elkanders rivalen waren. Marco Polo werd op een Venetiaans galjoen aangesteld als *sopracomito*, een soort lekenkapitein naast de echte zeeman. Genua won; Marco werd gevangengenomen, maar kwam binnen het jaar weer vrij. In augustus 1299 was hij terug in Venetië.
Tot op die dag had hij zijn verhalen wel verteld, maar nooit opgeschreven, hoe merkwaardig dat ook lijkt. Maar in de Genuese gevangenis had een medegevangene van Marco, een zekere Rusticiano uit Pisa, het dictaat opgenomen van Marco's belevenissen en aan hem hebben we de boeken te danken die later zo'n indruk maakten.
In 1324, op 9 januari, stierf Marco Polo, hij liet een vrouw en drie dochters na. Een authen-

tiek portret van de grote reiziger bestaat niet. Wel hebben Europeanen in Kanton de dwaasheid begaan om in een boeddhistische tempel een der daar gebeeldhouwde *arhats* als Marco Polo aan te wijzen!

In Marco Polo kunnen we ongetwijfeld de eerste Europese ontdekkingsreiziger zien. Hier zijn een paar van de door hem bezochte landen: China, Tibet, Thailand, Birma, Laos, Japan, Java, Sumatra, Ceylon, India, Zanzibar, Abbessynië en Madagaskar. Hoe hij dat klaarspeelde in een tijd waarin het ondernemen van een reis zeker even riskant was als nu een reis met een ruimteraket is onbegrijpelijk. Of hij nu op de rug van een kameel door de Gobi trok, of in een slee voor ijsberen in Siberië vluchtte; of hij door de oerwouden van Java en Sumatra trok of kruidnagelgeur rook in Zanzibar, nooit verloor Marco Polo ook maar iets van die geweldige nieuwsgierigheid naar vreemde landen en volkeren die hem voortjoeg door een onbekende, fascinerende wereld.

HOOFDSTUK 81

ZWARTE STENEN EN WITTE BRUGGEN

„Het is een merkwaardig feit dat overal in het land Kathay een soort zwarte stenen bestaat, die in een soort bedding in de bergen liggen. De mensen graven deze stenen uit en verbranden ze als brandhout. Als gij des nachts het haardvuur voedt met deze stenen en er voor zorgt dat zij goed gloeien, dan zult gij bemerken, dat zij in de morgen nog steeds branden.

80. Marmeren pagode bij de Berg van de Bittersteen Bron te Peking.

Deze stenen zijn zulk een goed brandstof, dat men in het gehele land nooit iets anders wil gebruiken. Het is waar, dat er heel veel hout is, maar dat brandt niet men omdat deze stenen beter branden en veel minder kosten."
Met dit en dergelijke feiten verbaasde Marco Polo na zijn terugkeer in Europa de goede mensen van Venetië en andere steden, die met open mond luisterden en er – waarschijnlijk ... – maar de helft van geloofden. Wie was er in het westen zelfs nog maar op het idee gekomen om 'zwarte stenen' te gaan delven en deze in de haard te branden? Dat was immers klinkklare onzin! Maar Marco Polo vertelde nog veel meer, want hij had goed opgelet; hij had heel veel gezien; hij had zich over onnoemlijk veel dingen verbaasd; en... hij had er heel vaak gretig gebruik van gemaakt.
Toen hij over de stenen brug van Loe-kou-tsjiau trok en vlak bij Peking was zal hij zeker nooit gedroomd hebben dat deze brug er in 1937 – en trouwens nu nog – ook zou liggen en een toeristisch punt zou worden. In 1937 begon daar namelijk de verzetstrijd tegen de Japanse bezetters.
De brug was overigens niet de eerste die Marco Polo zag. Heel China wemelde immers van de bruggen. Alleen in Soetsjou zag hij er al zesduizend, allemaal in fraaie steen uitgevoerd Maar dat was nog niets vergeleken bij Hangtsjou waar hij later heen trok. Daar bleken er namelijk... twaalfduizend te zijn. Nu is het natuurlijk heel wel mogelijk, misschien zelfs wel waarschijnlijk dat Marco Polo zich bij die bruggen vertelde. Twaalfduizend lijkt wel wat erg overdadig, maar het blijft een feit dat er in het land om Hangtsjou heen vandaag de dag nog overal hele bruggen en ruïnes te zien zijn. Ieder dorp, ieder gehucht dat in de buurt van een kanaal ligt heeft een of meer bruggen. Mogelijk was het land toen dichter bevolkt dan nu. In ieder geval doen opgravingen dat wel vermoeden.
Om nog even op de steenkolen terug te komen. Deze toen buiten China nog onbekende brandstof werd ook toegepast voor iets waar Marco Polo zich geweldig over verbaasde, namelijk voor het bad. Nu was men in Europa in die tijd beslist nog niet aan baden toe en ook Polo zag er het nut niet van in. Met het verval van het Romeinse imperium verviel in Europa ook de badkuip, om eerst eeuwen later weer in zwang te komen. Maar die wonderlijke Chinezen namen wél een bad, niet alleen op zaterdag maar ten minste driemaal in de week en 's winters zelfs *iedere dag* en dat was nog het raarste van alles! Edelen en rijken hadden privé-badinrichtingen; het gewone volk was tevreden met een openbare badgelegenheid. Hangtsjou alleen al bezat vierduizend van dergelijke badhuizen!
Ook over de Chinese schepen raakte Marco Polo niet uitgesproken. Nu mogen de Chinese jonken ons tegenwoordig log en onpraktisch voorkomen, in de tijd van Marco waren de westerse schepen veel logger en zeer zeker kleiner. De Chinese schepen waren dus in zijn ogen ware zeekastelen. Ze hadden waterdichte compartimenten, zodat ze zelfs met ernstige averij drijvende bleven. Ze hadden toiletten en badkamers aan boord en tweehonderd matrozen waren nodig om een groot schip te bemannen. Tien zeilen moesten ieder briesje opvangen en een vrachtschip had vaak nog tien aken op sleeptouw die in tijden van windstilte voorop gingen varen en hun moederschip met vereende krachten voortroeide. We kunnen zeker aannemen dat Marco Polo en zijn familieleden, die zo'n grote bewondering hadden voor Koeblai Khan en die zo bij deze grote vorst in de smaak vielen, de 'Chinese way of life' heel graag zullen hebben aangenomen. Ten slotte konden ze hun Europese morsigheid niet tentoonstellen voor een volk dat driemaal per week in het bad ging! En ook van wat China hun te bieden had maakten zij gretig gebruik. De zijden kle-

ding, de prachtige huizen, de uitstekende wegen en de druk bevaren kanalen, al die prachtige bruggen, het luxe leven van de groten der aarde, maar bovenal de grote veiligheid in China, waar geen deur op slot ging en waar weinig gewapende wachten waren – zeker teken van een sterke regering! – al die dingen moeten de Polo's bovenmatig bewonderd hebben.

Het vreemde is dat Marco Polo niets heeft opgemerkt van de geestelijke waarden van China. Wel vermeldt hij de christelijke kerken en hij telde die stuk voor stuk. Hij wist alles van de zilvermijnen; van de afgoderij der Chinezen; van hun zo praktisch papieren geld dat hij maar een krankzinnige uitvinding vond, een goed koopman onwaardig. Hij wist alles van de vrouwen en kinderen van Koeblai Khan: 24 zonen bij zijn vier wettige vrouwen en 25 bij zijn concubines, „allemaal dappere soldaten die geregeld bij militaire acties worden ingezet", maar hij wist niets van kunsten en wetenschappen. Hij vertelt bitter weinig over achitectuur, muziek en filosofie. Hij wist niet, dat er de meest schitterende bibliotheken bestonden maar wel dat er in Soetsjou zevenduizend weefstoelen stonden. Marco Polo was natuurlijk een typische man van zijn tijd en een koopman bovendien, die zich nu eenmaal meer interesseerde voor het materiële dan voor het geestelijke. Maar wát hij vertelde was zo wonderlijk, dat men hem op zijn sterfbed maar aanraadde zijn leugens in te trekken. En wat zei Marco Polo:

„Ik heb nog niet de helft verteld van wat ik gezien heb!"

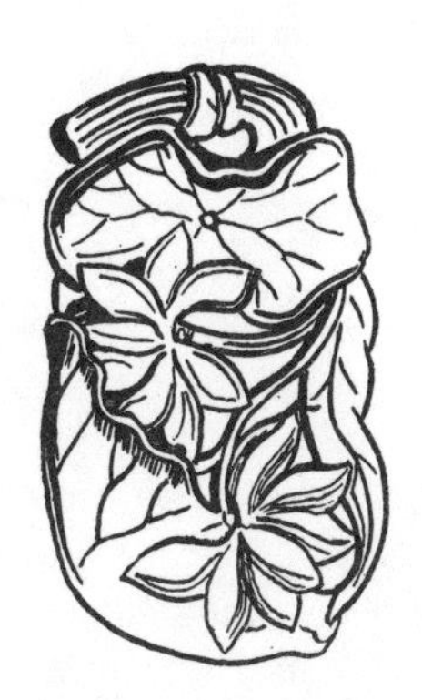

81. Lotusbloemen en -bladeren van witte jade, zowel een tauistisch als boeddhistisch symbool.

XVIII

DE MING-DYNASTIE

HOOFDSTUK 82

WEER EEN CHINEES OP DE TROON

Onder de invloed van Marco Polo's verhalen begonnen er werkelijk wel eens Europese geestelijken naar China te komen. De eerste van hen die Peking bereikte was een franciscaan, die Giovanni di Monte Corvino heette. Hij werd in 1294 met veel egards ontvangen en voelde zich zo thuis in de stad van Koeblai, dat hij er dertig jaar bleef en er duizenden bekeerlingen maakte. Toen men van zijn successen hoorde in Europa werd hij tot aartsbisschop van Peking benoemd. Er kwam ook een pauselijke gezant, die door de khan even hartelijk ontvangen werd. Al die vreemdelingen voelden zich wonderwel thuis in China en bovenal volkomen veilig.

Maar toen de Yuan-dynastie ineenstortte was het gedaan met de import van die nieuwe elementen. De overal uitbarstende oorlogen legden meteen de hele karavaanhandel stil. De wegen naar Europa waren weer volkomen versperd en zo gevaarlijk dat niemand er aan dacht er langs te trekken. Wegens de opnieuw ontstane haat en achterdocht tegenover vreemdelingen vertrokken de westerlingen uit China en de christelijke gemeenschappen verdwenen. Het zag er droevig uit voor China, maar gelukkig kwam er spoedig een nieuwe dynastie, ditmaal een zuiver Chinese, de Ming-dynastie die bleef van 1368 tot 1644. De stichter van dit vorstenhuis was Tai-tsoe, een zeer kleurige persoonlijkheid. Hij erfde van de Mongolen de hoofdstad, maar deze stond hem zo tegen dat hij voorlopig residentie koos in Nanking. De Tartaarse Stad bij Peking was dan wel naar Chinees model gebouwd, maar de zeer sobere Tai-tsoe vond haar veel te weelderig met al die wat protserige versieringen van goud en zilver. Nanking was natuurlijk een écht Chinese stad, meer in overeenstemming met het weliswaar zeer kunstzinnige, maar ook zeer sobere karakter van de nieuwe, streng boeddhistische keizer. Aan de kunstzin van Tai-tsoe hoeven we niet te twijfelen. Wel leidde deze vaak tot vreemde dingen. Tai-tsoe nam namelijk graag de kunstenaars van de Yuan-dynastie over en gaf hun alle kansen; maar een paar van hen die zo eigenzinnig waren om

geen gehoor te geven aan de wensen van de keizer betreffende de aard van hun werk, liet hij bij zich roepen. Toen ze koppig bleven liet hij hen kort en goed onthoofden, iets wat zelden voorgekomen was. Kunstenaars konden meestal wel een potje breken bij hun keizerlijke meesters.
Nadat hij China weer verenigd had onder een nieuwe dynastie die de naam Ming kreeg – de Stralende – was Tai-tsoe nog lang niet tevreden. Hij zond een leger van 400 000 man naar Mongolië om de vluchtende khans te achterhalen en te verslaan. Dit gelukte hem ook en lange tijd was China veilig voor het Mongoolse gevaar. De persoonlijkheid van Tai-tsoe bleef onuitwisbaar gedrukt op de hele manier van zich gedragen van de Ming-dynastie. Het waren ernstige en over het geheel bekwame heersers, die echter nimmer de hoogte van sommige T'ang- en Soeng-keizers bereikten. Wel werden van tijd tot tijd de grenzen uitgebreid: tot aan het Baikalmeer in Siberië en tot Vietnam in het zuiden. De vloten der Ming-keizers kwamen in Indonesië en Zanzibar. Landen als Korea, Japan, Sumatra, Ceylon en Zuid-India brachten tribuut in de tijden van de grootste expansie. In die tijd werd China's prestige als internationale macht heel stevig gegrondvest. Voor de Europese legers had men een neerbuigende belangstelling. Wat konden Engeland en Frankrijk, het zeevarende Portugal en Spanje, het reusachtige Rusland of het kleine Nederland de Chinezen brengen of zelfs maar te vertellen hebben?
Tai-tsoe moest beginnen met zijn hele land te reorganiseren. Hij deed dat snel en bekwaam. Hij voerde een heel strakke politiek en langzaam maar zeker kwam China tijdens zijn dertigjarige regering weer op krachten. In 1398 deed Tai-tsoe afstand van de troon ten behoeve van zijn kleinzoon Hoei-ti. Deze regeerde echter wat al te voortvarend. Hij verwekte een oproer onder aanvoering van de prins van Yen, een oom van de keizer, door al te erg te trachten het centrale beheer onder strenge controle te brengen. Prins Yen stootte de jonge keizer van de troon en nam zelf de keizerstitel aan: Tsjeng-tsoe. Hij had nog grotere ambities dan Tai-tsoe zelf en hij zond zijn legers en vloten alle kanten uit. Hij nam Vietnam in en eiste zelfs tribuut van enkele Afrikaanse staten. De vlootvoogd was een zeer bekwame eunuch, Tsjeng Ho geheten.

82. Toegangspoort tot de Mingtombes (zie ook tekening 92). De plek voor deze tombes werd gekozen door keizer Yoeng-lo. Deze poort uit 1541 is 17 m hoog.

Op het roerige beleid van Tsjeng-tsoe volgde honderd jaar van vrede en voorspoed. Maar toen kwam er een kink in de kabel door een stel ambitieuze eunuchen, die zeer machtig waren geworden in paleiskringen. Het leek wel of de ene corrupte eunuch verdween alleen om voor een nog erger exemplaar plaats te maken. Maar in de tijd van de keizers Djen-tsoe, Sjoeang-tsoeng en Sjiau-tsoeng heerste er weer vrede en rust. Handel en verkeer bloeide, want deze keizers waren goede confucianen en regeerden volgens hun geweten zoals het betaamde. Ze wisten hun adviseurs en ministers goed te kiezen en dulden corruptie noch oneerlijkheid of onderdrukking van het volk.
In 1449 had er echter een ware ramp plaats. De Oirat-Mongolen uit het westen waren weer agressief geworden en daar moest iets aan gedaan worden. Een machtig Chinees leger trok op onder eunuch Wang-tsjen. Eunuch Wang-tsjen had er bij de keizer op aangedrongen een militaire campagne te ondernemen en de Oirats een gevoelige les te geven. Een krachtig Chinees leger trok op naar de grens, onder leiding van keizer Yin-tsoeng. De khan der Oirats had echter van het keizerlijke plan gehoord en lag in een hinderlaag. Het Chinese leger werd op een vreselijke manier afgeslacht en de keizer gevangengenomen. Yesen, de Mongolenaanvoerder, trok op naar Peking en belegerde deze stad, die in 1420 de nieuwe Chinese hoofdstad was geworden. De minister van defensie, Yoe-tsj'ien, greep toen persoonlijk in, versloeg Yesen en nam de taak van plaatsvervangend keizer op zich gedurende de acht jaar, dat de keizer in gevangenschap verbleef. In 1450 lieten de Mongolen de keizer gaan, maar hij trok zich terug uit de heerschappij en een interimkeizer werd benoemd, Tsjing-ti, die echter in 1457 heel ernstig ziek werd. Op zijn beurt deed hij afstand. Yin-tsoeng werd opnieuw keizer.
Twee keizers maakten een ongustige uitzondering op de zeer redelijke heersers van de dynastie. Dat waren Woe-tsoeng en Sji-tsoeng. De eerste was een los bol, dol op avontuurtjes. Sji-tsoeng zocht als zoveel mannen in het westen naar de steen der wijzen en was een willig slachtoffer van de tauistische alchemisten, die zich tijdens zijn regering duchtig roerden en een enorme invloed hadden. Twintig jaar lang trok de keizer zich praktisch terug. Toen was namelijk zijn secretaris Yen-soeng, een buitengewoon onpopulair man en eigenlijk een misdadiger, zó machtig dat de keizer niets meer had in te brengen. Het leven van ambtenaren, die het waagden om zelfs maar heel zwakjes te protesteren, was geen koperen muntje meer waard. Op zijn best werden ze op walgélijke wijze vernederd en onteerd; maar nog veel vaker een kopje kleiner gemaakt. Tijdens zijn wanbeheer kwamen ook de Oirat-Mongolen weer opzetten onder hun zeer gevreesde opperhoofd Altan. In 1550 plunderde deze brutale khan zelfs de buitenwijken van Peking. Piraten uit Japan plunderden bovendien de havens aan de zuidoostkust. Vooral Shanghai had ervan te lijden en de zeerovers waren vaak zo brutaal dat ze doordrongen tot in Soetsjou. In 1559 voer de Chinese vloot uit en de piraten werden eindelijk verpletterend verslagen. In 1563 gebeurde dit nog eens. Toen was het uit met de zeeroverij. Altan werd eveneens verslagen en sloot in 1571 vrede met China.
Er volgde weer een plezierige periode van rust en vrede. China was nu weer zo machtig dat men er zich wel voor wachtte het aan te vallen. Een van de meest vooraanstaande keizerlijke secretarissen adviseerde de keizer en zag nauwlettend toe bij al zijn handelingen, zodat er niets mis kón gaan.
In 1592 trof het ongeluk China weer. In Japan was een heel machtig en oorlogszuchtig man met grote ambities aan het bewind gekomen. Dat was Hideyosji. Hij viel Korea aan, altijd

een twistappel tussen China en Japan, en Korea deed een beroep op de Chinese soeverein, die meteen te hulp snelde en krachtig genoeg bleek om die Chinees-Japanse oorlog slepend te houden, tot in 1598 Hideyosji stierf en de Japanners zich terugtrokken naar hun eigen land. Het gevolg van deze ellendige, veel te lang durende oorlog was een sterke afname van de krachten van het Chinese leger.

Een tweede kwaad sloop eveneens langzaam in de regering. Er kwamen steeds meer controversies, waarbij groepen met verschillende belangen elkander bestreden met alle eerlijke en oneerlijke middelen. Hierdoor ging de moraal sterk achteruit, evenals de discipline onder de ambtenaren. De eunuchen werden weer zeer belangrijke, vaak de belangrijkste figuren in de partijbelangen. Na de dood van keizer Kwang-tsoe, na een regering van slechts één maand in 1620, kwam er een heel jonge keizer op de troon, Sji-tsoeng, die niet in staat was om ook maar enig gezag uit te oefenen, te meer daar hij volkomen onderworpen was aan de machtigste eunuch die ooit een keizerrijk indirect bestuurde: Wei Tsjoeng-sjieng. Hij ontsloeg ambtenaren die niet van zijn partij waren bij honderden tegelijk en verrijkte zich ten koste van alles en iedereen.

Aan de noordelijke grens kwam weer eens een Mongoolse vijand in beweging: de Mandsjoes, die later op hun beurt een dynastie zouden stichten, zodat die van Ming tussen twee buitenlandse kwam te liggen. Over het geheel hadden de Mandsjoes zich meestal erg rustig en vreedzaam gedragen, vergeleken met de meeste Mongoolse horden. Maar in 1583 werden zij geregeerd door een zeer ambitieuze khan, Noerhatsjoe geheten, die graag en handig gebruik maakte van de zwakheid van keizer Sjen-tsoeng. In 1616 was hij zo machtig dat hij zijn huis uitriep tot een nieuwe dynastie, waarna hij na een paar welgelukte veldslagen in 1619 en 1622 het hele noordoost deel van het keizerrijk kon bezetten, met de Grote Muur als grens.

De keizer trachtte de toestand te redden door de machtige eunuch te verbannen, maar hij was niet krachtig genoeg om de partijstrijd tussen de ambtenaren onderling te beslechten en juist deze strijd was die het zo'n kwaad deed, omdat de hele bureaucratie erdoor in het ongerede kwam. De Mandsjoes werden steeds brutaler en deden vanachter de Muur, die nu hún veilige verdediging was, geregeld invallen waarbij ze zelfs Peking konden bedreigen in 1629 en 1638. Wat een schrik dat moet hebben verwekt kan men zich slechts vaag voorstellen. De Heilige Stad van de keizers bedreigd door de Mongoolse erfvijand, het was iets dat men slechts uit de geschiedenis kende en uit nachtmerrieachtige verhalen! Het één leidde tot het ander. De belastingen waren ondragelijk zwaar om het leger te kunnen betalen; de conscriptie eiste zoveel jonge mannen dat het voor de bevolking een ware ramp

83. Tau-ti masker in steen.

werd. Overal staken rebellen en oproerkraaiers de kop op en de zwakke regering kon er niets tegen doen.
Er kwam een einde aan toen in april 1644 Peking veroverd werd door de rebel Li Tzoe-tsjeng. De Chinese opperbevelhebber aanvaardde hulp van de Mandsjoes om de rebellen uit Peking te verdrijven en haalde daarmee het paard van Troje binnen. Want nu kwamen de Mandsjoes op de aloude troon van China!
De eens zo machtige Ming-dynastie ging tenonder in een ware hecatombe. Twee van de zonen des keizers slaagden er in om vermomd als eenvoudige boeren te vluchten. Zij hadden geluk; de rest van de familie was een afschuwelijk lot beschoren. De keizer was kennelijk gek van angst geworden en wist in zijn wanhoop niet meer wat hij doen moest. Hij ontrukte een paleiswacht een zwaard en stak er in het wilde mee rond. Het eerste slachtoffer was een van zijn concubines; daarna werden twee dochters gedood. De keizerin had zich opgehangen liever dan een zo schrikwekkende toekomst tegemoet te gaan. Ten slotte ging de keizer met een van zijn eunuchen naar een heuvel achter het paleis, de Kolenheuvel genaamd omdat daar de kolenvoorraden van het keizerlijk paleis waren opgeslagen. Maar ten tijde van de laatste Ming-keizer was het allang geen kolenheuvel meer maar een mooi park vol bomen. Aan een van deze bomen, die er nog altijd staat, hing de keizer zich op...

HOOFDSTUK 83

KEIZER YOENG-LO HIELD NIET VAN HET ZUIDEN

Toen keizer Yoeng-lo als nummer drie van de Ming-dynastie aan de regering kwam was het hof in Nanking gevestigd. We zijn keizer Yoeng-lo overigens al eerder tegengekomen, maar toen heette hij nog de prins van Yen, zetelde hij in Peking en was hij een oom van de nog zeer jeugdige toenmalige keizer. Behalve de naam Yoeng-lo droeg de keizer ook de naam van Tsjeng-tsoe.
Yoeng-lo werd prins van Yen in het jaar 1370, toen hij tien jaar oud was. Hij heette toen nog Tsjoe-ti, maar we weten zo langzamerhand al lang dat het met die Chinese namen niet eenvoudig is. Om verwarring te vermijden zullen we hem dus maar Yoeng-lo blijven noemen, de naam waaronder hij het best bekend is. Yoeng-lo was de vierde zoon van de keizer, dus het zag er niet naar uit dat zijn kansen om ooit op de troon te komen groot waren. Zijn vader keizer Hoeng-woe en diens oudste zoon, prins Tsjoe-piau was natuurlijk de kroonprins. Toen overleed deze prins in 1392 en de keizer koos als zijn troonoopvolger zijn kleinzoon, prins Tsjoe Yoen-wen, maar dit was beslist niet naar de zin van Yoeng-lo. Hij vond zich zelf oneindig beter geschikt om als Zoon des Hemels op te treden en de geschiedenis heeft hem nog gelijk gegeven ook! In 1398 stierf keizer Hoeng-woe en dit was de mooie gelegenheid waarop Yoeng-lo zo lang gewacht had. Veilig in het noorden in zijn eigen stad Peking – die toen nog Peiping heette – had hij kans gezien verbonden te slui-

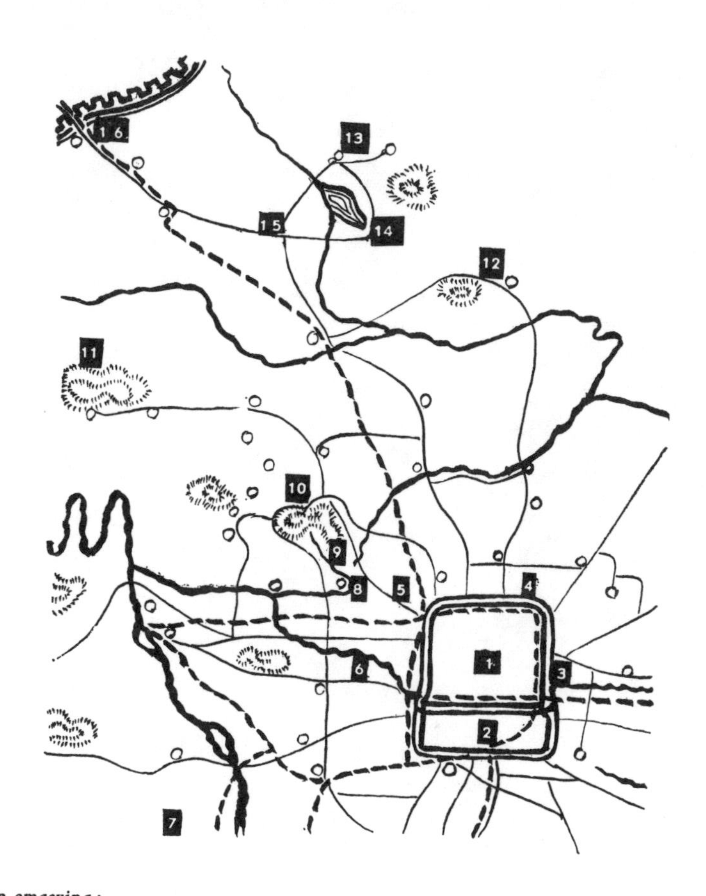

84. Peking en omgeving:
1. Binnenstad; 2. Buitenstad; 3. Zonne-altaar; 4. Tempel der Aarde; 5. Planetarium (en dierentuin); 6. Poel van de Jade Afgrond; 7. Tsjoe-koe-tjen, Heuvel van de Kippebeentjes, vindplaast van de Pekingmens; 8. Purperen Bamboehof; 9. Zomerpaleis; 10. Heuvel van de Jadebron; 11. Tsjoei-feng bergen; 12. Tang San; 13. Vallei met de Mingtombes; 14. Ming Waterreservoir (modern); 15. Tsjang Ping; 16. Grote Muur.

ten met vele machtige naburen niet alleen, maar ook met invloedrijke keizerlijke ambtenaren van de hoogste klasse. Bovendien wist hij zich verzekerd van de medewerking der keizerlijke eunuchen. Yoeng-lo ging met zijn legers op weg. Hij veroverde de ene landstreek na de andere, waarbij hij grote gebieden volkomen platbrandde als de inwoners hem niet terwille waren. En zo arriveerde hij ten slotte in 1402, vier jaar nadat hij zijn opmars begonnen was, voor de muren van Nanking en begon de belegering. Nu was Nanking door de eerste keizer van de Ming-dynastie geheel gemoderniseerd en opnieuw versterkt. Een muur van vijftien meter hoog, tien meter dik aan de voet, beschermde de stad. Er waren dertien poorten die toegang gaven, maar deze waren bijna onneembaar. Een tweede muur omgaf de eerste. Binnen de eerste muur lag het prachtige keizerlijke paleis, dat door keizer Hoeng-woe gebouwd was.
Bijna een jaar had Yoeng-lo nodig eer hij de stad in 1403 kon binnentrekken en zich zelf

85. Keizer Yoeng-lo.

uitroepen tot keizer van China. Hij begon meteen met de nodige reparaties en uitbreidingen van Nanking, maar het voornaamste monument dat hij liet oprichten was de beroemde Porseleinen Pagode, die in 1403 gebouwd werd. Deze pagode wijdde de keizer aan de deugden van zijn moeder. Het was een prachtig bouwsel, want de bakstenen kern werd helemaal bekleed met glanzend witte tegels van het allerfijnste porselein. En negen daken van verglaasde heldergroene pannen markeerden de negen verdiepingen, waarvan de hoogste 87 meter was!

Yoeng-lo kon maar niet aan Nanking wennen! Of de stad hem niet beviel, of dat hij terugverlangde naar het verre noorden met zijn zoveel koeler klimaat, wie zal het zeggen? In ieder geval trok hij in 1421 naar Peking en vestigde daar voortaan zijn residentie, waarbij hij de stad verfraaide en vergrootte. In 1422 was hij daarmee klaar en Peking kon er op bogen de mooiste stad van China te zijn.

Door zijn regering kwam er een grote verandering in China, want Yoeng-lo was een man met grote ambities. Zo lijfde hij in 1407 Annam in, terwijl hij zijn campagnes tegen de immer dreigende Mongolen voortzette. Maar ook Japan betaalde voortaan tribuut en een tijdlang was zelfs de karavaanweg naar Moekden in handen der Chinezen.

Maar het merkwaardigste monument dat Yoeng-lo naliet was een reusachtig literair werk, het *Yoeng-lo ta-tjen*, een soort van encyclopedie van maar even 11095 delen, verdeeld in 12877 hoofdstukken. In dat boek, geschreven tussen 1403 en 1408, stond nu letterlijk alles te lezen wat van belang was en wat in schrift ooit verschenen was. Natuurlijk schreef Yoeng-lo dat boek niet zelf. Hij vertrouwde het toe aan een groot aantal geleerden van naam. Maar gezien de zeer grote eruditie der Chinese keizers zullen we toch wel kunnen aannemen dat ook hij er wel hier en daar debet aan zal zijn geweest.

HOOFDSTUK 84

WEG MET DE KONING VAN PALEMBANG

In het jaar 1405 hees een Chinese armada, onder bevel van de keizerlijke eunuch Tsjeng-ho, ook wel Sen Pau genaamd, de zeilen en zette koers naar Indonesië waar een Chinese avonturier zich zelf had uitgeroepen tot koning van Palembang, wat volkomen in strijd was met de waarheid of zelfs maar de wenselijkheid. De armada van de dappere eunuch telde niet minder dan 62 schepen, bemand met 28 000 man! Het was niet gemakkelijk. Tsjeng-ho had niet minder dan twee jaar nodig om die koning van Palembang te onderwerpen en gevankelijk mee naar Peking te voeren, maar met dit geslaagde oorlogsfeit maakte hij nog meer naam dan hij al bezat.
Tsjeng-ho was een zeer merkwaardig man aan het hof van een merkwaardige keizer. Volgens beschrijvingen uit zijn eigen tijd was hij „buitengewoon knap van uiterlijk: hij had schitterend witte tanden, een grote stem en de manier van lopen van een tijger." Een oude vriendschap bond Tsjeng-ho met keizer Yoeng-lo, aan wiens hofhouding hij verbonden was. Bovendien was het een opwindende tijd, want er was nog niet zo heel lang een nieuwe dynastie aan het bewind.
Tsjeng-ho's vader was een moslim, een hadji zelfs die naar Mekka was geweest. Om een of andere reden had hij zijn zoon Tsjeng-ho tot eunuch laten maken en zond hem naar het hof waar men hem wel zou kunnen gebruiken, aangezien daar altijd honderden, zo geen duizenden eunuchen in dienst waren. Het hof zetelde toen nog in Nanking en Tsjeng-ho werd al gauw een vriend van een van de zonen van de eerste Ming-keizer. Deze zoon werd uitgeroepen tot vorst van Yen en Peking was de hoofdstad van Yen. De nieuwbakken vorst trok naar zijn nieuwe rijk en nam zijn vriend Tsjeng-ho natuurlijk in zijn hofstoet mee, want reeds toen blonk de jongeman uit niet alleen door zijn knappe uiterlijk, maar ook door zijn buitengewoon diplomatieke gaven en zijn groot verstand. De vorst van Yen werd uiteindelijk de derde Ming-keizer en ontving zijn regeringsnaam Yoeng-lo; nu kwam voor Tsjeng-ho een gouden tijd, waarin hij al zijn zucht naar avontuur kon uitleven. Hij begon dus met het vangen van die koning van Palembang.
De zegenvierende Tsjeng-ho keerde naar Peking terug, werd daar danig bewierookt en kreeg een nieuwe opdracht. Hij moest naar Ceylon om daar te offeren in een van de zeer beroemde boeddhistische tempels en om er een monument te bouwen dat nu nog bestaat. Twee jaar later was hij weer terug. Hij rustte een paar maanden uit, organiseerde een vloot van 48 schepen, ging op expeditie – waarheen is niet bekend – en kwam in 1411 weer in Peking, dat nu de hoofdstad van het rijk was, terug.
Hij kreeg drie jaar om uit te rusten en de keizer te helpen bij het oplossen van allerlei zo op het oog onontwarbare problemen. Maar uiteindelijk was Tsjeng-ho toch zeeman in hart en nieren. Hij vroeg en kreeg een nieuwe opdracht. Dit maal ging hij met een diplomatieke missie naar Perzië en op de terugreis kreeg hij en passant nog een uitnodiging om een netelige kwestie op te lossen in Sumatra, waar ruzie heerste in het vorstenhuis. Tot ieders genoegen vond hij een redelijke oplossing waarbij alle lange tenen gespaard werden en niemands gezicht verloren ging. Tijdens deze lange reizen legde Tsjeng-ho overal contacten

voor de toekomstige handel van China met deze verre landen. Toen Tsjeng-ho dan ook wederom naar Perzië ging nam hij een enorme lading zijde stoffen en porselein mee en keerde terug met prachtige Arabische paarden, juwelen en andere begerenswaardige zaken, die gretig aftrek vonden aan het hof.

De vijfde reis van Tsjeng-ho – hij was inmiddels een oud man geworden – voerde hem helemaal naar Afrika en ditmaal nam hij niet alleen handelswaar mee, maar ook wetenschapsmannen, artsen, ingenieurs en handwerksmannen. Drie jaar bleef hij weg, waarna hij terugkeerde via Perzië, dat hij zeer bewonderde. Bij zijn terugkeer vernam hij het droevig nieuws dat keizer Yoeng-lo gestorven was en voor Tsjeng-ho betekende dit eindelijk rust na dertig jaar reizen.

Tsjeng-ho was een van die mannen die China en China's beschaving uitdroegen naar de rest van de wereld. Hij genoot de naam van strikt eerlijk te zijn en vaak werd zijn hulp ingeroepen om moeilijke kwesties te onderzoeken of advies te geven. Vorsten van tribuutplichtige landen die niet langer wensten te betalen hadden aan hem geen gemakkelijk heer. Als praten niet hielp nam hij hen kort en goed mee naar Peking om „eens te komen praten". Meestal gingen ze dan geheel genezen van opstandige gedachten terug naar hun eigen land.

Tsjeng-ho is zonder meer de grondvester van het Chinese handelsverkeer ter zee geweest, want waar *hij* was voorgegaan volgden spoedig de anderen en Chinese zijde en Chinees porselein vonden hun aftrek door geheel Azië. Het is maar goed dat deze eunuchzeekapitein niet heeft meegemaakt hoe na de instorting van de decadent geworden Ming-dynastie de deur tussen China en de wereld weer dichtviel om plaats te maken voor een isolationistische politiek en zelfs een totaal verbod van emigratie en buitenlands contact.

HOOFDSTUK 85

LOTUSVOETJES VOOR DE VROUWEN

Wie het eerst de afschuwelijke gewoonte heeft bedacht om Chinese vrouwen de voeten te binden zodat ze tot het eind van hun leven op twee misvormde benen moesten rondstrompelen is niet bekend. Wel bestaat er een legende die het vreemde feit moet verklaren, dat aan het einde van de 10de eeuw in zwang kwam en al spoedig door iedere vrouw die zich zelf respecteerde werd nagevolgd, wilde ze niet doorgaan voor ouderwets of niet modieus. In China regeerde keizer Li Yoe, dichter en dromer en minnaar van vrouwelijk schoon zoals de meeste keizers. Zijn concubine was zo trots op haar mooie kleine voetjes, die toen net zo bewonderd werden als nu, dat ze op middelen zon om deze nog kleiner te maken. Ze vond er een manier op. Ze voorzag zich van ellenlange zwachtels, kommen heet water en een goede kamervrouw. Eerst weekte ze haar voetjes in het warme water zodat ze zacht en soepel werden. Toen vouwde ze alle tenen, op de grote na, naar beneden onder haar voet zodat ze in de richting van haar hiel wezen. De grote teen echter vouwde ze omhoog

86. Vier van de acht boeddhistische symbolen van het Geluk.

en daarna werd de hele opgevouwen voet stevig gewikkeld in repen linnen die strak werden aangetrokken. Blijft men dit proces nu maar jaren volhouden dan wordt de voet inderdaad tot een klompje, dat de vrouw noodzaakt zich met stijve knieën voort te bewegen en haar tegelijk veroordeelt tot een martelende pijn, die net zo lang aanhoudt tot de voet vergroeid is en gevoelloos, dat wil zeggen een jaar of twintig... Vaak sterft de voet ook nog af door de gebrekkige bloedsomloop, waarna deze geamputeerd moet worden.
Maar keizer Li Yoe was hoogst verrukt van de voetjes van het mooie vrouwtje, zó verrukt dat hij een reusachtige gouden lotus liet maken waar ze op kon zitten in haar satijnen gewaden. Het was de bedoeling dat de puntjes van haar voetjes links en rechts boven de blaadjes van de lotus uitstaken, zodat deze iets hadden van de punten van de maansikkel, althans volgens de hopeloos verliefde keizer. En wat een keizerlijke concubine doet, doet iedere modieuze hofdame die niet achter wil blijven natuurlijk ook, vandaar dat deze dwaze, eigenlijk misdadige mode die gezonde vrouwen tot invaliden maakte, als een laaiend vuur om zich heen greep en generaties kleine meisjes tot de vreselijkste folteringen veroordeelde. Zeven eeuwen lang bonden de Chinese vrouwen hun voeten! Toen kwamen de Mandsjoes, die er niets van wilden weten en die het hun eigen vrouwen ten strengste verboden. Maar die dwaze dames vonden de Chinese vrouwen zó mooi en die waren inderdaad zoveel meer ontwikkeld dan de primitievere Mandsjoevrouwen, zelfs die van hooggeplaatste mannen, dat ze er alles voor zouden doen – behalve voetenbinden – om ook zo door het leven te kunnen strompelen! Met te kleine schoentjes en heel hoge hakken kon een vrouw met een van nature kleine voet toch een heel eind komen!
Het voetbinden is verboden sinds China een republiek werd en moderne, verlichte mensen hielden zich daaraan. Maar nog altijd kan men in Peking oudere dames zien voortstrompelen op voeten in zijden schoentjes, die nog het meest op hoefjes lijken, de akelige overblijfselen van wat eens de grootste schoonheid was: het lotusvoetje.

HOOFDSTUK 86

DE KEUZE VAN EEN KEIZERIN

Dat een keizer van China getrouwd moest zijn is niet verbazingwekkend. Alleen een keizerin kon een erfgenaam baren die het waard was om de Hemelse Troon te bezetten. Naast de keizerin was er natuurlijk een ontelbaar aantal concubines van iedere rang en stand, plus de vrouwen en meisjes die de Zoon des Hemels om politieke en andere redenen werden aangeboden.

Dat men bij de keuze van een keizerin niet over één nacht ijs ging spreekt vanzelf, maar hóe voorzichtig men hierbij te werk ging blijkt uit de keuze van keizer Sji-tsoeng die, zestien jaar oud, bij de dood van zijn voorganger in 1621 een bruid zocht. Door heel het reusachtige keizerrijk verspreidden zich de boodschappers die omriepen dat alle mooie en bovenal deugdzame meisjes tussen dertien en zestienjaar oud in aanmerking konden komen. Uit al die meisjes – hoeveel zullen het er wel geweest zijn...? – zochten de eunuchen die met het uitzoeken belast waren er vierduizend uit. De volgende dag kwamen twee oppereunuchen in het geweer die verslagen moesten maken van het uiterlijk der meisjes: de lengte van hun neus en hun voeten, de kleur van hun haar, de tengerheid van hun middeltje. Ook de stemmen werden gecontroleerd op goede uitspraak en zuivere klank. Er bleven tweeduizend meisjes over en die moesten tonen dat ze goed konden lopen, dat wil zeggen sierlijk, op hun lotusvoetjes. Weer vielen er duizend af en het restant werd gebracht naar de binnenste hoven van het paleis, waar discrete oudere dames hen ten slotte van top tot teen onderzochten op het allerkleinste schoonheidsfoutje. Van de driehonderd die overbleven werd nu geëist, dat zij paleisdiensten zouden verrichten opdat men achter hun karakterfouten kon komen, die bij dergelijk werk wel voor de dag zouden treden. Na een maand waren er nog maar vijftig meisjes over en deze kregen allemaal de rang van Keizerlijke Concubine. Maar nu moest nog de mooitste, de knapste en de liefste worden uitgezocht. Volgens de oppereunuch was dat het meisje Kostbare Parel; hij zette haar dus op de lijst als nummer één. Deze lijst ging naar de keizerinweduwe, die de meisjes keurde op ontwikkeling en kunstgevoel. Er bleven uiteindelijk drie meisjes over, waarvan Kostbare Parel er één was. De twee anderen heette Wang en Toean.

Maar toen kwam er een kink in de kabel door de onvermijdelijke paleisintriges. De keizerin weduwe raadde de keizer aan om Kostbare Parel te kiezen tot keizerin, niet in het minst omdat zij *achtendertig* tanden en kiezen had. Maar er was er nog één die de keizer van advies wenste te dienen, een grote rivale van de keizerinweduwe, een zekere mevrouw K'o, de pleegmoeder van de keizer. Deze mevrouw K'o was een slechte vrouw, dol op macht en intriges. Bovendien was ze jong en mooi genoeg om meteen vreselijk het land te krijgen aan Kostbare Parel. Kort en goed zei ze tegen de keizer: „Voor een meisje van vijftien is ze veel te dik. Naarmate zij ouder wordt zal dat er niet beter op worden. Ze is niet onknap in zekere zin, maar ze is absoluut ongeschikt voor keizerin".

Maar jammer genoeg voor mevrouw K'o was de keizer meteen betoverd door Kostbare Parels schoonheid, al vertelde zijn pleegmoeder hem steeds weer dat het meisje Wang de enige was die in aanmerking kon komen. De keizer vroeg nog eens raad aan de keizerinweduwe – zoals de gewoonte was – en het werd uiteindelijk toch Kostbare Parel. De twee andere meisjes kregen eretitels. Wang werd de Deugdzame Concubine en Toean werd Zuivere Concubine. De keizer vierde met veel pracht en praal zijn huwelijk en ging steeds meer van zijn Kostbare Parel houden, zoveel zelfs dat hij haar vader de titel gaf van Graaf van de Verheven Kracht!

Helaas was er geen geluk voor de arme Kostbare Parel weggelegd. Onder invloed van de oppermachtige eunuchen en de verfoeilijke mevrouw K'o werd de keizer, die een heel zwak karakter had, tegen haar opgehitst, ofschoon een tijdlang de zachte aard van Kostbare

Parel de keizer toch weer tot haar terugvoerde. Uiteindelijk kon ze niet meer tegen de afschuwelijke intriges op. Ze pleegde zelfmoord om er een einde aan te maken...

HOOFDSTUK 87

HAROEN-AL-RASJID IN PEKING

Ieder land schijnt wel eens een keer een heerser te hebben bezeten met de eigenschappen van een Haroen-al-Rasjid, die meer kennis wenste te verwerven omtrent zijn volk. In China is dat een keizer uit de Ming-dynastie geweest. Hij heette Tsjang-te. Deze fraaie naam betekent Orthodoxe Deugd. Ondanks deze naam was de keizer echter niet zo braaf als men zou vermoeden. Hij was uitermate verkwistend en op zijn zachtst gezegd een schalk waar het de dames betrof, maar daarnaast bezat hij zucht voor avontuur en een onlesbare nieuwsgierigheid. Dit dreef hem er toe – overigens tot wanhoop van zijn hofhouding – om er op geregelde tijden onverhoeds en onbemerkt tussenuit te trekken, slechts begeleid door een vertrouwde eunuch en een bewaker en zich zó onder het volk te begeven, om te onderzoeken hoe dat nu eigenlijk leefde.

Bij een dergelijke escapade kwam de keizer terecht in Sjuan-hoea foe, een stad op 200 km van Peking gelegen. In die stad woonde een wijnboer en zijn heel mooie dochter van zeventien, die Zuster Feniks heette. Onnodig te vertellen dat het meisje de schoonste van de stad was en deswege beroemd. Bovendien was ze zeer deugdzaam, wat de keizer bemerkte toen hij, langs de wijnwinkel lopend en het meisje ontdekkend, naar binnen ging en om een glas wijn vroeg. Zuster Feniks bracht het gewenste en de keizer greep haar beet en bracht haar naar een binnenkamer, daar hij haar aanzag voor een courtisane. Natuurlijk schreeuwde Zuster Feniks hard om hulp, maar de keizer fluisterde haar in het oor: „Ssst! Wij zijn de Zoon des Hemels. Vertrouw je aan Ons toe en dan zul je voortaan rijk en machtig zijn". Nu had de brave Zuster Feniks de laatste tijd geheimzinnige dromen gehad, waarin zij zich zelf zag als een blanke parel die werd weggedragen door een goddelijke draak. Het was dus wel duidelijk welk verheven lot voor haar was weggelegd, vooral toen de keizer tot zijn vreugde ontdekte dat ze geen courtisane was maar een deugdzaam meisje. De keizer onthulde ook aan haar vader wie hij was en iedereen in de buurt viel op de knieën en bewees

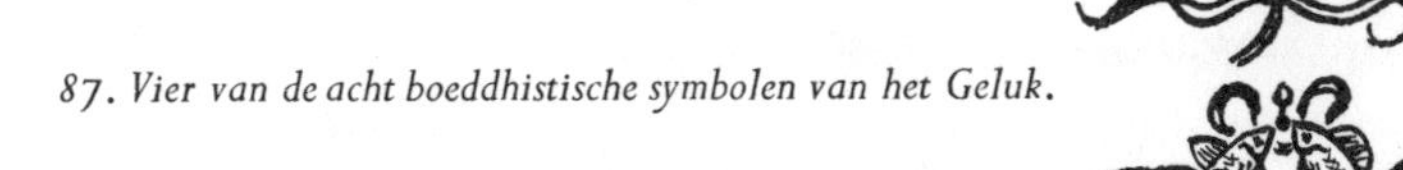

87. Vier van de acht boeddhistische symbolen van het Geluk.

de keizer eer. De keizer gaf de goede wijnhandelaar duizend onzen goud en wilde Zuster Feniks meenemen naar zijn paleis, waar ze prachtige vertrekken zou krijgen in de vleugel der concubines. Hij bood aan haar te verheffen tot Keizerlijke Concubine van de Tweede Rang, maar Zuster Feniks wees het aanbod heel bescheiden af, want zo zei ze: „Uw nederige dienstmaagd zal slechts heel kort leven en zo'n erepositie zou haar dood slechts verhaasten. Maar in alle nederigheid smeek ik uwe majesteit om uw plichten weer op te nemen, snel aan het werk te gaan en weer naar Peking terug te keren".
De keizer willigde haar wensen in. Dag en nacht bleef Zuster Feniks aan zijn zijde; zij bediende hem aan tafel en deelde zijn vermoeienis en genoegens gedurende de hele lange reis naar de hoofdstad. Maar toen ze de Grote Muur bereikten brak er een verschrikkelijke storm los zodat de keizer en zijn gevolg onderdak moesten zoeken in een huis dicht bij de poort in de Muur. En toen zag Zuster Feniks iets heel griezeligs. Bij die poort stonden de beelden van de Vier Hemelse Koningen, die de ingang bewaakten en plotseling kwamen die vier beelden tot leven. Ze keken haar woedend aan en daar schrok ze zo van dat ze flauw viel. De Keizer droeg haar persoonlijk een tempeltje binnen en bleef bij haar tot ze weer bijkwam. Toen smeekte zij de keizer haar te verlaten omdat ze zeker wist, dat ze niet voorbestemd was om te wonen in de Verboden Stad, en omdat ze thuishoorde in haar eigen nederige wijnwinkel. Maar de keizer wilde haar niet laten gaan.
„Liever doe ik afstand van mijn keizerrijk dan van jou, mijn lief en zacht meisje", fluisterde hij.
Zuster Feniks snikte even. Ze keek hem lang en onderzoekend aan. Toen zuchtte ze diep en gaf de geest...
De keizer was verpletterd van smart. Hij liet Zuster Feniks begraven op de top van een bergpas, waar de gele aarde meteen sneeuwwit werd, omdat zelfs deze voelde welk een goede vrouw hier begraven werd. En de keizer kwam hiervan zo onder de indruk dat hij terugging naar Peking en daar een tijdlang goed regeerde.
Tot het avontuur hem weer lokte...

HOOFDSTUK 88

HOOFDSTAD VAN HET NOORDEN

Voor niet-Chinezen is de Chinese taal met al die korte klanken vaak een wanhoop en totaal onbegrijpelijk. Maar er zit natuurlijk wel degelijk een logische gang van zaken in. Zo zijn de voor ons moeilijke stadsnamen veel begrijpelijker als men een paar bepaalde woorden kent. Nemen we als voorbeeld de naam Peking. De lettergreep 'king' betekent niets anders dan hoofdstad en 'pe' is noord. Dus de hoofdstad van het noorden. Hetzelfde zien wij bij Nanking, wat hoofdstad van het zuiden betekent. De oorspronkelijke naam van Peking was Peiping; hier betekent 'pei' (pe) ook noord; de betekenis van deze naam is 'Vrede van het Noorden'. Deze naam Peiping werd weer gebruikt van 1928 tot 1949, toen de

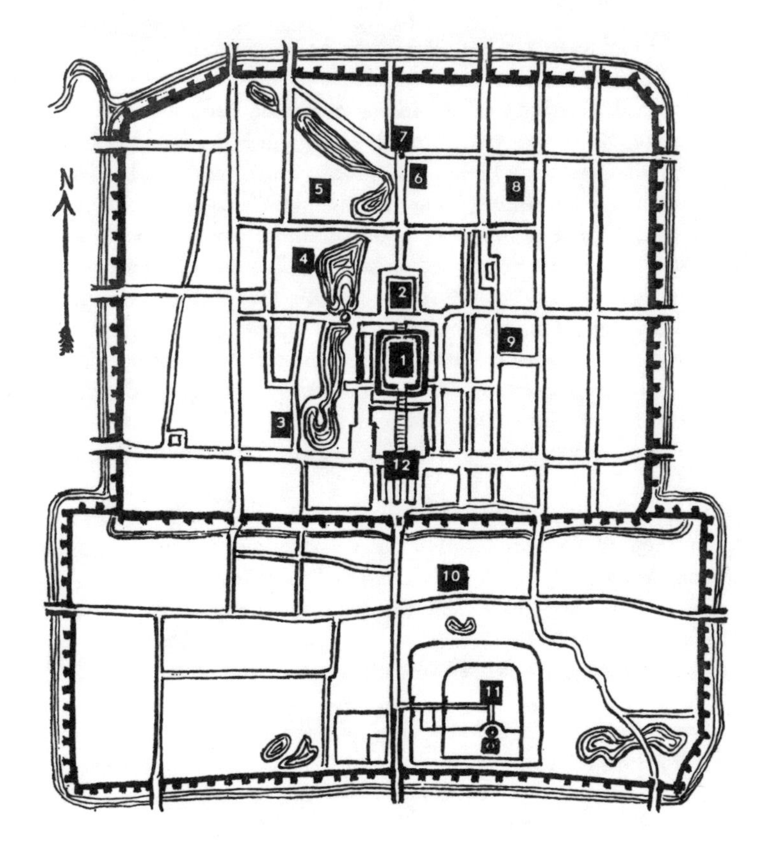

88. Peking:
1. Keizerlijke Stad (Verboden stad); 2. Kolenheuvel; 3. Zuid-meer; 4. Noord-Meer; 5. Tartaarse stad; 6. Trommeltoren; 7. Klokkentoren; 8. Binnenstad; 9. Binnenstad; 10. Buitenstad; 11. Tempel des Hemels.

officiële hoofdstad Nanking was, waar de nationalistische regering van Tsjang Kia-sjek zetelde.

Peking is al een heel oude stad. In de 12de eeuw v. Chr. heette ze Tsji en was ze de hoofdstad van het land Yen, een bufferstaat tussen het eigenlijke China en de Mongolen. Deze stad moet iets ten noorden van het huidige Peking hebben gelegen. Er lag met het oog op de invallende Mongolen altijd een groot garnizoen. Uit de 6de eeuw v. Chr. is bekend dat er duizenden paarden gestald stonden, gereed om direct gebruikt te worden.

De beroemde Eerste Keizer, die van de Grote Muur, liet Peking met de grond gelijk maken. Bij aanleg de van de Grote Muur verenigde hij een aantal bestaande verdedigingsmuren tot een reusachtig geheel, dat met een bocht om Peking heen liep op een afstand van ongeveer zeventig km. De weg naar Peking liep door een enorme grote en zwaar verdedigde poort. Dichtbij de puinhopen van het verwoeste Peking ontstond tijdens de Han-dynastie een nieuwe stad, die eerst de naam Yen, later de naam Joe-tsjou kreeg. Er zullen wel mensen gewoond hebben die erheen trokken in wat er van de oude stad was overgebleven en natuurlijk ook de nodige garnizoenen. Tot het einde van Han bleef de stad zonder meer Chinees, maar daarna werden de Mongolen de baas. Daar deze stad binnen de Muur hun zeer van pas kwam beleefden ze een goede tijd. Met de T'ang-dynastie werd de stad weer helemaal Chinees. Aangezien hier een van de hoofdpunten van de defensie kwam te liggen, kwam er een geweldig garnizoen en werd de stad ook het hoofdkwartier van de militaire goeverneur. In het begin van de 10de eeuw viel Peking weer in handen der Mongolen en alle pogingen van de Soeng-dynastie om haar terug te krijgen leden schipbreuk op de ontzaglijke versterkingen er omheen en de taaie wil der Mongolen om haar niet meer uit handen te geven. De Mongolen noemden de stad Nan-tsjing (Nanking) de zuidelijke hoofdstad – voor hén was ze dat natuurlijk, want hun rijk lag in het noorden – en zij legden er wallen en muren omheen met een omtrek van 20 km en een gemiddelde hoogte van tien meter.

In 1122 brak er een nieuwe periode aan. De stad was nog steeds Mongools bezit, maar uit Mandsjoerije kwamen de 'Gouden Horden' uit de noordelijke steppen. Ze namen de stad in, vestigden zich daar en maakte haar tot een prachtig en rijk geheel. Met Kaifeng in de provincie Honan en Sjen-yang (nu Moekden) behoorde Peking tot de drie hoofdsteden van het geweldige rijk dat daar nu stond. Toen kwam Koeblai Khan, die sterker was dan welke Mongool, Mandsjoe of Tartaar ook. Hij riep de stad tot hoofdstad van zijn rijk uit, uitstekend centraal gelegen als ze was en dus ideaal voor zijn doel.

Koeblai Khan was de Groot-khan, die regeerde over een ontzaglijk Mongools rijk, maar een Chinese keizer werd hij natuurlijk niet. Koeblai begon meteen de stad te moderniseren naar zijn eigen smaak. Ze werd groter dan ooit en kreeg de naam Khanbalikh, ofschoon de Chinezen haar Ta-toe bleven noemen. We hebben al gelezen hoe rijk en vol pronk de stad werd opgebouwd en versierd, maar ook de defensieve waarde was groot. Muren van zeventien meter hoog, vijf meter dik en slechts op drie punten voorzien van één toegangspoort, moesten haar beschermen. De stad bleef 150 jaar lang een Mongoolse stad en kwam toen weer in Chinese handen met de Ming-dynastie. Het was een pracht van een erfenis die de nieuwe Chinese keizers kregen. Goede wegen verbonden Peking met andere belangrijke steden en een kanaal liep naar de Yang-tse, via de Hwang-ho en het Grote Kanaal van keizer Yang.

De Ming-dynastie koos niet meteen Peking tot hoofdstad. Het was de derde keizer die dit deed. De stad kreeg toen de definitieve naam Peking. Dit verwisselen van hoofdstad had strategische redenen. De Mongolen bleven altijd lastig en de Mandsjoes werden steeds sterker. Het goed verdedigde Peking kon vele doelen dienen en dus werd de troon daarheen verplaatst. Maar in 1644 bleek Peking toch niet sterk genoeg. De Mandsjoes trokken China binnen en vestigden een nieuwe, de Tsj'ing-dynastie. Ze verlegden hun hoofdstad van Moekden naar Peking. Wederom kon men dus spreken van een Mongoolse stad. De Mandsjoes namen, zoals altijd bij vreemde overheersing gebeurd was, de Chinese beschaving maar al te graag aan.

Het verging de Mandsjoe-dynastie als alle vorige. Na een goed begin degenereerde zij. In 1911 kwam er een einde aan het geslacht. De laatste Mandsjoe-keizer leeft nu als botanicus in Peking als iedere andere burger van China.

In 1928 was Peking weer eens hoofstad af. In 1949 koos de communistische regering haar weer tot zetel van de regering en hoofdstad van de grootste staat van de wereld, een staat met om en nabij de 700 000 000 inwoners. Alleen zit er nu geen keizer meer op de aloude troon van de Zoon des Hemels.

HOOFDSTUK 89

PRACHT EN PRAAL

In China zijn bijna alle steden eeuwen oud. Peking is het ook, maar door de bewogen geschiedenis en door het feit dat daar heel lang de keizerstroon stond is Peking interessanter dan welke stad ook. Twee keizersdynastieën, de Mongolen (Yuan) en de Mandsjoes (Tsj'ing) hebben er een onuitwisbaar stempel op gedrukt. Peking is bij uitstek een Ming-stad, zoals Hangtsjou bij uitstek een Soeng-stad is.
Peking bestaat in principe uit twee steden. De buitenste stad staat bekend als de Chinese stad en stamt van ná de Yuan-dynastie. Deze stad ligt ten zuiden van de Binnenste of Tartaarse stad van de Yuan-dynastie zelf. Beide zijn ommuurd. De binnenste stad is het werk van Koeblai Khan, de buitenste is de schepping van keizer Tsjia-tsing (1522–1566). De keizerlijke stad, of de Verboden Stad zoals deze ook vaak wordt genoemd, ligt in de binnenste stad. Het is een op zich zelf staand geheel, omringd door hoge rode muren, belegd met goudgele, geglazuurde pannen; binnen die muur strekken zich de grachten uit die het geheel omgeven en dáár binnen is weer een muur, iets minder geweldig dan de buitenste, die naar zijn dieprode kleur de stad haar naam Purperen Stad heeft gegeven.
Binnen de Purperen Stad staat het keizerlijk paleis, bestaande uit een aantal troonzalen, geweldige binnenhoven en de eigenlijke paleisgebouwen. Hier woonden de keizer en de keizerin, hun kinderen, hun hofhouding en al de concubines die de keizer had gekozen of ten geschenke gekregen. De pracht en praal van deze paleizen kan men zich nauwelijks voor-

89. De Tsjen Men Poort, een van de buitenpoorten van Peking.

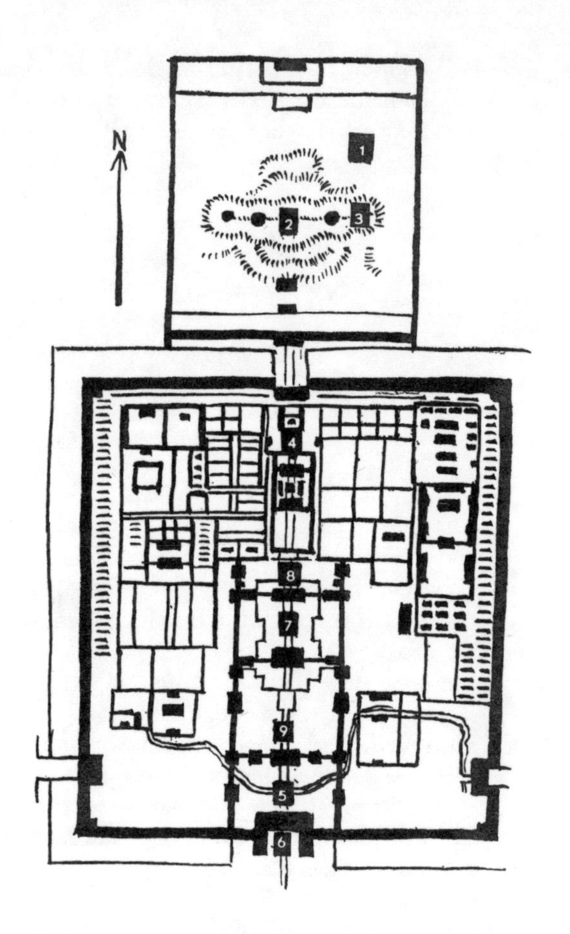

90. De Verboden Stad:
1. Kolenheuvel (Tsjing-sjan); 2. Hoofdpaviljoen (Wan Tsjoeng Ting); 3. Plaats waar keizer Tsjoeng Tsjen zich ophing; 4. Keizerlijke tuin; 5. Riviertje 'Het Gouden Water' met de vijf bruggen; 6. De Woe-men Poort; 7. Paleis van het Behoud van de Harmonie; 8. Paleis van de Hoogste Harmonie; 9. T'ai Ho Men Poort.

stellen! De daken van de gebouwen zijn gedekt met glanzende goudgele dakpannen. De daknokken wippen aan de punten omhoog en daar rijden als mannen te paard grillige beelden van de oorlogsgod Kwan-ti, van tijgers, van draken, van eenhoorns of andere dieren, die alle de taak hebben de bewoners te behoeden voor boze geesten. Binnen zijn de gebouwen schemerig door de van papieren 'ruiten' voorziene vensters en deuren. Gelakte zuilen, rood en goud, schragen de kleurige zolderingen, die al naar de bestemming gesierd zijn met de vijfklauwige draak van de keizer of de sierlijke feniks van de keizerin. De vloeren zijn van marmer, gepolijst door de vilten zolen van de honderdduizenden mensen die hier voortschuifelden. Onder de schemerige zoldering lijkt nog het gefluister te hangen van de

hofintriges; het gegiechel van de mooie vrouwtjes in zijde en satijn achter de weelderige gordijnen die haar vrijwaarden voor indiscrete blikken. In één vertrek staat nog het brokaten bed van een keizerin; in een immense keuken de potten waarin de keizerlijke koks hun verrukkelijke maaltijden klaarmaakten.
De gebouwen zijn van elkaar gescheiden door uitgestrekte stenen binnenplaatsen. Hoge, witmarmeren trappen voeren naar de gebouwen, die op terrassen staan, ook weer omringd door fijn bewerkte, witmarmeren balustrades. Verguld bronzen bakken bevatten roze lotusbloemen en verguld bronzen wierookvaten deden geurige wolken zachtjes opstijgen naar de hemel. Helemaal achterin de stad lagen de keizerlijke tuinen vol bloemen, vol oeroude bomen en grillige, bontgekleurde paviljoentjes. Goudvissen zwommen in talrijke vijvers en bloemen bloeiden in strenge perken, ook weer omgeven door witmarmeren hekjes. Vandaag de dag verkeert het paleis nog in dezelfde staat als tijdens de Ming-dynastie. Men kan er zelfs nog de voormalige keizer zien zitten op een bankje in de zon! Maar nu huizen er soldaten in de keizerlijke bijgebouwen en de paleiszalen en grote ceremoniële hallen zijn een prachtig museum geworden waarin talloze schatten, uit het paleis afkomstig, te bewonderen zijn. Porselein, jade, gouden sieraden, antieke bronzen, zijden gordijnen, gewaden en tapijten, prachtige tekeningen en kalligrafie, alles wat de Chinese keizers in de loop der eeuwen optastten aan schatten staan nu in de glazen kasten uitgestald.
De plattegrond van het paleis is in opzet eenvoudig, in werkelijkheid heel ingewikkeld, want behalve de voornaamste gebouwen die elkander langs de hoofdas opvolgen zijn er uitgebreide complexen van kleine binnenplaatsen, eindeloze rijen kamers en steeds weer met een rechte hoek op elkaar uitkomende gangen en poorten, die de moderne mens volslagen in de war maken. Maar juist in die labyrinten, waar de concubines en mindere leden van de keizerlijke familie woonden, werden de intriges uitgebroed en de paleisrevoluties beraamd en uitgevoerd, die het lot van een hele natie radicaal konden veranderen.

HOOFDSTUK 90

LI MA-TOU DE ITALIAAN

Toen Matteo Ricci in 1552 geboren werd in Macerata zullen zij die om zijn wieg stonden wel nooit verwacht hebben dat hij zijn leven zou eindigen als een algemeen geacht Chinees in Peking.
Nadat Ricci zijn opleiding genoten had in Rome werd hij in 1571 opgenomen in de orde der Jezuïeten. Daarna studeerde hij wiskunde en geografie, tot hij zich in 1577 inscheepte om als missionaris naar India te trekken. Hij deed er een vol jaar over om in Goa te komen, waar hij enige tijd bleef. In 1582 werd hij naar Macao gezonden, het Portugese steunpunt in China. Vandaar ging hij een jaar later naar Tsjau-ting in de provincie Kwantoeng. Ricci was een buitengewoon ontwikkeld man, in zijn ideeën zijn tijd ver vooruit. Hij zag hóe ontwikkeld de Chinezen waren; hoe rijk hun literatuur; hoe oud hun beschaving. Hij

begreep, dat hij hier niet op de gewone manier te werk zou kunnen gaan maar dat hij zich wel degelijk op het standpunt zou moeten stellen, dat de Chinezen voor hem in niets onderdeden. Hij begint dus met de nieuwsgierigheid van de Chinezen op te wekken door dingen te tonen die zij nog niet kenden: klokken, westerse boeken, mooie schilderijen en dergelijke. Misschien hadden de Chinezen nog de meeste eerbied voor de ongelooflijke uitgebreide kennis van de missionaris; een kennis die hij graag met hen deelde. Toen kwam er, net toen alles heel goed liep, een nieuwe militaire goeverneur met een grote haat tegen iedereen die geen Chinees was. Maar zelfs met deze moeilijke figuur wist Ricci behendig om te springen. Als enige Europeaan kreeg hij toestemming Tsjau-ting te verlaten om zich te begeven naar een nieuwe standplaats, Sjau-tsjou in dezelfde provincie. Daar bouwde hij een kerk in Chinese stijl en hij maakte er talloze bekeerlingen. Maar Ricci had nog andere verlangens. Hij wilde naar Peking om daar de kroon op zijn werk te zetten!
Toen deed de Japanner Hideyosji zijn inval in Korea. Voor de Chinezen was dit een reden om alle vreemdelingen te gaan wantrouwen. Ricci slaagde er dan ook niet in verder te komen dan Nanking. Dat was in 1595. Twee jaar later zag hij opnieuw een kans om naar Peking te gaan, want een zeer hooggeplaatste ambtenaar, die Kwang heette, nodigde hem uit om mee te gaan en voor hem een kalender op te stellen. Maar weer lukte het niet. Ricci kwam wel vóór Peking, maar niet er in. Twee maanden lang verbleef hij buiten de poorten, tot hij wel inzag dat het hopeloos was. Toen ging hij zuchtend terug naar Nanking. In 1600 – hij gaf het niet gauw op – was hij weer terug, ditmaal in gezelschap van twee confraters, maar weer bleven de poorten dicht. Ditmaal was het de machtige eunuch Ma-tang, die een welgevallig oog liet vallen op de geschenken die de geestelijken voor de keizer meebrachten en die hij zelf wilde hebben. Maar de toen heersende keizer Wan-li had, jammer voor de eunuch, de roem van Ricci reeds vernomen en was heel nieuwsgie-

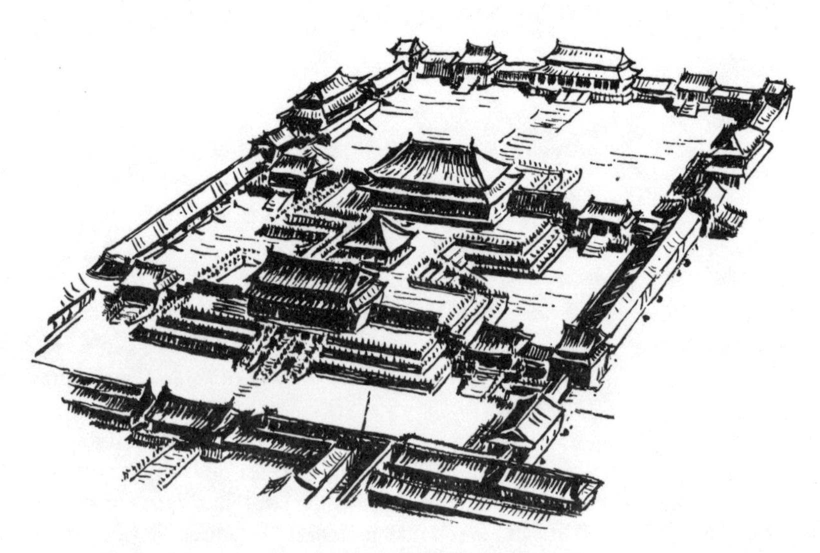

91. De drie Grote Hallen (San Ta-tjen) in de vroegere Verboden Stad te Peking (zie ook tekening 90).

rig naar deze merkwaardige man, die de taal van het land sprak alsof hij er geboren was. En dat kon – en kan! – van maar heel weinig Europeanen gezegd worden. Op 25 januari 1601 mocht Matteo Ricci persoonlijk zijn geschenken aanbieden en dit werd een zo belangrijk feit geacht, dat het vermeld werd in de geschiedschrijving van de Ming-dynastie! Ricci's ideaal was in vervulling gegaan. Hij kreeg verlof zich in Peking te vestigen en begon daar zijn bekeringswerk. In 1605 – dus na een verblijf van bijna vijf jaar – had hij zeventien bekeerlingen gemaakt! Hij stierf op 11 mei 1610 en bij keizerlijk decreet werd er een schitterende begrafenis gegeven aan de man, die algemeen zo gewaardeerd was. Ricci heeft twintig boeken geschreven, de meeste in het Chinees, en niet alleen over godsdienstige zaken maar ook over wetenschap en bovenal over vriendschap.
Het was goed dat hij uiteindelijk niet meemaakte hoe door allerlei omstandigheden enige jaren later de christenen werden vervolgd en verdreven. Voor de Chinezen zal hij altijd bekend blijven als Li (Ricci – de Chinezen kunnen geen r zeggen) Ma-tou (Matteo).

HOOFDSTUK 91

ZO ZIJN ONZE MANIEREN

Er is wel eens beweerd, dat de ontdekking van de wereld enkel en alleen aan de handel te danken is en daar steekt wel enige waarheid in. Zonder de handel had men geen verbinding gezocht met onbekende landen, want waarom zou men dat gedaan hebben? Ook China ontkwam niet aan de belangstelling van handelsmensen zoals we al gezien hebben. Maar dat men er in die vroege tijden wel heel merkwaardige opvattingen op na hield over wat wel en wat niet geoorloofd was bij wat wij eerlijke handel plegen te noemen, kan blijken uit het volgende. Het betreft hier de handel van Nederlanders in China en we citeren uit oude documenten. Eerst maken wij een banket mee, door de Chinezen aangeboden aan een Nederlandse handelsman:
„Een weynich daernaer sijn binnen gecommen, daer 5 taeffels met eeten gereet stonden. Eerst deede men een man voor hem commen, die werde gevat, de broeck af, ende 15 slaegen met 't hol van een gespoude bamboes gegeven; naer verstonden was om oorsaecke dat een taeffel eeten voor onse jongens te cort geschaft. Doen sijn reverentie gedaen (*plichtplegingen*) ende yeder een aen taeffel geset, daer reedelijck was geschaft. Nae zijn gedane reverentie heeft seer gediscoureert.
Naer dat wat geeten hebben heb ons afscheyt genommen, zijn te paert gaen zitten, gereeden ende aen boort gaen vaeren van de joncq, alwaer een mandorin vonden, die oock een schenckagie (*geschenk*) had, was 4 slechte damastiens (*damast*), 4 wayers, 6 paar schoenlinten, 1 vercken, 2 bocken, 40 pottiens Chinees bier, 40 waterlamoenen, 2 manden met soete coecxkens ende al de overschoote kost die voor ons op taeffel heeft gestaen; alsdoen heeft de mandorin syn afscheyt genommen ende naer lant gevaeren."
Dat het ook wel eens al te gortig kon toegaan naar de smaak der Nederlanders en vooral

omdat men bang was de Chinezen tegen zich op te zetten bewijst het volgende bericht betreffende begane snode daden:

„Des admiraels volck hadden een dach of twee te voren aan landt geweest ende de beest gespeelt met droncken te drincken. Waer sij den arack (*rijstbrandewijn*) op soo dorren plaets mochten gekregen hebben, wist hij niet, want hij hadde selfs, voor ongeluck vreesende, daer nae gevraecht, maer gheen connen becomen... Sij waren int' kerckjen (*de tempel*) gegaen ende hadden de beelden gehandelt, doch niet gebroken. Int' gesaeyde rijs waren se oock gheweest ende hadden wat neder getrapt... Hij bekeef oock de Chinesen, dat sij het volck arack verkochten, seggende, soo sij sulcx weder deden, dat hij haer niet en soude beclaeghen, maer selve daerop slaen (!)."

Ten slotte een gedeelte uit een brief van Jan Pieterszoon Coen, verzonden uit 'Jacatra' op 9 april 1622, een brief die ons een vrij onaangenaam beeld geeft van wat men toen verstond onder goede handelsmanieren:

„Vermits de Chinesen tegenwoordelijck een seer swaeren oorloch tegen den Tartar voeren, verscheijdene sware bloedige nederlagen becomen hebbende ende grooten vant lant onder malcander oneens zijn. Uytermaeten zeer voor de Japonders vreesende, schijnt het voor ons alsnu den besten tijt te wesen om de Chinesen met gewelt te dwingen ons een bequame plaetse omtrent haer custe te verleenen, daer met ons te comen handelen... om sulcx t'eerder ende te meer te vorderen verstaen wij noodich te wesen... om de Chinesen te quellen, dat groote rijck te berooven, meerdere vreese aen te jagen, (om) ons bekent te maecken."

HOOFDSTUK 92

PALEIZEN ONDER DE GROND

De oude Egyptenaren waren niet de enige die hun gestorven heersers bijzetten in ware ondergrondse paleizen. De Chinezen deden hetzelfde en van de onvoorstelbare pracht die er in die dodenhuizen heerste geven de bij Peking opgegraven tombes van de keizers uit de Ming-dynastie een uitstekend beeld. Er bestaan dertien van die tombes die tezamen de naam dragen van Sji San Ling, de Dertien Keizerlijke Tombes. Deze graven liggen bijeen in een dal met een oppervlakte van 40 km. Een bergketen sluit het dal aan drie kanten in; de vierde kant ligt open naar de vlakte van Peking, die men bereikt over een bergpas, die bewaakt wordt door de Draak- en Tijger-bergen.

Een indrukwekkende weg voert naar de tombes, een oeroude weg die regelrecht naar het het graf van de eerste keizer loopt. Dit graf heet Tsjeng Ling. Ling is het Chinese woord voor graf of tombe. Aan het begin van de weg staat een reusachtige marmeren poort, die 1500 meter verder wordt opgevolgd door de toegangspoort tot de tombe, de Rode Poort geheten, die een klein paviljoentje bevat waarin het vooroudertablet van de keizer staat opgesteld. Na de poort volgt een imposante rij marmeren dieren en mannen, alle twee aan twee opgesteld links en rechts van de weg. Er zijn 24 dieren en 12 mannen. Na die beelden komen er nog twee poorten: de Draken en Feniksen Poort en van daaruit ziet men het cypressenwoud waarin het graf gelegen is. Dat woud verbergt een heuvel, die een omtrek heeft van een kilometer. Deze heuvel is zichtbaar vanuit nog een heel stel voorgebouwen, maar dit boek is geen gids voor de Ming-graven dus slaan we die maar over. Onder de beboste heuvel ligt het onderaardse paleis van keizer Yoeng-lo, de eerste van de Ming-dynastie. De andere mausolea zijn op dergelijke wijze gebouwd maar ze zijn aanmerkelijk minder groot dan dat van Yoeng-lo. Dertien keizers en twintig keizerinnen vonden hun laatste rustplaats in tombes, waarvan de bouwtijd van twee tot dertig jaar varieerde. Met

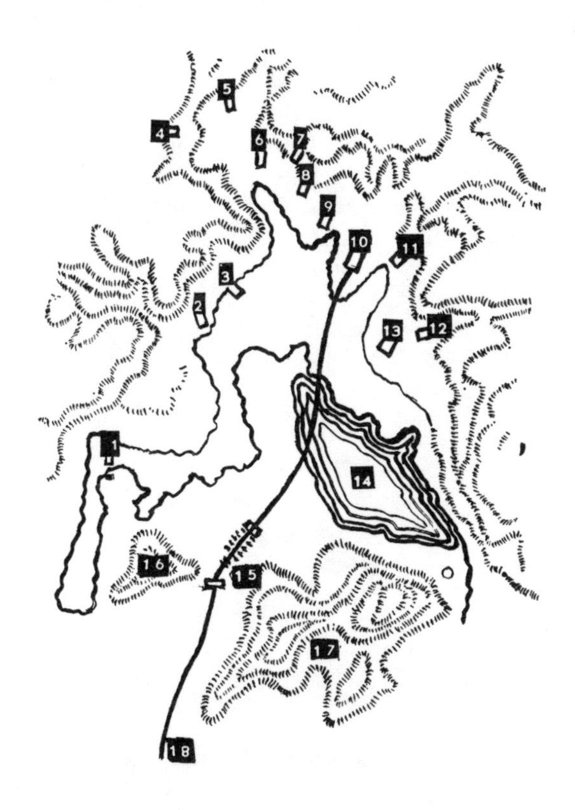

92. Kaart van de Ondergrondse Mingtombes:
1. Yoeng-lo; 2. Hoeng-sji; 3. Sjoean-té; 4. Tsjeng-toeng; 5. Tsjeng-hoea; 6. Hoeng-tsji; 7. Tsjeng-té; 8. Tsjia-tsjing; 9. Loeng-tsjing; 10 Wan-li; 11. Tai-tsjeng; 12. Tièn-tsji; 13. Tsjoeng-tsjeng; 14. Het moderne stuwmeer; Mingreservoir; 15. Zielenweg met stambeelden en poorten; 16. Tijgerberg; 17. Drakenberg; 18. Tsjang-ping.

de bouw werd reeds begonnen tijdens het leven van de heersers, opdat alles tot in de puntjes verzorgd zou zijn als zij tot hun voorouders geroepen zouden worden.
Het graf dat voor het publiek is opengesteld is dat van keizer Wan-li en zijn twee gemalinnen. Het heet het Ting Ling. Keizer Wan-li regeerde 48 jaar, van zijn tiende tot zijn achtenvijftigste. Hij begon met de bouw van het graf toen hij 22 jaar oud was. Niets kon de keizer tegenhouden bij dit werk. Opstanden, invallen van de Mongolen, oproeren hadden plaats, maar met de bouw van het Ting Ling, die schatten moet hebben gekost, bleef men rustig doorgaan.
Het mausoleum bevat in totaal vijf vertrekken, alle van steen gemaakt en diep onder de oppervlakte gelegen. Drie enorme hallen liggen achter elkaar. De middelste hal heeft links en rechts een zijvertrek, die oorspronkelijk voor de kisten der keizerinnen bestemd waren, maar die daarvoor niet gebruikt zijn. De drie roodgelakte houten kisten staan in het laatste vertrek op een verhevenheid. De grote van de keizer in het midden, de kleinere van de keizerinnen links en rechts. Prachtig blauw met wit porselein en een aantal roodgelakte kisten vol juwelen en kleren vulden de rest van de ruimte. De kleren en juwelen waren van de keizerinnen. De keizer had in zijn kist een prachtige gouden kroon die er nu nog uitziet of hij gisteren gemaakt is. Zelfs de stralendblauwe veertjes van de ijsvogel, die de sieraden zo sprookjesachtig maken, zijn nog intact en hebben hun volle kleur. Verder waren er jade gordels en gouden vaatwerk, prachtige borduursels en rollen zijde. De sieraden der twee keizerinnen, Sjiau Toean en Sjiau Tsjing, deden in weelderigheid en verfijnde bewerking niet onder voor die van de keizer. Met elkaar vormen ze een flauwe afstraling van het schitterende hofleven tijdens de Ming-dynastie.

93. De 'Perziken der Onsterflijkheid', behoed door een kraanvogel, de boodschapper der goden. Witte jade.

XIX

DE TSJ'ING-DYNASTIE

HOOFDSTUK 93

DE EEUWIGE VIJAND

Voor wij beginnen met de Mandsjoe-dynastie, die ook bekend staat als de Tsj'ing (Stralende)-dynastie, moeten we eerst iets meer vertellen over het volk, dat deze over het geheel goed regerende buitenlandse dynastie op de Chinese troon bracht. De naam 'Mandsjoe' is tamelijk modern, bezien in het licht van China's eeuwenoude geschiedenis; deze duikt pas op in de 16de eeuw, maar het volk zelf stond al vele eeuwen langer bekend als een van de geduchtste vijanden van het Hemelse Rijk. Lang voor onze jaartelling leefden ze in het noordoosten van Mandsjoerije onder de naam Oostelijke Barbaren. Later worden ze de Iloe genoemd en nog later treden zij op als Noe-tsji. Als zodanig veroverden zij in 1115 een groot deel van China in het noordoosten en stichtten zij de dynastie die wij reeds eerder ontmoetten, de Tsjin.

De Mongolen overmeesterden hen in 1234 en dreven hen terug naar hun stamland.

Toen kwam Noerhatsji aan het bewind en met hem kwam de naam Mandsjoes in zwang. Snel wist Noerhatsji zich op te werken van een niet onbelangrijke khan tot de verklaarde leider van alle stammen. In 1616 liet hij zich tot keizer van zijn land uitroepen, want nu was heel Mandsjoerije onder zijn beheer. En hij begon met wat zovele voor hem reeds gedaan hadden: grote en herhaalde invallen in China. Ondanks het feit dat hij vele veldslagen won slaagde Noerhatsji er toch niet in vaste voet in China te krijgen en hij stierf eer zijn ambities vervuld waren. Maar de geschiedenis was niet tegen te houden. De Mandsjoes waren weer geweldig sterk. Ze hadden goed getrainde en goed bewapende legers; in China was de Ming-dynastie duidelijk in verval. In 1644 viel eindelijk de grote slag. De Mandsjoes trokken China binnen en bezetten het land. Daarmee begonnen ze een verblijf van tweeeneenhalve eeuw in het land dat hen altijd als een gouden droom van weelde en welvaart had toegelonkt.

Evenals alle stammen van het noorden waren ook de Mandsjoes mongoloiden, ofschoon ze

sterk vermengd waren met ander volken. De Mandsjoes hadden een eigen taal die niets met het Chinees te maken heeft, en een eigen schrift dat totaal afwijkt van de Chinese karakters. Het Mandsjoes alfabet stamt merkwaardig genoeg oorspronkelijk uit Syrië. Ook tijdens hun heerschappij over China bleven ze hun eigen taal en schrift getrouw; zij hechtten te zeer aan de eigen waarden dat zij vermenging met de Chinezen, onder andere door huwelijken, zo streng mogelijk tegengingen, waardoor het Mandsjoe-ras vrij zuiver bewaard bleef, totdat aan het einde van de dynastie hiermee nogal eens de hand werd gelicht. Van origine waren de Mandjoes geen landbouwers, maar jagers en vissers, daar hun land niet bepaald geschikt was voor landbouw. Later werden ze veehouders en bedreven ze ook wel een uitermate primitieve landbouw, maar hun grootste en voornaamste bron van inkomsten en voedsel was het fokken van varkens. Varkens hadden bij de Mandsjoes altijd een belangrijke rol gespeeld in godsdienstige riten en talloze legenden; ter ere van dat dier droegen zij hun haar lang en stijf gevlochten tot een staart, die een varkenstaart moest voorstellen. Hiermee belanden wij bij de Chinese 'staarten'. Na de verovering van China eisten de Mandsjoes dat de bevolking ook staarten zou gaan dragen als teken van trouw. Aangezien dit een van de heel weinige eisen was die de Mandsjoes aan hun nieuwe onderdanen stelden en ze verder zich niet mengden in de oude zeden en gebruiken van het volk, gaf men hierin toe en voortaan droeg iedere manlijke Chinees de bekende lange staart, die soms werd doorvlochten met zijden koord en die vaak voor het gemak boven op het hoofd als een kabel werd opgeschoten en vastgestoken. Pas bij het aftreden van de laatste Mandsjoe-keizer werden de staarten voorgoed afgeknipt.
Nadat zij China hadden bezet gaven heel wat Mandsjoes er de voorkeur aan om naar het zoveel rijkere en comfortabele China te emigreren, terwijl ze hun bezittingen in Mandsjoerije alleen nog als vakantieoorden gebruikten of aan Chinezen verkochten, die wonderlijk genoeg met hun nieuwe heersers wilden ruilen van woonplaats. Het gevolg van dit vreemde verschijnsel was dat er niet veel later meer Chinezen dan Mandsjoes in het stamland van het nieuwe keizershuis woonden, en dat is nu nog altijd het geval.

HOOFDSTUK 94

NIEUWE KEIZERS UIT HET NOORDEN

Als een altijd oorlogvoerend volk hadden de Mandsjoes een hoofdstad gekozen, die strategisch heel sterk gelegen was. Die hoofdstad was Moekden. Tegenwoordig heet de stad Sjen-yang. Moekden lag aan een kruispunt van belangrijke karavaanwegen en reeds in de 12de eeuw was ze de hoofdstad, of liever een van de hoofdsteden, van de reeds eerder genoemden Gouden Horden der Kin-tartaren. In die tijd leefden de Mandsjoes in de bergen ten noorden van Korea. Noerhatsji was de Mandsjoe, die van Moekden een zeer sterk punt maakte om China binnen te vallen, maar hij koos een nieuwe hoofdstad of liever een nieuwe residentie in de stad Liau-ho, die dicht bij de Chinese grens lag en dus lange en vermoeiende reizen overbodig maakte. Voor controle van China was Moekden beslist niet geschikt; wel bleef deze stad altijd de eer genieten de stamstad der regerende keizers te zijn. De privéschatten der Tsj'ing-keizers werden niet in de nieuwe hoofdstad Peking, maar in het oude Moekden opgeslagen, en aan het begin van de dynastie lieten de keizers zich daar ook bijzetten in geweldige mausolea. Een sterke en uitermate belangrijke stad is Moekden altijd gebleven, ook in de moderne tijd, en als zodanig heeft zij vaak een grote rol gespeeld tot in 1945 toe. Toen namen de Russische legers de stad in tijdens de oorlog tegen Japan.

Als hoofdstad echter genoot Peking verreweg de voorkeur, al had ook deze stad grote nadelen, vooral in verband met het besturen van het zuidelijk deel van China. Merkwaardig is dat het aan de kwaadheid en de wraaklust van één man te danken is dat de Mandsjoes Peking konden innemen. Die wraakzuchtige man was een generaal Woe San-kwei geheten, die het opperbevel had over een groot deel van de garnizoens van de Grote Muur ten tijde van Mandsjoe-invallen. Terwijl de opstandige Li Tzê-tsjêng zijn strategisch zo knap opgezette aanvallen volvoerde en bezig was Peking te bezetten en de laatste Ming-keizer tot zelfmoord aan te zetten, gooide generaal Woe San-kwei alle mooie plannen van de rebel, die van zins was een nieuwe dynastie te stichten, ondersteboven door zich met de aanvallende Mandsjoes te verstaan en de Grote Muur niet te verdedigen tegen de Mongoolse aanvallen. Het was geen fraaie daad voor een Chinees, maar wel te begrijpen. Li Tzê-tsjêng namelijk, de man die het zo goed voor had met het arme en uitgehongerde volk, was niet helemaal de heilige waarvoor hij tegenwoordig in China wordt uitgekreten. Tijdens de afwezigheid van de generaal had hij diens vader om een of andere reden gedood en was er daarna vandoor gegaan met Woe San-kweis liefste en mooiste concubine. Dit kon de generaal natuurlijk niet op zich laten zitten. In zijn gerechte toorn wist hij niets beters te doen dan Li's ambitieuze plannen om keizer te worden in de grond te boren door de Mandsjoes te helpen.

Na de verovering van de Grote Muur, die eigenlijk helemaal geen verovering was omdat zij kalm door de poorten konden trekken, namen de Mandsjoes de boze generaal in hun leger mee naar Peking, waar hij hen terdege hielp bij de inneming van de stad. Li Tzê-tsjêng was inmiddels gevlucht. Hij zal wel begrepen hebben dat hij niets dan ellende te verwachten had, met inbegrip van alle torturen waarin de Chinezen zo knap waren, indien hij in handen viel van de wraakzuchtige generaal. Hij wachtte niet meer vluchtte met de rest van zijn leger naar het westen, op de hielen gezeten door Woe San-kwei. Een jaar later kwam Li om het leven tijdens een rooftocht voor voedsel.

En in Peking zetelde dus nu een Mandsjoe op de troon in plaats van de eerzuchtige Li. Het bleek al spoedig, dat de Mandjoes helemaal niet van plan waren ook maar iets te veranderen in de regeringsvorm, de zeden en gewoonten van het door hen veroverde land. Het enige wat opviel was dat ze zich buitengewoon select voelden en dan wel de Chinese beschaving wilden assimileren, maar dat ze vóór alles Mandsjoes wilden blijven. Ze regeerden over het geheel goed, al waren ze vrij streng en uitermate conservatief. Met hun machtige legers waren ze in staat de vrede in het land te behouden en over het algemeen heerste er een behoorlijke welvaart, ook al kwamen er natuurlijk geregeld die grote rampen voor waaraan China gewend is. Ze waren tot in de 19de eeuw in staat het rijk op dit niveau te handhaven, maar uiteindelijk kwam ook van de Mandsjoe-dynastie het einde in zicht door decadentie en verslapping en niet in het minst door de komst der Europeanen die, het moet helaas gezegd worden, voor China een periode van de grootste ellende inluidden.

De Mandsjoes namen van de Chinezen graag de cultuur over, maar van enkele dingen hadden ze een grote afschuw. Een daarvan was de afschuwelijke gewoonte om de Chinese vrouwen de voeten van jongs af aan te binden. Voor de Mandsjoe-dames was dit ten strengste verboden. En al waren deze dames dwaas genoeg om die kleine voetjes uit een soort snobisme prachtig te vinden – hadden niet alle hooggeplaatste dames uit de voorname Chinese families zulke lotusvoetjes? – het was niet toegestaan en zij moesten het dus maar doen met schoentjes die zo waren geconstrueerd dat de voet er kleiner in leek. Terwijl de Mandsjoedames vlug uit de voeten konden, strompelden de zo benijde Chinese dames, steunend op haar slavinnen, ongelukkig en uiterst pijnlijk door het leven... De Mandsjoes hielden praktisch tot het einde toe vast aan hun eigen taal, hun eigen kleding, hun eigen zeden en gewoonten en bovenal aan huwelijken onderling. Met de afstand van de jeugdige keizer Poe-yi in 1911, waarna China een republiek werd, kwam er een definitief einde aan de Tsj'ing-dynastie. De Mandsjoes zijn nu Chinezen geworden, voor een leek niet te onderscheiden van het volk dat door hen onderworpen werd. Ook aan de aan het hof nog steeds gedecreteerde Mandsjoetaal kwam een einde, ofschoon deze nog wel wordt gesproken in Mandsjoerije zelf en in delen van Noord China. Ex-keizer Poe-yi kan nu ook rustig Chinees spreken. Hij is geen keizer meer, maar een gewoon burger en woont nog altijd in Peking. Vaak bezoekt hij als iedere andere Pekinees het keizerlijk paleis, dat nu museum is. Wat moet er omgaan in deze oude heer die hier eens behoed en bewaakt als een kostbaar politiek juweel met heel zijn prachtlievend gevolg in staatsie door ditzelfde paleis ter audiëntie werd geleid naar de Chinese troon...?

HOOFDSTUK 95

DE KUNSTLIEVENDE KEIZER

De eerste Mandsjoe-keizer heette Sjoen-tsji en was zes jaar oud toen hij in 1644 op de troon kwam. Hij was dan ook niet in staat om zich gedurende zijn zeventien jaar durende regering op te werken tot een keizer, die werkelijk van belang was voor de geschiedenis van zijn land. Dat was eerst weggelegd voor de tweede keizer, de beroemde en uitermate bekwame K'ang-sji die zoveel heeft gedaan voor de kunst van het vreemde land, dat nu zijn vaderland was geworden.
De Mandsjoes begonnen hun beheer over China op een huns inziens handige manier. Zij beweerden, dat ze geen vreemde overwinnaars waren maar een wettige dynastie, die vertegenwoordigd werd door dat jeugdige prinsje, dat tot eerste keizer werd gebombardeerd. Er was ook geen militaire overwinning geweest, beweerden de Mandsjoes, ten minste niet in de letterlijke betekenis van het woord. En ze wezen op de Chinese rebel Li Tzê-tsjêng die de opstand tegen de Ming-dynastie was begonnen; maar ze zwegen er in alle talen over, dat uiteindelijk de Mandsjoes regeerden nadat zij diezelfde Li hadden doen verdrijven door de boze Chinese generaal, die heulde met zijn vijand.

De Mandsjoes begonnen hun regering. Ze legden grote Mandsjoe-garnizoenen in alle belangrijke steden en bevalen de Chinezen om de Mandsjoe staarten te dragen. Dat zij daarnaast de Chinese beschaving als het hoogste goed beschouwden; dat zij de regeringsvorm lieten bestaan zoals deze al eeuwen bestaan had; dat zelfs de allerhoogste betrekkingen door Chinezen vervuld konden worden deed niets af aan de afkeer, vooral van de kant der intellectuelen, die men in het algemeen voelde voor de nu regerende buitenlanders. Overigens waren de Mandsjoes ook weer niet zó onnozel dat ze niet hier en daar heel handige veranderingen aanbrachten in enkele regeringsinstanties. Zo konden bij voorbeeld de mandarijnen niet meer besturen in de provincies waarin zij geboren waren en waar zij dus grote invloed hadden. Zij kregen een nieuw gebied aangewezen, liefst een flink eind uit de buurt. Verder maakten zo er een gewoonte van Chinese ambtenaren niet al te lang op één post te laten zitten.

Het zal wel niet vaak gebeuren dat kunstenaars zo zeer in het verzet tegen een regering komen, dat zij een heel nieuwe kunstvorm scheppen die uiteindelijk een grote invloed krijgt. In China kon zoiets wél. De man die er de stoot toe gaf was een lid van de keizerlijke Ming-familie, een geboren rebel, en na de inname van China door de Mandsjoes boeddhistisch priester geworden. Hij behoorde tot de zeer belangrijke groep van de monnik-priesters die beroemd werden door hun nieuwe vorm van schilderkunst.

Een andere groep schilders was die welke bekend werden als de Zes Grootste Meesters. Zij bestond echter reeds tijdens de Ming-dynastie, maar keerde zich later tegen de Mandsjoes. Een van deze schilders die een baby was toen de Mandsjoes aan de regering kwamen,

94. Keizer K'ang-sji. Tsj'ing-dynastie.

werd later een van de meest gewaardeerde medewerkers van keizer K'ang-sji, die hem aan het hoofd stelde van de geleerden en kunstenaars die de befaamde *Keizerlijke Encyclopedie van Kalligrafie en Schilderkunst* moesten samenstellen, een geweldige onderneming waarvan hij uitstekend wist te kwijten. Deze encyclopedie van maar even 64 delen is het levenswerk van elf mannen. Nog altijd geldt dit als hét standaardwerk over de oude Chinese schilderkunst en tekenkunst.

Maar niet alleen de schone kunsten, ook de wetenschap genoot de belangstelling van de Mandsjoe-keizers en aan het verlangen kennis te maken met buitenlandse uitvindingen dankte China de import van grote aantallen Europeanen, waaronder Jezuïeten een heel belangrijke plaats innamen. Keizer K'ang-sji had de grootste eerbied voor hun kennis van wiskunde, geometrie en andere exacte vakken. Hij wist dan ook heel goed, dat alleen deze geleerden in staat waren de vele Europese toestellen als klokken, astronomische instrumenten en dergelijke in bruikbare toestand te houden. Daarnaast vond hij het interessant kennis te maken met wat het voor hem zo geheimzinnige en ver verwijderde westen te bieden had aan kunst.

Helaas voor de Jezuïten waren de Chinezen nimmer in staat de Europese schilder- en tekenkunst te waarderen, ofschoon ze er genoeg hun best voor deden.

Het lag hen nu eenmaal niet en als gevolg daarvan begonnen verscheidene Jezuïeten-schilders in Chinese stijl te werken en met behoorlijk succes ook nog!

Voor China was de regering van de buitengewoon bekwame keizer K'ang-sji van het grootste belang. Niet alleen regeerde hij zestig jaar lang (1662–1722), maar tijdens deze regering werden Tibet en Formosa aan het Chinese rijk toegevoegd. Het bleef rustig in het land nadat de allerlaatste rebel, een prins van het Ming-geslacht, in 1662 werd onderworpen na een meer dan taaie strijd. Hij week uit naar de Birmaanse grens en gaf zich daar ten slotte over. Nu was China helemaal in handen van de Mandsjoes.

Keizer K'ang-sji, die dol was op alles wat mooi was, liet niets na om de kunst in China te bevorderen. Binnen de muren van de keizerlijke stad liet hij een glasfabriek oprichten waar de prachtigste voorwerpen werden gemaakt voor keizerlijk gebruik. Vooral heel kleine en uitermate kostbare snuifflesjes kwamen daar vandaan, want in de 15de eeuw hadden de Chinezen kennis gemaakt met snuif en dat was hun wonderwel bevallen. Maar ook de porseleinfabrieken genoten de keizerlijke gunst en kregen reusachtige opdrachten. Men zocht vooral naar nieuwe vormen, naar heldere kleuren, naar originele opvattingen en het merkwaardige was dat juist deze vrolijke, kleurige stukken in Europa grote aftrek vonden, zodat onze musea er nu vol mee staan. Onder keizer K'ang-sji werd voor het eerst in China porselein besteld voor de Europese markt en naar Europese smaak. Het gevolg hiervan waren vaak ware monstruositeiten. Maar er gingen natuurlijk ook mooie stukken heen en vooral op de porseleinindustrie van Delft hadden deze grote invloed. De Hollanders waren namelijk de grootste importeurs van porselein. Het meeste van dit porselein werd via Kanton verscheept, want dat was de enige haven waar buitenlandse schepen werden getolereerd. In tegenstelling tot de missionarissen die heel China dóórtrokken mochten de handelaars niet buiten de havenstad komen. Oorspronkelijk hadden er heel wat havens voor hen opengestaan, maar hun wangedrag en verschrikkelijke ruzies onderling bewerkten hun eigen ondergang. China voelde niets voor onderling kibbelende niet-Chinezen. Zij zagen er een gevaar voor de natie in. Gevolg: voortaan maar één haven, Kanton. Maar zelfs deze ene haven was in staat Europa in kennis te stellen van een wereld

van weelde, kunst en rijkdom die daar in het Verre Oosten lag te wachten op de komst van steeds meer Europeanen.
Keizer K'ang-sji had het zo goed voor met zijn volk dat hij besloot het hun gemakkelijk te maken om een voorbeeldig leven te leiden. Daartoe schreef hij zestien spreuken, die precies voorschreven hoe een goed mens te leven had. Het was de bedoeling dat deze spreuken in het groot verspreid werden en dat ambtenaren de taak kregen om ze op gezette tijden aan het volk langzaam en duidelijk voor te lezen, zodat ze doordrenkt zouden worden met deze wijsheid en er naar handelen konden. Hier zien we een zeer merkwaardige overeenkomst met Mau Tse-toeng, die ook van zijn volk eist, dat het zijn boeken leest en herleest tot men deze uit het hoofd kent. Ook deze – uiteraard communistische – boeken zijn een leidraad voor goed gedrag. Keizer Yoeng-tsj'eng, de opvolger van K'ang-sji, achtte de spreuken van zijn vader zo belangrijk dat hij deze tijdens zijn eigen regering liet uitwerken, opdat ze nog duidelijker zouden worden.
Keizer K'ang-sji vatte zijn hoge ambt niet licht op en gedurende zijn leven doorkruiste hij zijn enorme rijk in alle richtingen om er beter kennis mee te kunnen maken, evenals met de volken die het bewoonden. Tijdens een van die reizen bezocht hij ook het graf van Confusius om de grote wijsgeer te eren. Om bij deze reizen het nuttige met het aangename te verenigen organiseerde de keizer, die nog genoeg Mandsjoe was om dol te zijn op sport, grote jachtpartijen waaraan hij tot op zijn oude dag deel nam. Een dergelijke jachtpartij had uiteindelijk zijn dood ten gevolge. Hij vatte kou tijdens de strenge decembermaand en stierf aan longontsteking op 20 december 1722. Hij liet een alleszins ontzagwekkende familie na: 35 zonen en 20 dochters! Hij had zijn zevende zoon als troonopvolger gekozen, maar toen de jongen opgroeide moest hij wegens verregaand wangedrag onterfd worden. Het werd ten slotte de vierde zoon die op de troon kwam als keizer Yoeng-tsj'eng.

HOOFDSTUK 96

HET LAND DER HOGE BERGEN

Er is één land dat door zijn geheimzinnige karakter altijd sterk op de fantasie van reizigers en schrijvers heeft gewerkt en dat is Tibet. Dit land met zijn lama's, zijn talloze kloosters, zijn bergen en zijn Dalai Lama in de hoofdstad Lhasa maakt tegenwoordig deel uit van de Chinese Volksrepubliek (sinds 1951), maar behoorde vroeger ook wel eens tot China, al was het meestal een onafhankelijk land. Vóór de 7de eeuw is er van Tibets geschiedenis niets bekend. Alleen de Tibetanen zelf vertellen, dat er toen al mensen van hun volk bestonden, de afstammelingen van een reuzin en een grote aap! Koeblai Khan slaagde er in een deel van Tibet aan zijn Chinese keizerrijk toe te voeren. In die tijd werd het lamaïsme de officiële godsdienst van China, maar dat duurde niet lang door de korte regeringsduur van de Yuan-dynastie.

95. Het Potala paleis in Lhasa (Tibet) van de dalai lama, nu een museum. Het paleis ligt hoog boven de stad.

De Mandsjoes waren het die Tibet voor heel wat langere tijd aan hun nieuwe rijk toevoegden en K'ang-sji was de keizer die dit bereikte. Er bestonden echter reeds voor die tijd goede relaties tussen de Mandsjoes en de Tibetanen, al waren de eerste toen slechts een onderdeel van het Ming-rijk. Toen de Dalai Lama in 1646 hoorde, dat China nu definitief in handen der Mandsjoes was, zond hij een prachtige brief naar Peking om hun geluk te wensen met de overwinning. De brief resulteerde in een uitnodiging gericht tot de Dalai Lama om zelf maar eens naar Peking te komen, waaraan hij gaarne gevolg gaf. Er volgde dus een schitterend staatsiebezoek tot tevredenheid van iedereen. Na afloop keerde de Lama terug naar de hoge bergen van zijn land, maar niet voor lange tijd. In Tibet brak namelijk een hoogste roerige periode aan.
Toen de vijfde Dalai Lama in 1682 stierf werd zoals gewoonlijk nummer zes gezocht, gevonden en ingewijd. Maar deze nummer zes was niet wat men van een Dalai Lama verwachten mocht. Hij was een romantische figuur, dol op vrouwen, drank en plezier, dus precies alle dingen die voor een Dalai Lama verboden waren. In 1705 werd hij afgezet door een Mongoolse aanvoerder die er meer dan genoeg van had. De eigenmachtige khan stelde een Dalai Lama van zijn eigen keuze aan; de afgezette priester stierf op even mysterieuze als verdachte manier. Voor alle leden van de Gele Mutsen was dit te erg. Ze riepen de hulp in van een andere Mongoolse stam, de Djoenkars, die in 1716 de aanval openden, de Mongoolse aanvoerder vernietigend versloegen, de kloosters van de Dalai Lama grondig verwoestten en Tibet bezetten. Voor de tweede Mandsjoe-keizer was dit het sein om in te grijpen!
Keizer K'ang-sji, zijn eigen krachten overschattend en die van de Djoenkars schromelijk onderschattend, stuurde een vrij kleine troepenmacht naar Tibet, maar deze viel in een hinderlaag en werd vernietigend verslagen. Een jaar later kwamen er betere legers en

deze slaagden er in om in de loop van twee jaar alle Djoenkars uit Tibet te verdrijven. In 1720 koos K'ang-sji persoonlijk een nieuwe reïncarnatie van de Dalai Lama uit en als nummer zeven kwam een kleine jongen op de troon van Potala. Hij regeerde 49 jaar lang. Maar K'ang-sji begon nu terdege te merken wat een roerig bezit dat vrome Tibet was! En na hem keizer Yoeng-tsj'eng en na hém Tsj'ien-loeng en alle volgenden. En zelfs de communistische regering van nú heeft nog altijd de Tibetanen niet helemaal klein kunnen krijgen. Steeds weer barstten er kleine of grote opstanden uit. Er werden door Keizer Yoeng-tsj'eng in Tibet Chinese ambassadeurs aangesteld om een beetje een oogje te houden op wat er omging in het land, maar zo nu en dan breken er ware moordpartijen uit waarbij nu eens de Tibetanen, dan weer de Chinezen het slachtoffer werden. In een theocratisch land als Tibet kan het niet anders of de strijd tussen de godsdienstige machten blijft steeds weer oplaaien. Nu eens was het de Pantsjen Lama, dan weer de Dalai Lama die die de machtigste was.
Het is een strijd die nog niet helemaal uitgevochten is, al beweegt deze zich nu geheel in een moderne politieke sfeer. De Dalai Lama is als banneling de leider van de opstandelingen tegen het Chinese bewind. De Pantsjen Lama koos de partij der communisten en regeert nu in Lhasa. Maar merkwaardig genoeg zijn beide mannen – de wegen van de politiek zijn vaak ondoorgrondelijk! – vice-voorzitter van het Nationale Volkscongres in Peking, zelfs al is er altijd maar één van hen aanwezig!

HOOFDSTUK 97

DE EUROPEANEN DRINGEN OP

We hebben al gezien dat China altijd aantrekkingskracht heeft uitgeoefend op het westen. Wat begon met een paar eenlingen als de Polo's eindigde ten slotte met een ware toevloed vanaf de 16de eeuw. Merkwaardigerwijze was het in zekere zin de Europese nieuwsgierigheid en ondernemingslust die hiertoe leidde. Na de ontdekking van Amerika leerde de rest van de wereld een aantal nieuwe produkten kennen: maïs, zoete aardappelen en tabak waren er slechts enkele van. De Chinezen maakten óók kennis met deze voedingsmiddelen en begonnen deze te verbouwen. Het gevolg was dat er in de 17de eeuw een geweldige aanwas van de Chinese bevolking begon die nog altijd niet is opgehouden!
De Portugezen verschenen als eerste voor de Chinese kust. Dat was in 1514 en een paar jaar later hadden zij al kans gezien een aantal kustplaatsen van hun handelshuizen te voorzien. Jammer voor die eerste Portugezen bleken ze zo lastig en vechtlustig te zijn, dat de Chinezen er al spoedig meer dan genoeg van hadden. Ze werden weggejaagd of vermoord. De Portugezen zagen echter kans een klein eiland ten zuiden van Kanton in hun bezit te houden en na een paar jaar, waarin zij zich blijkbaar fatsoenlijker gingen gedragen, kregen zij verlof om een nederzetting te stichten in wat nu Macao heet. In hun gevolg verschenen de eerste missionarissen, waarvan de beroemde Franciscus Xavier er één was. Zij slaagden

er echter niet in vaste voet in China te krijgen, maar na hen gelukte het de Jezuïten wel, aan het einde van de 17de eeuw. Matteo Ricci was één van hen. Hun wetenschappelijke kennis, die voor die tijd heel groot was, deed hen veel invloed krijgen op de intellectuelen. In de 17de eeuw volgden na de Jezuïeten de andere katholieke ordes, die uit de Philippijnen (Spanje), Frankrijk en Italië kwamen. K'ang-sji, die een heel tolerant mens was, heette hen welkom en liet hen rustig hun gang gaan. In 1700 moeten er al 300000 katholieken in China zijn geweest. Een soort edict behelzende de tolerantie van keizer K'ang-sji beschermde alle buitenlanders.
Maar toen begon de haarkloverij en als gewoonlijk betekende dat het begin van het einde. Tussen de verschillende ordes ontstond onenigheid over welk Chinees woord men nu in de toekomst zou moeten gebruiken om het begrip 'God' weer te geven. Verder was er de moeilijkheid hoe de christelijke kerken moesten staan tegenover zulke specifiek Chinese zaken als voorouderverering en een man als Confusius. Een en ander leidde tot de verschrikkelijkste ruzies, totdat Rome eindelijk uitspraak deed. Tegen die tijd had keizer K'ang-sji er echter zo meer dan genoeg van en was hij zo in de Europeanen teleurgesteld, dat er voor de christenen in China een zeer onaangename tijd aanbrak met vervolgingen en erger. Aan het einde van de 18de eeuw, toen Europa op godsdienstig gebied vrij onverschillig was geworden (Franse revolutie!); toen de Napoleontische oorlogen de verschillende landen verscheurden en de toevoer naar China van goederen en mensen bemoeilijkten, nam het aantal Christenen in China hoe langer hoe meer af. Toch bleek de invloed der missionarissen indirect nog heel groot, want China had nu kennis gemaakt met het westen en men zag er wel degelijk de voordelen van in.
De handelaren verging het echter minder gunstig dan de priesters. De laatste mochten China tot ver in het achterland binnendringen, maar de handelaren moesten altijd aan de kust blijven. Toen de macht van Portugal als zeevarend land naar de kim nijgde, verloren zij vele havens, behalve Macao dat ze nu nog steeds bezitten. Hun plaats werd ingenomen door de Hollanders, de Fransen en de Engelsen, die er zeer wél van wisten te profiteren. Vooral de Hollanders mochten zich langer dan wie ook in de gunst van de Chinezen verheugen, daar voor hen de handel altijd vóór alles ging. In het midden van de 17de eeuw was de Engelse handel de belangrijkste van de wereld; een ware stroom van thee, zijde en porselein kwam Europa binnen. Later kwam daar echter de opium bij en daarmee brak een verschrikkelijke tijd aan, want in India was een overvloed van opium voor export aanwezig en nu moesten de Chinezen, die dit vergif in hoofdzaak als geneesmiddel gebruikten en die zeer strenge wetten op dit gebied hadden, er aan wennen om opium te gaan schuiven om de Britse handel – later die van Amerika – op peil te houden!
De handel lag voor de vreemdelingen aan alle mogelijke regels gebonden en vrije handel was dan ook ondenkbaar. In Kanton, eigenlijk de enige toegankelijke haven aan het einde der 18de eeuw, hadden de handelaren hun zogenaamde faktorijen met opslagruimten en woonhuizen. Zij leefden er precies zoals zij in Europa leefden, in totaal ongeschikte huizen en hun ongeschikte kleren van fluweel en bombazijn. Echte tropenkleding van dun katoen leerden zij eerst veel later dragen. Bovendien was het ook op handelsgebied niet bijzonder plezierig om in Kanton te moeten wonen, hoé groot de in Europa gemaakte winsten dan ook waren. Het leek wel of de Chinezen steeds nieuwe middelen verzonnen om het de Europeanen moeilijk te maken.
Het was iedere Chinees verboden om de 'vreemde duivels' ook maar één woord Chinees

96. Een heremiet geniet van muziek en wijn. Tekening van Tsj'en Hoeng-sjou. 17de eeuw.

te leren. Chinese wetten golden óók voor de Europeanen; eventueel moesten ze terecht staan voor Chinese rechtbanken. Tegenwoordig vinden wij zoiets normaal, want als vreemdeling pleegt men zich te onderwerpen aan de wetten van het land; maar in de 17de en 18 de eeuw vonden de Europeanen nog dat alleen hun *eigen* wetten op hen van toepassing waren. Zij ergerden zich dan ook geducht aan al die Chinese wetten en verordeningen. Dan was er de Ko-hong, nog zo'n instelling waar de handelaren het totaal niet mee eens waren. Die Ko-hong was een groep Chinese handelaren, officieel door de keizer aangesteld om handel te drijven met de buitenlanders; niemand anders dan zij bezat dit recht. Zij konden dus de prijzen vaststellen, de winsten en wie wát mocht kopen. De Hollanders, de Portugezen, de Engelsen, later ook de Amerikanen stuurde het ene gezantschap na het andere met de mooiste en duurste geschenken naar Peking om te proberen betere voorwaarden te bedingen. Het was altijd tevergeefs. Voor de Chinezen bleven ze altijd wat zovele vóór hen geweest waren: de brengers van tribuut dat China rechtens toekwam! Waarom zouden ten slotte die Europeanen *niet* schatplichtig zijn nadat vóór hen anderen het wél geweest waren...?

HOOFDSTUK 98

EEN STAD VOOR DE GEURIGE CONCUBINE

Na een regering van zestig jaar, waarin het in China vrij rustig was en kunsten en wetenschappen tot grote bloei kwamen, stierf keizer K'ang-sji om opgevolgd te worden door keizer Yoeng-tsj'eng die slechts dertien jaar regeerde, maar dat over het geheel goed deed, daar

hij het patroon volgde van zijn grote voorganger. Ook hij schonk alle aandacht aan de kunst van zijn land. Hij werd opgevolgd door een man wiens naam een begrip is geworden: keizer Tsj'ien-loeng, die de laatste grote Mandsjoe-keizer was. Na hem neigde ook deze 'stralende' dynastie, de laatste der Chinese keizerhuizen, naar de ondergang.
Tijdens de regering van keizer Tsj'ien-loeng breidde het grondgebied van China zich reusachtig uit door de veroveringen van Birma, Annam en Nepal. Korea was toen reeds schatplichtig. Zo rijk was China tijdens de regering van deze briljante keizer dat jarenlang alle belastingen op grondbezit werden opgeschort, een toestand die over de hele wereld wel uiterst zelden zal zijn voorgekomen! De bloeiende handel, de rust overal in het land, goede oogsten en een goed ambtenarenkorps hielpen hieraan mee. Daar kwam verder nog bij dat China vokomen 'self supporting' was en dus niet afhing van de handel met het buitenland. Naar het oordeel der Chinezen bezaten de westerlingen uitermate weinig dat een Chinees zich wensen kon; terwijl het keizerrijk zelf als het ware uitpuilde van zaken die in het westen zo begeerd werden: thee en zijde, porselein en behangselpapier (!), ivoor en specerijen. We moeten natuurlijk niet vergeten, dat de tijd der machines en grote uitvindingen toen nog niet was aangebroken, zodat het westen inderdaad nog niet heel veel te bieden had.
Misschien is keizer Tsj'ien-loengs grootste betekenis wel geweest dat hij kunstbeschermer was op ieder denkbaar gebied. Hierin volgde hij de gedragslijn van zijn grootvader K'angsji die hij immens bewonderde. Hij ging zelfs zo ver dat hij, toen hij zestig jaar geregeerd had, afstand deed opdat hij geen dag langer zou heersen dan die geliefde voorvader! Bovenal koesterde hij een grote liefde voor mooi porselein. Als hij een bijzonder fraai stuk in handen kreeg werd hij vaak geïnspireerd tot een gedicht, dat dan op het porselein werd gegraveerd, waarna het stuk opnieuw werd geglazuurd en gebakken. Er zouden niet minder dan 195 van dergelijke stukken porselein aanwezig zijn geweest in de keizerlijke collectie. Maar ook op jade was de keizer verzot en dan vooral op heel fijne en kleine stukken die zó uitgewerkt waren, dat het onbestaanbaar lijkt dat mensenhanden zoiets fijns konden scheppen uit een zó harde steensoort.
De handel tussen het westen en China tijdens de regeringen van de twee grote Tsj'ingkeizers kon niet nalaten van grote invloed te zijn op Europa. Er kwam dan ook een ware rage voor alle mogelijke Chinese voorwerpen; een rage die bekend stond als Chinoiserie, vrij vertaald als 'Chineserij'. In 1725 was heel Europa onder de betovering niet alleen van de Chinese kunst, maar ook van de Chinese beschaving, waarover de Jezuïeten zoveel wisten mee te delen. Veel meer dan de handelaren, want die waren in principe alleen maar geïnteresseerd in prijzen en winsten, terwijl de intellectuele missionarissen oprecht belang stelden in wat ze in China zagen, hoorden en lazen.
Lodewijk XIV begon al met die voorkeur voor Chinese dingen, al waren die wel omgevormd naar Franse smaak wat ze natuurlijk niet ten goede kwam. Op een hoffeest droeg hij eens een allerzonderlingste kledij, die hij zelf kenmerkte als 'typisch oosters'. Een Chinees zou het kledingstuk waarschijnlijk niet eens herkend hebben! Lodewijk XV ging nog verder. Madame de Pompadour had hem verteld, dat de keizer van China op een bepaalde dag in de lente zelf een ploeg door een akker dreef en de koning vond dat zo'n mooi en goed idee dat hij het navolgdé, althans... één keer! 'Chineesje spelen' werd ook een geliefde bezigheid, al had men niet de minste notie hoé die Chinezen nu wel precies leefden. Maar in Frankrijk speelde men toen graag! Herinneren we ons maar de herderspelen en de

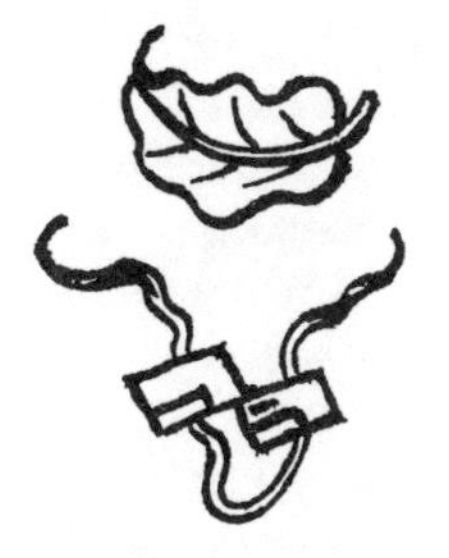

97. Vier van de Acht kostbaarheden (of de Acht Gewone Symbolen).

boerderij van Marie Antoinette! De Chinezen bleven niet achter. In Peking had een Jezuïet een mooie tekening gemaakt van het paleis van Versailles en dat maakte zo'n indruk op de keizer dat hij het nieuwe Zomerpaleis liet bouwen op een soortgelijk grondplan. Maar dat niet alleen. Toen het paleis klaar was gingen de Chinezen op hun beurt 'Europeaantje spelen'. In de tuinen van het paleis kwamen Franse fonteinen, Franse orkesten en Franse feesten, maar lang duurde die rage niet! De Chinezen voelden al gauw dat dit soort leven hen helemaal niet lag en ze keerden terug naar de aloude levenswijze. Wat ze mooi bleven vinden waren de klokken en horloges, die als vorstelijke geschenken naar China kwamen en die ze hogelijk bewonderden omdat ze zo ingewikkeld en vreemd van aanzien waren. Keizer Tsj'ien-loeng bemoeide zich ook met de mode, daar hij het in verband met de ongelooflijk ingewikkelde hofetikette noodzakelijk achtte, dat de hofkleding geheel werd herzien. Voor de keizerlijke familie en de hofhouding bracht dat een kleine revolutie teweeg. Voortaan was bijna ieder kledingstuk voorgeschreven en gebonden aan strenge regels, die afhingen van tijd en seizoenen. De Chinese kalender was verdeeld in 24 perioden van elk twee weken. Voor iedere periode moet de kleding nu geheel en al gewijzigd worden. Er werd zelfs precies voorgeschreven wanneer men vossebont en wanneer men eekhoorn- of sabelbont hoorde te dragen. Natuurlijk spraken de seizoenen een woordje mee, want zwaar satijn en brokaat was voor de winter geëigend, terwijl dun zijden gaas of heel dunne zijde crêpe voor de zomer geschikt was.
Een keizer die zo dol was op mooie dingen als Tsj'ien-loeng moest ook wel bewondering hebben voor mooie vrouwen en hierin verschilde deze keizer dan ook niet van zijn voorgangers. Uit de aard der zaak had een keizer van China de keuze uit de mooiste vrouwen van zijn land, want wie zou het zich niet tot eer rekenen als een dochter of zuster de gunst van de keizer zou weten te verwerven? Ieder jaar weer trokken honderden mooie meisjes en vrouwen naar het hof om daar al dan niet door de keizer te worden uitgekozen voor zijn harem. Maar er was nog een andere manier om aan mooie vrouwen te komen en dat was de krijgsgevangenschap. Legeraanvoerders hadden vaak de gewoonte hun harem met vrouwen en concubines mee te slepen tijdens hun krijgstochten. En het slachtoffer van een dergelijk gebeuren was vorstin Sjiang Fei, wier echtgenoot sneuvelde tijdens een veldslag. Deze legeraanvoerder was een moslim en zijn vrouw was dat ook. Toen de veldslag voor de Chinezen gunstig verlopen was werd de buit bijeengegaard. Sjiang Fie behoorde daar ook toe. Omdat zij ongelooflijk mooi en jong was meende de Chinese kommandant, dat er maar één man in aanmerking kon komen om haar toegewezen te krijgen en dat was de keizer zelf. Sjiang Fei werd naar Peking gebracht en aan de keizer getoond en de commandant had goed gezien: Tsj'ien-loeng was meteen tot over zijn oren verliefd op de mo-

hammedaanse vorstin. Zij deed haar intrede in de keizerlijke harem en kreeg voortaan een Chinese naam: Sjiang Fei, de Geurige Concubine. Keizerin kon zij niet worden, daarvoor was haar rang niet hoog genoeg. Bovendien wás er al één.
Maar Sjiang Fei kwijnde. Zij had heel veel van haar man gehouden, zó veel dat ze iedere keer de keizer afwees. Ze zei tegen de keizer, dat ze alleen trouw kon zijn aan haar overleden man en dat er geen sprake van kon zijn dat ze de wensen van de keizer zou inwilligen. Maar keizer Tsj'ien-loeng gaf het niet op en bedacht van alles om de vorstin ter wille te zijn. Hij ging zelfs zo ver dat hij voor haar een stad liet bouwen! Want een dergelijke trouw aan een overledene kon volgens de keizer maar één oorzaak hebben: heimwee. En heimwee is te genezen indien men het slachtoffer terug kan voeren naar het land van zijn of haar dromen. Er kwamen dus architecten, metselaars en timmerlui. En onder de ogen van de verbaasde vostin verrees daar voor de vensters van het haar toegewezen paleis een complete oosterse stad, zoals ze die uit haar eigen land gewend was – een stad met een moskee, met een drukbeklante bazaar. Er stonden oosterse huizen en huisjes en de straten waren smal en kronkelend, heel anders dan in China waar men hield van overzichtelijke steden. En het mooste van alles was dat die stad zo vol mensen was, allemaal mensen uit het land van de trouwe weduwe, die hier konden leven zoals zij het altijd gewend waren geweest. Het was niet moeilijk geweest om aan die mensen te komen: ze waren de krijgsgevangenen van die ene veldslag!
Maar helaas het baatte keizer Tsj'ien-loeng niets. Het verdriet van Sjiang Fei om haar geliefde man was zo groot dat ze niet langer wenste te blijven leven. Ze pleegde zelfmoord en deed keizer Tsj'ieng-loeng daarmee heel veel verdriet. Maar de Chinezen hadden en hebben nog altijd de grootste bewondering voor deze trouwe gade. Nog altijd wordt haar figuur gesneden uit jade en ivoor...
Maar niet alleen schitterende en weelderige paleizen, prachtige tempels en uitgestrekte parken liet deze keizer aanleggen; hij kwam ook op het lumineuze idee om een geweldig literair werk te ondernemen, namelijk het bundelen van alles wat er ooit in China op schrift was gesteld en dat was zo langzamerhand heel wat. Keizer Tsj'ien-loeng zond een boodschap naar de verste uithoeken van zijn rijk om alles wat men bezat aan literatuur tijdelijk te willen afstaan om er kopieën van te maken. Wat kwam er niet allemaal uit die verste hoeken. Hoe rijk bleken de particuliere bibliotheken aan meesterwerken, zelfs uit de vroegste tijden. En aangezien een ieder zich het een eer rekende om mee te helpen aan het ontzaglijke door de keizer ondernomen werkstroomden de manuscripten naar het keizerlijk paleis in Peking, waar een heel leger kalligrafen dag in dag uit bezig was om de werken in zevenvoud te kopieëren. Alleen al het onderbrengen van die vijftienduizend kalligrafen moet een heksentoer zijn geweest! Het was alleen jammer dat de keizer zelf meende mee te moeten doen aan het oordelen over welke boeken wél en welke niet gekopieerd moesten worden. Keizer Tsj'ieng-loeng werd namelijk op zijn oude dag een ongemakkelijk heer. Hij was eigenlijk niet helemaal normaal meer, wat ook niet te verwonderen valt na een lang leven als Chinees keizer, die beschikte over leven en welzijn van zijn volk en die een macht bezat zó absoluut, dat wij het ons haast niet kunnen voorstellen. Het moet een ijzersterkte geest zijn die weerstand weet te bieden aan alle verleidingen waaraan een dergelijk potentaat blootgesteld werd. Keizer Tsj'ien-loeng bezat die geest niet. Zijn macht steeg hem in de meest letterlijke zin naar het hoofd en deed hem de heldere kijk en het kritisch vermogen verliezen, die hij oorspronkelijk zeer zeker bezat. En toen de kei-

zer die vaak oeroude boeken doorlas en daarin dingen tegenkwam die hem niet aanstonden of die hij beledigend achtte, toen wist hij niet beter te doen dan vóór hem de bouwer van de Grote Muur: hij liet alles verbranden wat hem niet zinde. 2300 boeken gingen op deze wijze in de vlammen op, vaak alleen om de simpele reden dat een schrijver van eeuwen geleden de Mandsjoes-van-toen barbaren had genoemd! Een Mandsjoe-keizer kon zich dit volgens Tsj'ien-loeng niet laten welgevallen.
Alles met elkaar kwam er echter toch nog een indrukwekkend werk tot stand: 3462 boeken, met tezamen 79582 hoofdstukken werden door al die vlijtige kopiïsten zevenvoudig gebundeld. Ze moeten zich met die zevenvoudige kopieën de vingers blauw geschreven hebben... Wij kunnen hun echter dankbaar zijn want daardoor bleef heel veel voor de moderne tijd gespaard.

HOOFDSTUK 99

OPIUM

In de Odyssee beschrijft Homerus hoe een gast een soort thee kreeg aangeboden – bewijs van gastvrijheid! – die was getrokken uit papaverbollen. En de oude Assyriërs kenden een stof die zij 'leeuwenvet' noemden, maar die evenals die Griekse thee niets anders was dan de opium, die in het oostelijk deel van de Middellandse Zee verbouwd werd en die van daaruit langzaam maar onweerstaanbaar zijn zegentocht rond de wereld begon. In China kende men in de oudste tijd merkwaardig genoeg geen opium, het verbouwen van papaverbollen begon er pas in de 7de eeuw en in Japan nog later: in de 15de eeuw. Voorlopig was dit nieuwe middel – een vergif of een geneesmiddel al naar het gebruik – althans in China helemaal geen probleem, want er werd geen misbruik van gemaakt. Het was een middel tegen pijn en ziekte en men dronk het nog altijd in de vorm van thee, want niemand was er nog op het lumineuze idee gekomen om opium in een pijp te doen en op die manier te gaan 'opiumschuiven'. Daarvoor moest men wachten tot Amerika ontdekt was, daar rookten de Indianen tabak, en van tabak naar opium was de stap niet groot. Overigens

98. Vier van de Acht Kostbaarheden (of de Acht Gewone Symbolen).

hadden de Indianen géén opium; die drong in Amerika pas door tussen de beide wereldoorlogen.
Het duurde niet lang of verbouwen van papavers werd op grote schaal gedaan. Het was een gemakkelijk te verbouwen produkt dat heel veel geld opbracht en waar niet veel werk aan was. Een echt probleem werd het in China pas in het midden van de 17de eeuw. Van een heilzaam en pijnstillend geneesmiddel werd het verdovend middel en een sterk vergif waarmee iemand gemakkelijk uit de weg geruimd kon worden zonder dat het al te duidelijke sporen naliet. In China begon het opiumschuiven zich te ontwikkelen tot een heel groot kwaad, want wie er eenmaal om welke reden dan ook mee begonnen is komt niet meer van vrij en sterft ten slotte aan morfinevergiftiging.
In China zag de regering terdege het gevaar van opium in. Er waren dan ook alle mogelijke wetten om het gebruik ervan zoveel mogelijk te beperken. Het kwam er in principe op neer dat iemand met geld van opium gebruik kon maken, maar dat het een té duur genotmiddel was voor de doorsnee Chinees, tenzij hij natuurlijk zelf papaverbollen verbouwde. De boeren zelf schijnen er weinig gebruik van gemaakt te hebben, juist door de hoge prijs, want zij hadden liever geld dan opium. Maar er was nog een ander land dat op grote schaal opium verbouwde en dat was India. Nu had de verstandige Mandsjoe-regering de import van het gevaarlijke goedje ten strengste verboden. Maar de hebzuchtige handelaren uit Zuid China en vooral die uit Kanton zagen terdege in dat juist deze import van een middel, waar de gebruiker na een tijd absoluut niet meer buiten kan, winsten opleveren waar een mens geen idee van had! En waar India een veel te grote voorraad had voor eigen gebruik, daar lagen mogelijkheden om van te likkebaarden. Men moest alleen een paar risico's nemen, dat was alles. Men nam die risico's natuurlijk maar al te graag. De import van het vergif begon in alle ernst, met de goedkeuring van de Engelsen, want die aten in deze kwestie van twee walletjes. De in India opgestapelde, te grote voorraden vonden ineens afnemers, zodat men de aanplant gerust kon gaan uitbreiden. De afnemers waren bereid goud te betalen voor een produkt waar een steeds grotere vraag naar ontstond.
Voor China werden op een gegeven ogenblik alle kwesties op de spits gedreven, want het sluipend verval van de Mandsjoe-dynastie begon zich al te doen voelen in een steeds corrupter worden van het ambtenarendom. Daar kwam nog een feit bij, waarvan China totaal onwetend was: de industriële revolutie die in Engeland aan de gang was. Die nieuwe industrie zorgde ervoor dat Engeland op ongekende schaal allerlei produkten kon maken die tegen lage prijs verkocht moesten worden. Maar om die produkten kwijt te kunnen moest men over een markt beschikken die heel wat groter was dan de tot nu toe gebruikelijke. Die markt lag natuurlijk in de door Europa nog niet al te zeer ontgonnen gebieden: Azië en Afrika.
En was er één land dat geschikter was voor buitenlandse handel dan China? Als men die ontzaglijke miljoenenbevolking kon wakkerschudden; als men hen verlangend kon maken naar dingen waarvan zij het bestaan nog niet eens kenden; dan lag daar een terrein braak dat met de grootste spoed bewerkt moest worden. Maar helaas, die behoudende Chinezen voelden niets voor industriële produkten; ze voelden niets voor opium; ze voelden niets voor buitenlandse handel op een basis die geheel afweek van wat tot dan toe gebruikelijk was.
Het waren overigens niet alleen de Engelsen die verandering wensten in de bestaande toestand. Ook de Hollanders, de Portugezen, later de Amerikanen wensten wat zij als 'nor-

male' handel beschouwden. Ze deden er moeite genoeg voor. Ze zonden gezantschappen naar Peking met dure geschenken en goede praters. Het leidde tot niets. De handelaren moesten blijven handelen via de Ko-hong. Van nieuwe privileges kon geen sprake zijn. Keizer Tau Kwang mocht dan al een vrij zwakke figuur zijn, op dit punt wenste hij geen centimeter toe te geven. En de zaken gingen hoe langer hoe slechter. De Engelsen vonden, dat er een eind aan moest komen en ze deinsden voor niets terug. De opiumhandel moest vrij worden; er moest een einde komen aan die belachelijke toestand, waarin de Chinezen de gehele Engelse gemeenschap verantwoordelijk stelden wanneer één enkel lid van die gemeenschap zich misdroeg (en volgens de Chinese opvattingen gebeurde dat geregeld!). Het gevolg was dat de oude Chinese wet 'een leven voor een leven, zelfs al betreft het een ongeluk of wat daarvoor moet doorgaan' – maar al te vaak werd toegepast op de meest harde en onverbiddelijke manier.

Het was de opium die uiteindelijk leidde tot een uitbarsting der vijandelijkheden tussen China en Engeland. In 1839 besloot de Chinese regering kort en goed een einde te maken aan de import van opium. Men zond een hooggeplaatste en zeer integere ambtenaar, Lin Tse-sju genaamd, naar Kanton om daar op drastische manier op te treden. Lin pakte de zaak meteen stevig aan. De ene inval na de andere werd gedaan in de pakhuizen en opslagplaatsen van de Engelse handelaars en overal waar opium werd gevonden – en dat bleek op heel wat plaatsen te zijn – werd deze in beslag genomen en in het openbaar op de brandstapel geworpen. Men kan zich het gejammer der buitenlandse kooplieden voorstellen! Daar ging hun kapitaal; daar gingen hun gouden dromen! Daar ging de papavercultuur van India. Dat was nog niet alles, want van iedere handelaar werd een plechtige eed geëist, dat het voortaan uit zou zijn met de import van een narcoticum, waaraan het Chinese volk steeds meer behoefte begon te krijgen.

Er zat voor Engeland niets anders op dan China de oorlog te verklaren om de rijkdommen te redden. Het doel heiligde naar hun mening de middelen: vrije handel dankzij oorlog. Voor China stond de nederlaag tegenover het zo krachtige Engeland al van te voren vast. Wat konden de Chinese troepen beginnen tegen die moderne en zeer goed bewapende legers? Toch duurde de oorlog nog tot 1842. De Engelsen konden er zich toe bepalen enkelvoudige aanvallen te doen op steden ten zuiden van de Yang-tse, daar het juist in hoofdzaak om die steden te doen was. Toen ze ten slotte Sjing-kiang, een stad gelegen aan het Grote Kanaal en de Yang-tse, hadden ingenomen en daarmee de verbinding tussen Peking en het zuiden hadden afgesneden, wáren de keizer en zijn regering genegen tot praten. In 1842 werd het verdrag van Nanking gesloten. China lag voortaan volkomen open voor het

99. Tau-ti masker in steen.

westen en voor alles dat het westen wenste te brengen of te halen. Want Engeland slaagde er niet alleen in het eiland Hongkong te pakken te krijgen, maar ook de havens van Sjanghai, Ningpo, Foetsjou, Kanton en Amoy waren voortaan geopend voor de internationale handel.

HOOFDSTUK 100

HET RIJKE EILAND

De Engelsen hadden geen betere greep kunnen doen dan het eiland Hongkong tot hun bezit te gaan rekenen. Dit eiland bezit namelijk de enige goede, natuurlijke haven tussen Sjanghai en Indo-China en biedt zelfs plaats voor schepen van 40 000 ton, iets waaraan die goede Engelsen uit 1842 overigens wel nooit zullen hebben gedacht, omdat schepen van een dergelijk tonnage toen tot de onmogelijkheden leken te behoren. Met de bezetting van Hongkong door de Engelsen begon voor het eiland een gouden eeuw, al moest het daarvoor wel geregeld tol betalen in tijden van onrust of oorlog.
Oorspronkelijk had de bevolking van het eiland nog maar weinig genoegens beleefd, want de Chinese zeerovers hadden de mooie haven ook ontdekt en hadden het dus geregeld bezet, tot groot ongerief van de schamele vissersbevolking. Gedurende de Eerste Opium Oorlog hadden de Engelsen de haven als basis gebruikt voor hun aanvallen op het vaste land en bij die gelegenheid ontdekten ze dan ook, dat Hongkong kon worden vergeleken met Gibraltar. Wie dit eiland in handen had zat op fluweel. Maar er was één moeilijkheid: Hongkong lag slechts een mijl van het vaste land verwijderd en dat kon gevaarlijk worden. De Engelsen konden nu wel het eiland tot in eeuwigheid in bezit houden volgens het verdrag van Nanking, ze moesten ook bewijzen dat zij dat zouden kunnen! En met dat smalle kanaal tussen kust en eiland leek de kans niet uitgesloten dat China wel weer eens zelf over Hongkong zou willen heersen. Er zat maar één ding op: een deel van het vasteland opeisen en op die manier het bezit van het eiland versterken. De Engelsen gingen aan het werk om die zekerheid te verkrijgen. In 1860 kregen zij het gevaarlijke schiereiland Kouloen in bezit. In 1898 huurde zij voor de tijd van 92 jaar de zogenaamde Nieuwe Territoria met de bijbehorende eilanden. Het geheel beantwoordde nu aan de verwachtingen. De overtollige bevolking van Hongkong – die na de Engelse bezetting groeide als kool – kon hier geloosd worden en het gebied zelf bood mogelijkheden voor landbouw en industrie.
Hongkong werd een vrijhaven en daarmee begon de grote bloei, want geen stad was zo goed gelegen voor een bloeiende economie voor deze gebieden. Hongkong kreeg opslagruimten en overslagbedrijven. Er kwamen banken en verzekeringsbedrijven. Zo lang er vrije handel was zag de toekomst er voor het rijke eiland heel zonnig uit. Maar toen braken de oorlogen uit; de eerste en tweede wereldoorlog, met daar tussenin een verwarde toestand in China zelf. De eerste wereldoorlog bracht de industrie naar het eiland. Door de

Duitse blokkades was Europa afgesneden van het Verre Oosten. De grootste ontwikkeling kwam na 1935, toen de politieke toestand in China een einde maakte aan de goede economie van het land. De tweede wereldoorlog deed de handel opleven en de industrie met sprongen groeien, wat nog bevorderd werd door een eindeloze stroom Chinezen, die hun kapitaal losmaakten uit het nu communistische China en die zich maar al te graag in Hongkong met zijn vele mogelijkheden kwamen vestigen. De zware industrie groeide. Er kwamen scheepswerven, staalindustrieën en cementfabrieken. De lichte industrie beleefde een tijd als nooit tevoren. Vreemd genoeg is juist voor het huidige communistische China Hongkong van het grootste belang. Want de voornaamste import van Hongkong komt uit communistisch China en China is een heel belangrijk afnemer van de produkten van Hongkong. Geen wonder dus dat er nog altijd zoveel Chinezen naar Hongkong vluchtten, terwijl vele rijke Chinezen met relaties in die stad wonen in de luxe woonwijken voor de zogenaamde 'overzeese Chinezen' in Kanton, waar ze in alle gemoedsrust als echte kapitalisten kunnen wonen in een communistisch land!

HOOFDSTUK 101

NOG STEEDS NIET GENOEG

Het moet de Chinezen uit 1842 wel sterk verbaasd hebben dat ze voortaan de 'vreemde duivels' van buiten Azië hadden te beschouwen als 'echte' mensen, die evenveel, zo niet méér waard waren dan de zonen van het Rijk van het Midden. Want nu was het voorgoed afgelopen met 'tribuut' uit het westen, met de koutous – driemaal knielen met het voorhoofd op de grond – voor hoog geplaatste Chinezen. De Ko-hong werd afgeschaft en de Engelsen kregen alle mogelijke voordelen. Ze konden consuls aanstellen in de havensteden. Ze konden in de havensteden zelfs gaan wonen waar het hen beliefden, al gaven ze wel de

100. Boot van 'celadon-jade', voorstellend Sjoe-lan, vergezeld van hert en kraanvogels. Allen symbolen van een lang leven.

voorkeur aan grotere veiligheid door een soort kolonie te vormen, waar ze allen bij elkaar woonden op een sterk beveiligd gebied. Er was niemand zo dwaas om te verwachten dat de Chinezen de 'vreemde duivels' niet nog erger zouden gaan haten dan ze al deden.
Aan één punt hielden de Chinezen echter star vast: het moest absoluut uit zijn met de import van opium. Men gaf hierin toe. Er was namelijk inmiddels een zo ontzaglijk grote smokkelhandel in opium ontstaan, waar de kooplieden in Amerika en Engeland slapende rijk bij werden, dat het weinig nut had om hierover te gaan kibbelen. Wettelijk was er dus geen opiumhandel, in werkelijkheid bloeide deze als nooit te voren. Buiten China werden kapitalen opgebouwd waar men zich slechts een flauwe voorstelling van kan maken.
Maar ondanks alle toegeven van de kant van China; ondanks de winst aan de kant van de Engelsen, bleef de toestand hachelijk, want de Chinezen bleken achteraf koppiger dan men had gedacht. Zij hingen aan de letter van het verdrag op een manier die de Engelsen geweldig irriteerde. Eigenlijk waren noch de Chinezen, noch de Engelsen tevreden met wat er was vastgesteld. De Engelsen vonden het namelijk veel te weinig en de Chinezen veel te veel, zodat de laatsten niet van zins bleken ook maar het kleinste ziertje toe te geven of zelfs alleen maar mee te werken. Nog steeds stonden zij de buitenlanders niet toe het land buiten de vijf genoemde steden te bereizen. Er kwamen géén diplomatieke vertegenwoordigers in Peking. En wat betreft de gelijkstelling van Chinezen en vreemde duivels, de Chinezen hadden nog nooit zoiets dwaas gehoord. Zij werden ware meesters in het bedenken van verfijnde beledigingen, waar de buitenlanders jammer genoeg niets van begrepen of voelden, maar die de Chinezen oneindig veel genoegen verschaften.
De Engelsen waren overigens niet de enigen die voordeel genoten van China's nederlaag in de oorlog. Engeland mocht dan al het meest profiteren, de Amerikanen bleven niet achter. Zij sloten eveneens een verdrag, waardoor ze ongeveer dezelfde voordelen konden genieten als de Engelsen. In 1844 sloten ook de Fransen een dergelijk verdrag.
De verhoudingen, die in de loop der jaren door kwade wil van weerszijden hoe langer hoe meer gespannen werden, leidden uiteindelijk tot een nieuwe oorlog, die van 1856 tot 1860 duurde. De Chinezen hadden beloofd, dat de verdragen van 1844 na een tijdsduur van twaalf jaar herzien zouden worden en aangepast aan de nieuwe omstandigheden, maar zij zochten telkens uitvluchten. Zoals gewoonlijk was een vrij onnozel incident de reden voor een nieuwe oorlog. De Chinezen 'beledigden' de Engelse vlag en de Engelsen legden beslag op een Chinees schip met een Chinese bemanning. Voor beide partijen was de maat vol. Daarbij kwam nog dat ook de Fransen een reden tot oorlog hadden: er was een Franse missionaris vermoord. De Fransen en Engelsen waren sinds de Krim-oorlog elkanders bondgenoten. Maar de nieuwe oorlog kwam hen eigenlijk helemaal nog niet gelegen, want Engeland had in India de handen vol met de grote muiterij die daar was uitgebroken en die als een laaiend vuur om zich heen greep, met onbegrijpelijke en onvergeeflijke wreedheden aan weerskanten. Ook in Perzië waren moeilijkheden en de Krim-oorlog was nog maar net voorbij. Men deed het dus in China een beetje kalm aan.
In 1857 werd Kanton ingenomen. Het jaar daarop stonden de Franse en Britse troepen voor Tientsin en eisten de overgave van Peking en de regering. Er zat voor China niet veel anders op dan toe te geven. Er volgde weer een hele rij nieuwe verdragen, waarbij China zich volkomen openstelde, niet alleen voor de overwinnaars maar ook voor Amerika en Rusland, die niet hadden meegevochten, maar die nu hun graantje meepikten. Rusland kreeg een reusachtig gebied toegewezen ten noorden van de rivier de Amoer. De vreemde

duivels konden tevreden zijn! De import van opium werd wettelijk geregeld, zeer ten gerieve van de overwinnaars. China zou voortaan open staan voor alle vreemdelingen, die zich konden vestigen waar ze wensten, zodat vooral zendelingen en missionarissen tot diep in het achterland konden doordringen. Westerse schepen mochten de Yang-tse bevaren; China kreeg een behoorlijke oorlogsschuld opgelegd; een aantal nieuwe havens werd opgengesteld. Er kwamen voortaan diplomatieke vertegenwoordigers in Peking en deze zouden met de nodige eerbied behandeld worden.

De eerste diplomaten kwamen naar Peking om daar een residentie te zoeken of te bouwen. Dit was een vol jaar nadat de verdragen geratificeerd waren; men meende dat de zaak nu wel geregeld kon worden. Niets bleek minder waar! Op de weg naar Tientsin stuitten de ongelukkige diplomaten op een Chinese blokkade en zij kwamen er niet langs. Bovendien waren de Chinezen brutaal. Ze wensten de verdragen te herzien. Voor de vreemdelingen zat er niets anders op dan maar weer opnieuw te gaan oorlogvoeren. In het begin viel het niet eens mee, want ze werden door de Chinezen verslagen bij de zeer sterke forten van Takoe, die tot de voornaamste verdedigingen van de hoofdstad behoorden. Maar in 1860 stootten de Franse en Engelse troepen door naar Peking, waar de keizer reeds gevlucht bleek te zijn naar Jehol.

In Peking heerste een verschrikkelijke toestand. De Chinese troepen, die volkomen uit de hand waren gelopen, hadden overal geplunderd en het prachtige, op Versailles geïnspireerde Zomerpaleis hadden ze verwoest. Als wraak voor het vermoorden van een paar dragers met een witte vlag door de Chinezen staken de Engelsen wat er nog over was van het Zomerpaleis in brand, nadat zij het eerst grondig hadden geplunderd.

Voor de Chinezen zat er niets anders op dan de verdragen te erkennen; een nog veel hogere oorlogsschuld te betalen; Tientsin vrij te geven voor de buitenlanders en nog veel meer diplomaten in Peking toe te laten. Bovendien kwam Rusland ook weer in troebel water vissen. Dat land kreeg opnieuw een stuk grond, waar de stad Wladiwostok ligt. De Engelsen kregen bij deze gelegenheid Kouloen bij Hongkong ter beveiliging van hun nieuwe havenstad. Merkwaardig genoeg bleven de verdragen tot 1943 in grote lijnen de basis voor de verhouding China-buitenland. Natuurlijk trok China aan het kortste eind. Voortaan vormden de vreemdelingen een zeer gevaarlijk element in de Chinese samenleving, daar de Chinese justitie niets meer over hen te zeggen had. De handelstarieven werden niet meer door de Chinezen, maar door de buitenlanders vastgesteld. De moderne tijd was voor China met een geweldige klap aangebroken. Het land was niet in staat zich te verweren of zelfs maar aan te passen. Een periode van de grootste ellende brak aan.

101. Jade vleermuis, symbool van geluk en lang leven.

HOOFDSTUK 102

HET TWEEPOTIGE WORTELTJE

Kruiden of natuurprodukten kunnen – hoe vreemd dat ook mag lijken – soms van invloed zijn op de onderlinge verhouding tussen twee landen. We denken bij voorbeeld aan de specerijen van de Molukken; de opium van India; de thee van China. Een dergelijke rol speelde een zonderling worteltje dat evenals de alruin een beetje op een mens lijkt door de gevorkte vorm van de knol. Dit worteltje is de *ginseng*. De Chinezen hechten de grootste waarde aan ginseng, een waarde die niemand dan zij erkennen. Ze schrijven er grote medische waarde toe, geheimzinnige krachten en grote invloed op – hoe kan het ook anders? – het liefdeleven.

De ginseng groeide vroeger lang niet overal, wat de wortel des te begeerlijker maakte. In Mandsjoerije groeide een heel goede soort, die later overvleugeld werd door die van Korea. De Mandsjoerijse ginseng werd door vlijtig zoeken al spoedig zó zeldzaam, dat er een keizerlijk decreet nodig was om hem te beschermen. De prijs was dan ook navenant; kon oplopen tot... *f* 1000,– per 100 gram. In tijden van overvloed zakte deze natuurlijk wel, maar het innemen van ginseng was toch altijd een duur grapje en bleef meestal beperkt tot de rijke lieden. Een geschenk in de vorm van een stukje ginseng-wortel werd dan ook geweldig op prijs gesteld.

Dat de ginseng zo heilzaam zou zijn was natuurlijk te danken aan zijn vorm. Een wortel die op een mens lijkt moét wel grote geneeskracht hebben. Men dacht het immers ook van de mandragora en de alruin. Maar dat er nog eens een tijd zou aanbreken waarin de ginseng een rol in de wereldhandel zou gaan spelen, dat had niemand ooit gedacht. Het kwam echter op in het slimme brein van een paar Amerikanen in het begin van de 18de eeuw. Van Amerika uit voeren snelle klipperschepen uit naar de havens van de hele wereld om die kostbare produkten van de wereldhandel te zoeken, waar de Chinezen zo dol op waren en die ze graag aannamen als ruilmiddel voor hun eigen produkten: thee en porselein. Maar aan die ruilprodukten begon lelijk een eind te komen daar ze zeldzaam waren: prachtige pelzen uit de poolstreken of kostbaar sandelhout van de Zuidzee eilanden. Er moest dus iets anders voor in de plaats komen en dat werd de ginseng! Het tweepotige worteltje,

102. Vier emblemen van de Acht Onsterfelijken (zie ook tekening 103).

103. Vier emblemen van de Acht Onsterfelijken (zie ook tekening 102).

waarvan kennelijk iemand eens een paar stekken had meegenomen, bleek het in Amerika ongelooflijk goed te doen! Het gevolg waren enorme ginsengplantages in Nieuw Engeland en een levendige handel tussen Amerika en China, een handel die het honderd jaar uithield In ruil voor prachtige porseleinen serviezen met typisch Amerikaanse motieven kregen de Chinezen hun zo vurig verlangde wortels om er gezond, jeugdig en levendig mee te blijven!

HOOFDSTUK 103

DE OORLOG VAN HET KONINKRIJK DER HEMELEN

In het midden van de 19de eeuw leefde er in China een schoolmeester die geen echte Chinees was, maar een Hakka, een lid van een van de minderheidsgroepen in China. Deze schoolmeester had hard gestudeerd om deel te nemen aan de beroemde examens die in Kanton werden afgenomen. Hij bleek helaas niet genoeg geleerd te hebben, of niet intelligent genoeg te zijn. Hij zakte en dat maakte zo'n diepe indruk op hem dat hij er gevaarlijk ziek van werd. Tijdens zijn ziekte had hij koortsvisioenen die hem wonderbaarlijk voorkwamen. Hij meende namelijk dat hij al eens eerder zoiets gezien of gehoord had en ten slotte herinnerde hij zich een aantal traktaatjes en een paar hoofdstukken uit het Oude en Nieuwe Testament, die een evangelist hem eens in Kanton in handen had gegeven. De koortsvisioenen bleken met de traktaatjes overeen te komen en voor de jonge schoolmeester was dat een reden terug te keren naar Kanton om er daar meer van te weten te komen. Hoeng Sjioe-tsj'wan – zo heette de meester – wendde zich tot een Amerikaanse zendeling om de beginselen van het christelijk geloof beter te leren kennen, maar ook hier slaagde hij er zelfs niet in om voldoende kennis op te doen om zich te kunnen laten dopen!
Dit belette Hoeng echter niet om zich voortaan te zien als schepper van iets nieuws en zendeling te gaan spelen voor een vreemd, verward en totaal niet begrepen geloof van eigen

ontwerp. Hij ging terug naar zijn dorp, noemde zich voortaan Jongere Broeder van Jezus, en wijdde zich onder andere aan het verdrijven van de Mandsjoes uit China. Dat was niet eens zo'n onmogelijke taak, want de keizer die nu op de troon zetelde, Sjien-feng, was een zwakkeling en totaal niet in staat de voortschrijdende degeneratie van zijn dynastie te keren. De jonge onderwijzer had succes vooral nadat hij zijn staart had afgeknipt als symbool van zijn vrijheidszin. Dit laatste was een onvoorstelbaar brutale misdaad en stempelde hem zonder meer tot rebel!
Van een klein groepje groeide de bende van Hoeng snel uit tot een echt leger, met heilig vuur bezeten. Zo organiseerden ze ware beeldenstormen, waarbij ze tempels verwoestten en beelden kapotsloegen. Ze waren gevreesd, maar ze hadden succes; ze slaagden er zelfs de Yang-tse te bereiken en Nanking in te nemen. Geen Mandsjoes bleef gespaard. Waar de rebellen er één zagen, of hij oud was of jong, man of vrouw, daar folterden en vermoordden ze hem of haar. In 1853 kon Hoeng Sjioe-tsj'wan zich uit laten roepen tot koning van een nieuw rijk: Tai-ping T'ien-kwo, het koninkrijk der Hemelen van de Grote Vrede. Het is bekend geworden, evenals de deelnemers aan de opstand, als de Tai-ping Opstand.
De legers stonden niet stil. Ze trokken de Yang-tse over ondanks een geweldige overstroming, die het land honderden kilometers ver blank had gezet, en ten slotte verschenen ze zelfs voor de poorten van Tientsin, waar ze echter werden teruggeworpen door Mongoolse cavalerie.
Nu had ook de bond van de Witte Lotus zich bij hen aangesloten en zelfs de buitenlanders begonnen in hun richting te lonken, daar ze grote mogelijkheden zagen in deze 'christelijke' nieuwe dynastie van een schoolmeester, waarvan ze meer soepelheid verwachtten dan van de starre Mandsjoes.
Maar ook de Tai-pings bleken uiteindelijk niet sterk genoeg om te blijven voortbestaan. Er was teveel rivaliteit onderling, vooral van de zijde van een discipel van Hoeng, die de brutaliteit had zich te beschouwen als een reïncarnatie van... de Heilige Geest. Bovendien bleek zelfs de langzaam degenererende Mandsjoe-dynastie toch nog over verbluffend goede generaals te kunnen beschikken, die de Tai-pings met veel succes te lijf gingen. Het merkwaardige is dat uiteindelijk de buitenlanders maar weer de partij van de officiële regering kozen, daar deze toch nog te machtig bleek. Er werd een sterk leger gevormd onder leiding van twee Chinese generaals en één Engelsman, de beroemde Charles Gordon die later een zo belangrijke rol zou spelen in de Soedan.
Gordon was als jong officier belast met de beveiliging van de Europeanen in Sjanghai, want schoolmeester Hoeng bleek een heel wat gevaarlijker individu te zijn dan men ooit had verwacht. Van het begin af aan bewees Gordon uit goed militair hout te zijn gesneden. Hij voerde zijn leger, bestaande uit Britten, Fransen en Amerikanen, ten strijde, alleen gewapend met een wandelstok!
Gordon bleek bovendien een uitstekend strateeg. De ene stad na de andere werd op de Tai-pings veroverd. Het ging goed tot Soetsjou werd veroverd, maar toen kwamen de Europese en Chinese opvattingen tot een ernstige botsing. Gordon had namelijk de Tai-ping-vorsten uit die stad beloofd, dat ze niets hadden te vrezen als ze zich overgaven. Hij stond met zijn erewoord garant voor zijn belofte. De Chinezen dachten er echter anders over. Die beschouwden een dergelijke plechtige belofte zuiver als een krijgslist! De Tai-pings van Soetsjou gaven zich over en prompt richtten de Chinese legers er een afgrijselijk bloedbad aan, zoals zij dat gewend waren te doen in een veroverde stad. Gordon was woe-

dend en trok zich terug uit het Chinese leger. Er was heel wat nodig eer hij ten slotte weer toestemde om het commando op zich te nemen en China te pacificeren, wat hem eindelijk in 1864 gelukte. Hij slaagde er in de Tai-pings onder leiding van koning Hoeng tot Nanking terug te drijven. Koning Hoeng bleek zich verschanst te hebben in een uitermate versterkte stad, Tsjen Tsjoe-foe, die door Gordon werd belegerd en ingenomen. Koning Hoeng nam vergif in en stierf, maar zijn zoon zette de strijd nog een tijdje voort tot ook Nanking door Gordon werd ingenomen. Daarmee was er een einde gekomen aan het Hemelse Rijk van een kleine dorpsschoolmeester, die niet kon slagen voor zijn eerste examen.

HOOFDSTUK 104

KINDEROOGJES OP AZIJN

De Tai-ping rebellen waren weliswaar overwonnen, maar in China was het nog allesbehalve rustig, want steeds weer flakkerden als meer of minder geslaagde strovuren overal opstanden en oproeren los. De gebieden in Centraal-Azië waren voor China verloren gegaan, maar werden later weer veroverd wat voor de ongelukkige inwoners de meest afschuwelijke bloedbaden betekende. Ook met Rusland dreigde op een gegeven moment een oorlog, want tijdens de Centraal-Aziatische troebelen hadden de Russen van de gelegenheid gebruik gemaakt om een flink gebied te bezetten. Nu weigerden zij dat aan China terug te geven, al waren de Chinese troepen de overwinnaars. Het gevaar van oorlog werd op het laatste moment gekeerd. De Russen moesten ten slotte het gebied teruggeven, maar ze deden het niet van ganser harte.
In het oosten begon Japan gevaarlijk te worden; telkens opnieuw waren er wrijvingen die op het laatste ogenblik net niet tot oorlog leidden. Vooral Formosa gaf moeilijkheden. Daar was men namelijk gewend aangespoelde schipbreukelingen op te eten en toen dan ook een aantal inwoners van de Rioe Kioe-eilanden zo onfortuinlijk waren op Formosa aan te spoelen en verorberd te worden, was dit voor de Japanners een reden om een vloot

104. Zogenaamd 'kippebeen' jade: Moeder Aarde rijdend op een 'Lin', met een achtergrond van zwammen (fungus). Ming-dynastie.

105. De God van het Lange Leven met zijn gewone gezelschap van herten en vleermuis (heel lang leven en vrolijkheid) van witte jade

naar het onder Chinees beheer staande Formosa te sturen. De Japanners beschouwden namelijk de bewoners van Rioe Kieo als Japanners. Tot een oorlog kwam het echter ook ditmaal niet, want de Chinezen betaalden een flinke schadevergoeding voor de geleden schade en Japan was – althans voorlopig – tevredengesteld.
Ook met de buitenlanders en dan vooral met zendelingen en missionarissen waren er moeilijkheden, die vaak leidden tot vreselijke moordpartijen. Er ging door China namelijk een verhaal, zó taai dat het niet uit te roeien was: het verhaal dat vreemdelingen zulke barbaren waren, dat zij kinderen doodden om hun oogjes met azijn en kruiden in flessen te doen en die als smakelijk hapje te verorberen bij vlees en aardappelen! Het baatte niet dat de Europeanen steeds weer vertelden, dat die zogenaamde oogjes niets anders waren dan gewone zilveruitjes... In 1870 werd om dit verhaal een groot aantal nonnen en consulaire ambtenaren vermoord in Tientsin.
Dergelijke moorden en andere schandalen waren maar al te vaak gelegenheid om de bezittingen van het westen in China uit te breiden. Langzaam maar zeker werd er aan China's grenzen danig geknabbeld. Frankrijk kreeg Annam (1885); Engeland kreeg Birma (1886); Portugal kreeg Macao (1887). Zelfs Duitsland kreeg een stuk van Sjantoeng als vergoeding voor de moord op twee Duitse zendelingen. De Russen bezaten Port Arthur, en ze mochten een spoorweg aanleggen dwars door Mandsjoerije. De oorlog met Japan barstte ten slotte in 1894 uit met Korea als inzet. Dit ongelukkige land werd steeds begeerd door drie landen: Japan, China en Rusland. Kern van alle onrust en politiek gekonkel was altijd weer Seoel. Een opstand in Korea die tegen de machtige Japanners gericht was werd de aanleiding tot deze oorlog.
De Japanners waren, anders dan de Chinezen, een homogeen volk dat zich wist aan te passen aan de moderne tijd; het belang van een Japansgezind Korea was wat hen voor ogen stond; zelfs al wisten zij uit zure ervaring dat de Koreanen meer voelden voor China, dat hen altijd vrij humaan behandeld had en dat zij zeer bewonderden om zijn eeuwenoude beschaving. Maar Japan wenste Korea te moderniseren als een tegenwicht tegen het gevaarlijke en buitengewoon machtige Rusland. Het uitbreken van de oorlog werd door de Japanners op zeer handige wijze geregiseerd. De koning van Korea vroeg met het oog op een anti-Japanse opstand hulp aan de keizer van China, die een paar duizend man troepen zond met moderne wapens. Japan werd door de verraderlijke Koreaanse koning hiervan

meteen op de hoogste gesteld en er vertrok prompt een Japans leger van 18000 man naar Korea. De Koreaanse koning werd nu afgezet, een stroman op de troon geplaatst en hiermee was de intrige gereed. De stroman verzocht Japan officieel om hulp om de Chinese troepen te verdrijven, wat ze in een handomdraaien klaar speelden. Korea was voortaan 'onafhankelijk' en geheel op de hand van Japan, evenals Formosa en de Pescadoren-eilanden, zij die in China het intellect vertegenwoordigden zagen wel hoe slecht het er met het keizerrijk voor stond en wisten dat er iets gedaan moest worden en liefst zo spoedig mogelijk. China kon niet langer voor de buitenwereld afgesloten blijven. Ook in China klopte de nieuwe tijd dringend op de zwarte poorten. Er móest iets gebeuren. Een nieuwe revolutie hing immers in de lucht met die jonge oproerkraaier Soen Yat-sen, die openlijk verklaarde, dat de Mandsjoes moesten verdwijnen. Gelukkig waren er ook meer machtige figuren zoals de geleerde K'ang-You-wei, die zelfs tot de jonge keizer wist door te dringen. Hij vertelde hem, hoe China op waarlijk nationale wijze hervormingen kon invoeren op basis van de Chinese klassieken. De keizer kreeg vreemde voorstellen van hem te horen! Waarom zouden ook Mandsjoe-prinsen niet naar het buitenland gaan om te studeren? De Chinese examens moesten hervormd worden, evenals de rechtspraak die eeuwen ten achter was bij ieder modern land. Peking moest een universiteit krijgen waar men op westerse wijze kon studeren. En als klap op de vuurpijl zouden de keizerin moeder en de jonge keizer samen met de trein van Peking naar Tientsin rijden om daar een troepen inspectie te houden. Het leger was immers ook gemoderniseerd en nu alleszins de moeite waard!
De jonge keizer leende een willig oor aan al die hervormingen, waar hij persoonlijk veel voor voelde. In 1889 tekende hij het ene edict na het andere om die veranderingen in te voeren en China tot een modern land te maken, dat mee kon doen met de rest van de wereld. Maar met één persoon had hij vergeten rekening te houden: Tz'e-sji, de keizerin weduwe die in de geschiedenis bekend is geworden als Oude Boeddha.

HOOFDSTUK 105

DE TWEE REGENTESSEN

Keizer Sjièn-feng, onder wiens regering de Tai-pings rebelleerden, stierf in ballingschap in Jehol. Hij werd opgevolgd door zijn zoontje van zes jaar oud en dat was als gewoonlijk een prachtige reden voor diverse leden van de keizerlijke familie om te trachten zich van de troon meester te maken. Maar ze hadden buiten de waard gerekend, in dit geval buiten de keizerin-weduwe Tz'e-an, een energieke en macht-lievende vrouw, en buiten de moeder van het kroonprinsje, die geen keizerin was geweest maar een bijvrouw. Deze moeder heette Tz'e-sji. Deze beide vrouwen slaagden er in het prinsje, nu het keizertje, naar Peking terug te smokkelen, daarbij geholpen door een broer van de keizer, prins Koeng genaamd.

Het kleine keizertje T'oeng-tsje regeerde met de hulp van zijn twee regentessen tot hij in 1875 op negentienjarige leeftijd overleed aan de pokken. Als keizer was hij een waardeloze figuur, die alleen om pretjes en vrouwen gaf, maar juist dit schonk de twee vrouwen het gevoel zélf te regeren. De keizer liet geen kind na en er moest dus een nieuwe keizer gezocht worden. Deze werd gevonden door Tz'e-sji: een kind van haar zuster, een klein jongetje dat zou regeren als keizer Kwang-sjoe. Gelukkig voor de twee regentessen was de moeder van het jongetje heel geschikt gestorven, zodat ze het terrein vrij liet. Of de dood van de zuster van Tz'e-sji wel helemaal een toeval was...?

HOOFDSTUK 106

OUDE BOEDDHA

Na keizerin Woe de Ontembare uit de T'ang-dynastie is keizerin Tz'e-sji wel een van de merkwaardigste vrouwelijke hoofdpersonen uit China's geschiedenis geweest. Misschien moet een vrouw wel dergelijke ontembare driften, een zo ijzeren wil en zoveel machtswellust bezitten als deze keizerin, die later bekend werd als 'Oude Boeddha', om een zo grote rol te kunnen spelen in de historie van een land. Merkwaardig genoeg was Tz'e-sji helemaal niet van vorstelijke afkomst. Ze begon haar carrière op de onderste sport van de ladder, toen ze als één van de jaarlijkse zending mooie meisjes voor de keizerlijke harem naar Peking kwam. Ze werd niet uitgekozen voor een belangrijke positie, integendeel. Ze kreeg een klein appartementje – waarop ze recht had – ergens in een uithoek van het paleis, een van die ontelbare vertrekjes aan eindeloze gangen, waarin ontelbare vrouwen vergeten door het leven gingen. Maar met dit verschil, dat Tz'e-sji niet vergeten wenste te worden.
Daar ze een geboren intrigante was wist zij van ieder klein politiek voordeeltje gebruik te maken, iedere kans al was die nog zo klein uit te buiten, en haar grote schoonheid en scherp verstand waren een niet geringe hulp. Ten slotte wist zij – als zovele van haar voorgangsters – door aan te pappen met de eunuchen, die weer een ontzaglijke macht in paleiskringen bezaten, zichzelf zó omhoog te werken, dat de aandacht van de keizer op haar gevestigd werd en hij haar tot zijn concubine nam, of liever tot een van zijn concubines. Tz'e-sji had het grote geluk de keizer een zoon te schenken, die zoals we al zagen als zesjarig kind op de troon kwam onder de naam keizer T'oeng-tsje. En daar de keizerin geen zoon had, was Tz'e-sji's positie hiermee volkomen veilig gesteld en lag de toekomst stralend voor haar open. Het was wel jammer dat de officiële keizerin ook aandeel had in de regering, aangezien zij mét Tz'e-sji regentes was over het jonge keizertje; tegen Tz'e-sji was zij echter niet opgewassen.
Door haar vrij eenvoudige afkomst ontbrak het Tz'e-sji aan één belangrijk ding: een goede opvoeding. Daarenboven was zo zij door en door Chinees, dat zij niet kon inzien hóe belangrijk de Europeanen in China waren. Zij zag in hen alleen een vijandig volk dat door

puur geluk in China houvast had kunnen krijgen, zoiets als de barbaren uit het noorden die lang geleden ook een tijdlang China onder de voet konden lopen. Ze zag echter niet het grote verschil tussen die barbaren en de Europeanen. Van wereldpolitiek had ze helemaal geen verstand en ze wenste er eigenlijk ook niets van te begrijpen. Voor haar was China nog altijd het Rijk van het Midden, het centrum van de wereld, zo niet van het heelal. Om China heen woonden alleen barbaren, zoals dat van de vroegste tijden af het geval was geweest.

Een van Tz'e-sji's grootste fouten is geweest dat zij de macht van de paleiseunuchen steeds groter maakte en dat zij volkomen op hen dreef bij talloze besluiten. De eunuchen, met hun door en door verfoeilijke en abnormale mentaliteit, beheersten ook geheel en al de opvoeding van het kleine keizertje, dat dan ook opgroeide tot een onevenwichtige, gevaarlijke en ontoerekenbare persoonlijkheid, ondanks het feit dat hij niet onintelligent was, wat bij verschillende gelegenheden uitkwam. Toen hij negentien jaar oud aan de pokken stierf ging er als heerser niets aan hem verloren. De eigenlijke heerser was er immers nog altijd! Keizerin Tz'e-sji aarzelde dan ook geen seconde om een troonopvolger te benoemen, aangezien haar zoon kinderloos was gestorven. Zij bezat een zuster en die zuster had een zoontje, een eigen neefje dus van Tz'e-sji. Wat was natuurlijker dan dat zij dit kind als keizer op de troon wenste te zien? Zelfs al had het daar natuurlijk niet het minste recht op! Tz'e-sji en Tz'e-an werden opnieuw regentessen, de eerste mét en de tweede zónder invloed op de regering. Het kind-keizertje was volkomen aan zijn tante overgeleverd, daar zijn eigen moeder gestorven was op een moment, dat uitstekend in de kraam van Tz'e-sji te pas kwam. En wederom werd een kind door de keizerin en haar eunuchen tot in de grond bedorven.

Intussen was er in China wel een en ander veranderd, al wenste Tz'e-sji dat dan niet te erkennen. De Japanners, voor de Chinezen even grote barbaren als alle andere niet-Chinezen, waren een macht geworden waarmee men terdege rekening had te houden nu dat land gemoderniseerd was. In Japan had altijd, in tegenstelling tot China, een middenstand bestaan en juist deze was het die de moderne tijd met open armen had verwelkomd. In het onvoorstelbaar conservatieve China was die middenstand zo klein, dat ze vrijwel geen invloed kon uitoefenen, behalve in het zuiden waar een kentering was gekomen. Het noorden, dus ook Peking en de regering, was het meest conservatieve deel van China; het zuiden had veel diepgaander kennis gemaakt met de buitenlanders doordat daar altijd de handel was geweest. Het noorden voelde zich politiek het meest verbonden met Rusland en zag in Japan een even dodelijke vijand als in Engeland, dat nu het toppunt van zijn macht had bereikt. Het zuiden daarentegen wilde wel met Japan gaan samenwerken en zo tot de vernieuwing komen, die China niet langer kon missen. Uit het zuiden kwamen dan ook de hervormers als K'ang You-wei, die daar een heel grote invloed hadden. Het was geen wonder dat Tz'e-sji in mannen als K'ang You-wei haar doodsvijanden zag; toen bovendien de jonge keizer gevoelig bleek voor zijn nieuwe inzichten vond zij, dat ze geen seconde mocht aarzelen en dat die nieuwlichters moesten worden opgeruimd. Een paar maanden nadat K'ang You-wei 'het oor van de keizer had gehad' sloeg de keizerin toe. K'ang slaagde er in op het nippertje te ontkomen. Zijn medewerkers waren minder gelukkig. Zij werden gevangen genomen en op onaangename wijze ter dood gebracht. Ook de jonge keizer werd het slachtoffer van zijn tante. Zij achtte hem zó gevaarlijk dat zij verklaarde, dat hij zwakzinnig was en daardoor niet toerekenbaar. Hij werd in zijn eigen paleis opgesloten en mocht er niet meer uit. Inderdaad was de jongeman als keizer een ongelukkige figuur waarvoor niemand de geringste eerbied had, zelfs zijn eigen slaven, eunuchen en bedienden niet. Een beschrijving van hem door Woe Yoeng, een heel merkwaardige figuur waar we het nog over zullen hebben, toont dit heel duidelijk aan: „Hij tekende graag op vellen papier een groot hoofd met een lang lijf en daar omheen allerlei demonen en spoken. Als hij ermee klaar was scheurde hij de tekening aan stukjes. Soms tekende hij een grote schildpad, schreef op zijn rug de naam Yuan Sje-k'ai en plakte dit prentje op de muur. Met een kleine pijl en boog van bamboe schoot hij op de tekening, waarna hij deze van de muur nam en met een schaar aan heel kleine stukjes knipte, die hij in de lucht wierp als een zwerm witte vlinders. Zijn haat tegenover Yuan Sje-k'ai zetelde kennelijk heel diep, want hij deed dit praktisch iedere dag, alsof het gestelde een taak was die hij te verrichten had."

De door de keizer zozeer gehate Yuan Sje-k'ai was generaal van de enige troepen van China, die modern bewapend en geoefend waren. Hij was een van de heel weinige Chinese militairen, die de zwakte van China's legers terdege inzag en die er alles aan was gelegen om deze meer in overeenstemming te brengen met de eisen van de moderne tijd. Later, toen er een einde was gekomen aan het keizerrijk, werd Yuan Sje-k'ai president van de jonge republiek.

Aan een figuur als keizer Kwang-sjoe ging niet veel verloren. Hij zwierf als een bleke schim door zijn weelderig paleis tot op de dag waarop 'Oude Boeddha' haar eigen dood voorvoelde. Zij was toen 78 jaar oud en was al een tijdlang ziek. Maar zelfs de dood was niet in staat deze steenharde vrouw enige zachtere gevoelens bij te brengen. De dag voor haar dood liet ze de zwakke keizer vermoorden, daar ze hem na haar dood de macht niet gunde die hem dan zeker zou worden toegeschoven door haar tegenpartij. Heel zijn leven had ze hem, die toch ten slotte haar volle neef was, niets gegund. Nu gunde zij hem zelfs

106. Tz'e-sji, de keizerin-weduwe bijgenaamd Oude Boedda. Zij was gehuwd met keizer Sjièn Feng.

zijn leven niet meer... Maar nog vóór ze stierf wees ze haar opvolger aan. Het was weer een kind: een baby van nog geen twee jaar. Kwang-sjoe was kinderloos gestorven. Maar hij had een neefje, Poe-yi geheten, dezelfde die later door de Japanners tot keizer van Mansjoekwo werd uitgeroepen. Dit kind was keizer van China vanaf de dag waarop Tz'e-sji stierf – 15 november 1908 – tot de dag waarop er een einde kwam aan de Tsj'ing-dynastie in 1912. Er kwam weer een regent, de broer van de vorige keizer, de vader van het nieuwe keizertje. De laatste jaren van het keizerrijk gingen in.

HOOFDSTUK 107

EIEREN KOKEN VOOR DE KEIZERIN

Toen de ongelukkige mandarijn Woe Yoeng de opdracht kreeg om voor keizerin Tz'e-sji eieren te 'organiseren' (dat wil zeggen ordinairweg te gappen) en die voor haar op de juiste manier te koken kreeg hij de schrik van zijn leven. Welke Chinees wist niet hoé moeilijk het was in dienst te zijn bij Oude Boeddha en haar dan ook nog tevreden te stellen! En Woe Yoeng was nog maar heel jong. Hij was pas drie jaar mandarijn en zijn ervaring was dus niet al te groot.
De ellende begon voor Woe Yoeng als voor zoveel anderen met de Bokser Opstand. Hij was een Chinees van het oude stempel, conventioneel en conservatief en hij voelde niets voor opstanden. Zijn te besturen gebied lag vlak bij Peking. Woe Yoeng kreeg een kwade naam bij de Boksers, toen hij strenge maatregelen nam om hun aktiviteiten te beteugelen, en daar hun succes ondanks die maatregelen steeds groter werd kwam het ten slotte zo ver dat Woe Yoeng in hun handen viel. Toen werd hij als 'Harige Man van de Tweede Orde' veroordeeld tot het ondergaan van het 'Oordeel met het Brandende Papier'. Daarvoor staken de Boksers voor hun altaar een stuk papier aan. Steeg de as van het papier op de luchtstroom omhoog, dan was de gevangene vrijgesproken. Was dat niet het geval, dan ging meteen zijn hoofd er af. Woe Yoeng was natuurlijk schuldig (er waren foefjes mogelijk met het opstijgen van de as), maar hij wist zo goed te praten dat hij zichzelf vrij pleitte! Maar hoe hij in angst zat blijkt uit zijn memoires: „Ik was diep geschokt en voelde me als een vis op de bodem van een pan, die wacht tot het water begint te koken".
De rust keerde weer enigszins terug totdat het ogenblik aanbrak waarop keizerin Tz'e-sji met keizer Kwang-sjoe vluchtte na de belegering van de legaties in Peking. Woe Yoeng kreeg de taak de twee hofhoudingen van onderdak en voedsel te voorzien en dat was voorwaar geen lichte taak, want al die duizenden mensen verkeerden in paniek en hadden honger en dorst. Ten slotte waren er tienduizend hovelingen aanwezig in het kleine stadje waar Woe Yoeng mandarijn was en al die mensen vonden dat ze recht hadden op het leven waaraan ze tot dan toe gewend waren; dat wil zeggen een uitermate weelderig en verwend leven. Hertogen en graven en vorsten en niet te vergeten de onverdraaglijk pedante eunuchen zwermden heel de dag om hem heen en stelden de onmogelijkste eisen. „Ik was

buitengewoon uitgeput; mijn stem was hees, mijn benen gezwollen. Ik kon mijn voeten nog maar nauwelijks optillen", schreef de arme mandarijn in zijn memoires.
De keizerin wenste eieren te eten en die moesten vers zijn ook nog. Ze wenste schone en natuurlijk passende kleding, want er was bij de vlucht veel te weinig meegenomen. De keizer moest mooie gewaden hebben, al was het hele bestuursgebied van Woe Yoeng uitgezogen door de belastingen en de Boksers. Ook moest er geld komen voor het leger en wat heel erg was, de keizerin Tz'e-sji legde beslag op de hoog gewaardeerde kok van de mandarijn zelf!
Maar Woe Yoeng gedroeg zich zó waardig; hij was zó vindingrijk en maakte het de keizerin zó behaaglijk dat zij hem haar gunsten begon te betonen en dat was misschien nog het ergste van alles! Hij werd kwartiermeester van de keizerin en droeg nu alleen alle verantwoording. Ieder vriendelijk woord van zijn hoge meesteres moest hij bezuren door de jaloezie van haar omgeving; nog nooit in zijn leven had hij zoveel vijanden gehad. Zo nu en dan kwam hij door hofintriges behoorlijk in de knoei te zitten, maar altijd slaagde hij erin op het juiste moment weer in de gunst te komen. Aangezien Woe Yoeng een eerlijk man was haalde hij zich ook nu en dan de woede van Oude Boeddha zelf op de hals door onvoorzichtige woorden. Bij één gelegenheid zei hij bij voorbeeld onomwonden, dat de keizerin een fout had begaan door drie mannen te laten onthoofden die haar hadden afgeraden de strijd met de buitenlanders aan te gaan. Ziehier hoe boos zij werd: „Haar ogen wierpen vreselijke stralen; haar jukbeenderen werden scherp en de aderen op haar voorhoofd puilden uit. Ze liet haar tanden zien alsof ze aan tetanus (!) leed". Geen wonder dat Woe Yoeng niet wist hoe snel hij op de knieën moest vallen en om vergeving smeken.
Later maakte hij van nabij mee wat het betekende om in ongenade te vallen bij Tz'e-sji. Een van de slachtoffers was Tsjau Sjoe-tsj'au, die onschuldig veroordeeld werd tot het 'Zijden Koord', dat wil zeggen dat hij zichzelf worgen moest! Daar hij echter een sterke man was lukte dit niet en ook het door hemzelf ingenomen vergif had geen succes. Toen grepen Tsjau's eigen bedienden op last van de beul hem vast en plakten zijn mond, neus en oren dicht met zijdepapier, waarover zij vervolgens wijn goten. „Hij stierf en herleefde vele malen tot hij ten slotte echt doodging. Het was erg jammer." Zo schrijft Woe Yoeng laconiek.
Het was inderdaad jammer als men bedenkt dat Tsjau, die onschuldig werd vermoord, een van Woe's beste vrienden was! Maar het geeft een uitstekend idee van de vreselijke toestanden aan een hof, waar zelfs de keizerin niet voor een moord of wat terugdeinsde.

HOOFDSTUK 108

WEG MET DE RIJSTCHINEZEN

In de jaren 1898 en 1899 ontstond er in China als zovele keren in het verleden ook was gebeurd een reactie tegen alle mogelijke dingen. Daar waren in de eerste plaats de vreem-

delingen – handelaren, zendelingen en missionarissen – die de wrevel van de grote massa opwekten en dat niet in het minst omdat zij de oorzaak waren van het ontstaan der zogenaamde 'rijst-Chinezen'. Die rijst-Chinezen genoemd, behoorden niet tot de besten van het land. Het waren de opportunisten die zich hadden bekeerd alleen uit overwegingen van voordeel en veiligheid. Wie christen was genoot namelijk de protectie der buitenlanders die een zeer bevoorrechte positie·innamen, wat door de Chinezen zelf met lede ogen werd aangezien.
Dan was er het gepraat over hervormingen op ieder gebied. Een groot deel van de bevolking wenste geen hervorming; een ander deel voelde daarentegen dat alleen nieuwe inzichten het land konden redden voor de ondergang, en altijd botsten die meningen. Dan was er de agressie van de buitenlanders, die steeds nieuwe eisen stelden; die steeds weer misbruik maakten van allerlei grote en kleine incidenten, wat voor China dan weer gebiedsverlies betekende. Ten slotte was er het hof met Tz'e-sji aan het hoofd, reactionairder dan welke conservatieve Chinees ook. De regering besloot over te gaan op een oud systeem dat in vroegere tijden ook succes had geboekt: een soort volksmilitie, waarbij ieder dorp en iedere stad zijn eigen soldaten opleidde. Daarmee begon de ellende, want juist in dergelijke militaire groepen namen zij deel, die ontevreden waren; de oproerkraaiers die hun kans schoon zagen; de geheime verenigingen op ieder gebied die bloeiden als nooit tevoren. En uit die kringen kwamen ten slotte de gevreesde Boksers voort, die hun wonderlijke naam te danken hadden aan een verkeerd vertaalde Chinese naam: 'De Rechtvaardige Vuisten van de Harmonie'. Als passend motto kozen zij: 'Bescherm het land; vernietig de vreemdeling'.
Het wat een kreet die meteen aansloeg. Overal waren mensen te vinden die om een of andere gegronde reden of niet gegronde reden de vreemdelingen haatten, en niet alleen de vreemdelingen maar ook die ellendige rijst-Chinezen, die zich door de vreemdelingen lieten beschermen. En niet alleen dat. Er waren misoogsten, erger dan ooit. Er waren de nieuw aangelegde spoorwegen waarin men een gevaar zag waarlangs de nieuwe tijd China zou binnenkomen.
De bom barstte in Sjantoeng, waar de onrust heel erg was. Men begon de christenen te vervolgen en op de meest barbaarse manier te vermoorden en te martelen. In Sjantoeng regeerde een goeverneur die sterk anti-vreemdelingen was. Vanzelfsprekend nam hij dus geen maatregelen, zodat de troebelen als een laaiend vuur om zich heen grepen. De buitenlandse machten, zich nu terdege van het gevaar bewust, drongen bij de regering aan om deze goeverneur af te zetten. Dat gebeurde ook, maar men zond hem naar een andere provincie en prompt barstte ook daar weer de smeulende opstand uit.
In 1899 achtten de buitenlandse machten het verstandig om gezien de algemene toestand het aantal buitenlandse troepen in Peking uit te breiden. Ze namen de bekende forten van Takoe in om daarmee de weg van Peking naar Tientsin open te kunnen houden.
In haar paleis nam de Oude Boeddha één van haar onverstandige besluiten, die zo in overeenstemming waren met haar karakter. Tegen de raad van velen in beval zij, dat *alle* buitenlanders *overal* gedood moesten worden. Zo begon de belegering van de legaties in Peking, die bij elkander gelegen waren in een wijk en die daardoor ten minste, ook dankzij de hoge muren die er als bij ieder Chinees huis omheen lagen, met moderne wapens wel te verdedigen waren. De belegering duurde acht volle weken! Ten slotte kwam het ontzet door sterke groepen buitenlandse militairen, die de Chinese troepen versloegen en

verdreven. Maar de buitenlanders moesten de zaak wel onder ogen zien: de regering maakte kennelijk gemene zaak met de Boksers omdat de keizerin zich op hun hand toonde.
Na het verbreken van het beleg van de legaties stroomden buitenlandse troepen Peking binnen en, liever dan het noodlot te tarten en af te wachten wat de 'vreemde duivels' met haar voorhadden, vluchtte keizering Tz'e-sji met keizer en hof naar de stad Sian, eenmaal onder de naam Tsjang-an hoofdstad van het rijk. Zij bleven daar tot de tijden wat rustiger werden, maar moesten tot hun verdriet ervaren dat de buitenlanders terdege hadden toegeslagen en dat de prijs die China voor die onheilige Boksersopstand moest betalen heel hoog was! Alle prinsen en hoge ambtenaren die met de Boksers hadden meegedaan – en dat waren er heel wat – werden van hun rijkdommen beroofd en mochten blij zijn als zij het er levend afbrachten. China moest geweldige sommen betalen om (monsterlijk lelijke) monumenten voor de gevallenen te laten oprichten. Vijf jaar lang werden de examens opgeschort in alle steden waar vreemdelingen waren vermoord of mishandeld. Er moest een officiële missie naar Berlijn worden gezonden om daar nederig schuld te bekennen en vergeving te vragen voor de moord op de Duitse ambassadeur tijdens de belegering van de legaties. Twee jaar lang mocht China geen ammunitie en geen wapens invoeren. De Takoe-forten moesten worden afgebroken en er kwam een enorm buitenlands leger ter beveiliging van de legaties en andere belangen. In de loop van 39 jaar moest een oorlogsschuld worden betaald van 450 miljoen taëls, een bedrag van ongeveer 300 miljoen gulden, in die tijd een astronomisch bedrag. Er moesten edicten komen ter beveiliging van de buitenlanders en hun handel op ieder gebied.
De buitenlanders waren er in geslaagd China op de knieën te dwingen. Ze gedroegen zich als de veroveraars van een verslagen land en dat ondanks de steeds herhaalde plechtige beweringen, dat men niet officieel in oorlog was met China, maar dat men zich alleen verdedigde tegen oproerlingen als de Boksers, en dat men alleen de veiligheid der buitenlanders op het oog had. Voor China was er echter één geluk bij alle ongeluk. De buitenlanders hadden onderling de ergste ruzies. Vooral Rusland maakte het zo bont, dat Engeland en Japan het beter oordeelden samen te gaan in hun verzet hiertegen. Rusland weigerde namelijk ondanks alle gedane beloften zijn troepen uit Mandsjoerije terug te trekken, onder voorwendsel dat die voor hun veiligheid nodig waren. Japan zag deze toestand met bezorgdheid aan. Ze kenden Rusland. Het land was immers een oude vijand...
In 1904 brak de Russisch-Japanse oorlog uit die door Japan werd gewonnen. De Russen werden uit Mandsjoerije verdreven en dit land was voortaan Japans eigendom; ook Japanse belangen in Korea werden door Rusland erkend, iets dat onherroepelijk moest leiden tot het uiteindelijk inlijven van dit ongelukkige land bij het Japanse keizerrijk in 1910. Voor de Chinezen veranderde er niet veel in Mandsjoerije. De Japanners bleken even onaangename bezetters als vroeger de Russen en de Chinese rechten werden wederom er met voeten getreden.
Er zat voor China niet veel anders op; er *moesten* nu hervormingen komen en hoe eerder hoe beter. Het ging duidelijk niet langer op de oude manier. En hoewel Peking nog altijd alleen heil zag in een sterke centrale regering, wensten de provincies hun eigen zeggenschap en wensten zij geen inmenging vanuit de hoofdstad. Ook keizering Tz'e-sji zag nu in, dat zij een andere politieke koers moest inslaan. Ze begon met de buitenlanders aan te pappen en deelde haar hervormingsplannen mee: nieuwe scholen op westerse basis; nieuwe leervakken; het afschaffen van de eeuwenoude examens. Zendelingen en missio-

narissen stroomden China binnen en bouwden scholen. Studenten trokken naar Japan en Amerika om er met de nieuwe wereld kennis te maken. Ook het leger werd eindelijk gemoderniseerd. De prijs die China had betaald dankzij de meer dan achterlijke troepen was té hoog geweest. Iedereen, zelfs de Oude Boeddha, begreep dat het zo niet langer kon. Ook van de kant van de buitenlanders werden een paar concessies gedaan. In 1907 stemden de Engelsen er in toe, dat de opiumhandel zou worden beëindigd in de loop van tien jaar. Er werden geen papavers meer aangeplant en de import liep snel terug; zó snel dat er reeds na vier jaar in plaats van tien geen opiumhandel van betekenis meer bestond.
Men ging verder op de ingeslagen weg naar moderne tijden. China zou – al leek dat bijna onbestaanbaar – een grondwet krijgen. Er moest een volksvertegenwoordiging komen. Weliswaar zou men er negen jaar over doen eer een en ander in werking trad, maar het begin wás er. Toen stierven keizer Kwang-sjoe en keizerin Tz'e-sji één dag na elkaar en het kind-keizertje P'oe-yi kwam, met zijn vader prins Tsj'oen als regent, op de troon. De eerste regeringsdaad van het tweejarige kind was om Yuan Sje-k'ai te ontslaan en zich daardoor te ontdoen van een gevaarlijk figuur. Dit was heel onverstandig, want al was Yuan in bepaalde kringen nog zo gehaat, hij was toch ook een van de weinige modern gezinde en zeer intelligente personen aan het hof. Maar door wraakzucht verblind liet de regent hem gaan. Hij vond dat Yuan Sje-k'ai een verraderlijke rol had gespeeld bij de debacle van 1898. De grote man trok zich uit alle functies terug, maar beidde zijn tijd. Hij zag verder vooruit dan het keizertje en zijn regent.
In 1910 hadden de Chinezen hun volksvertegenwoordiging, al ging nog lang niet alles van een leien dakje. Er kwam een belofte voor een moderne wetgeving die in 1913 zijn beslag zou krijgen. Maar vóór die tijd gebeurde wat al zo lang gedreigd had: de Mandsjoe-dynastie kwam ten einde. De revolutie was eindelijk een feit geworden!

HOOFDSTUK 109

HET EINDE DER MANDSJOES

Voor de stralende Mandsjoe-dynastie kwam het einde op de welhaast klassieke Chinese wijze: het vorstenhuis was gedegenereerd; aan het hof heersten onvoorstelbare wantoestanden; de keizer was een kind, zijn regent een te conventionele en zwakke figuur; het door oorlogen en ellende uitgemergelde volk had al zijn vertrouwen in de regering verloren, want met de dood van keizerin Tz'e-sji was toch een belangrijk figuur heengegaan, hoeveel misdaden zij ook had begaan en hoe eigenwijs zij zich vaak getoond had. Sinds 1900 broeide er een revolutie, die vooral bij de buitenlandse Chinezen, die kennis hadden gemaakt met moderne tijden en moderne inzichten, steeds meer vaste vorm aannam. De Chinezen in Japan, die niet zo erg ver van hun vaderland verwijderd waren, hadden grote invloed. Bij hun terugkeer in China na het voltooien van hun studies, kregen zij vanzelfsprekend belangrijke posten en ze hadden vooral in de journalistiek (die nu zélfs in

China bestond) enorme invloed. Uit Japan werden revolutionaire pamfletten China binnengesmokkeld, die aandrongen op het omver werpen van de Mandsjoe-dynastie.
Maar het waren niet alleen de studenten. Ook de beroemde geheime genootschappen, altijd sluimerend in rustiger tijden, werden wakker uit hun winterslaap en begonnen zich danig te roeren. Met veel succes uiteraard, want de grond was geploegd en lag klaar voor het inzaaien van revolutionaire ideeën. Er was niet veel meer nodig om die revolutie tot bittere werkelijkheid te maken. De bonden ageerden tegen het opbrengen van de verschrikkelijke oorlogsschulden, die het land waren opgelegd en die het nog meer leeg zogen. Zij protesteerden tegen de spoorwegen die meer en meer het land ontsloten voor buitenlandse invloeden. Het was zeker niet voor niets dat de opstand begon met een incident dat betrekking had op een spoorweg.
De regering wenste enige spoorwegen te nationaliseren en voor dat doel gebruikte men een lening, die gesloten was met vier buitenlandse banken. Die spoorlijn lag in Setsjwan en was nog maar nauwelijks in aanbouw; het bedrag voor de aankoop door de staat was volgens de aandeelhouders op geen stukken na voldoende. De ontevredenheid steeg ten top en leidde tot de zogenaamde 'spoorlijnopstanden', die door heel China losbarstten ten gevolge van het feit dat de meeste ontevredenen aandeelhouders waren, zodat zij in deze kwestie aan het korste eind trokken.
De revolutie was bloedige ernst geworden. Troepen begonnen te muiten; wapenopslagplaatsen werden geplunderd; de ene stad na de andere verklaarde zich tegen de Mandsjoes. De regent raakte in de grootste paniek en zag maar één oplossing, één man die hem helpen kon: de verguisde Yuan Sje-k'ai, die in ongenade gevallen was! Yuan wist dat hij nu voorwaarden kon stellen, maar nog treuzelde hij. Ten slotte kwam hij eind oktober aan het hoofd van zijn troepen naar het noorden. In november werd hij premier! Maar het was al te laat, dankzij zijn aarzeling. In het zuiden was de revolutionair Dr Soen Yat-sen teruggekeerd uit het buitenland. Vele Mandsjoe-garnizoenen waren uitgemoord. De regent werd gedwongen zijn ontslag aan te vragen. In Nanking had zich een nieuwe revolutionaire regering gevormd. Voor Yuan Sje-k'ai zat er niets anders op dan wapenstilstand te vragen en onderhandelingen te beginnen met de revultionairen. Voor de Mandsjoe-dynastie was dit het einde.
Op 12 februari 1912 deed een kind-keizer van zes jaar oud in grote stijl afstand van de regering omdat hij als Zoon des Hemels het hemelse mandaat niet had weten te houden!

107. Rollend paard van porselein K'ang-Sji.

XX

DE NIEUWE TIJD

HOOFDSTUK 110

DE REVOLUTIONAIRE ARTS

Toen het jongetje Soen Yat-sen zich als verstekeling verborg op een schip dat van Hongkong naar Hawaii voer zal hij wel nooit gedacht hebben dat eens het lot van China in zijn handen zou liggen! Want dat jongetje Soen Yat-sen was een heel lastig, een heel ondeugend en een heel avontuurlijk knaapje, dat het in niets eens was of kon zijn met wat zijn familie met hem voorhad.

Soen Yat-sen werd geboren in 1866 in een klein dorp in de provincie Kanton, het tropische deel van China waar de mensen in de 19de eeuw ondanks al hun zwoegen en slaven nooit genoeg te eten hadden. Zeker niet zulke mensen als de familie van Soen Yat-sen, want zij waren arbeiders uit de alleronderste laag van de maatschappij: de koelies. Soen Yat-sen werd dan ook evenals alle jongens uit de familie zo jong mogelijk aan het werk gezet; hij moest rijst planten, een heel zwaar en vervelend werk. Op een gegeven ogenblik merkte de familie echter dat de jongen buitengewoon intelligent was en door beetje bij beetje te leggen slaagden zij erin hem een goede opvoeding te geven, iets waar men niet weinig trots op was, want hoeveel arme families konden zoiets klaarspelen?

In het begin deed Soen Yat-sen braaf zijn best, want hij wist heus wel dat men dat van hem verwachtte; maar op een boos ogenblik won zijn avontuurzucht het toch van zijn verstand en hij nam de benen naar Hongkong waar hij als verstekeling aan boord ging. Tot zijn grote verbazing kwam zijn schip in Hawaii terecht, maar gelukkig voor hem woonde daar een familielid in de stad Honoloeloe. Deze trok zich het lot van de jongen aan en stuurde hem naar een missieschool, waar hij drie jaar bleef en meer leerde dan in al die jaren in China. Hij werd christen en besloot theologie te gaan studeren. In die jaren werd hij de rebel, die hij zijn hele verdere leven bleef.

Het Hawaiiaanse familielid hield de familie in China op de hoogte van de vorderingen van de jongen, maar toen men daar vernam dat Soen Yat-sen christen was geworden, was men

zo geschokt en gegriefd dat zijn onmiddellijke terugkeer geëist werd; er zat niet anders op, wilde de familie niet diep beledigd worden, dan dat de jongen meteen terugkeerde naar zijn ouderlijk dorp.
Voor Soen Yat-sen, die gewend was geraakt aan een westers leven, bleek het onmogelijk het oude leven weer op te vatten. Hij kón het gewoon niet meer. De voorouderverering vooral drukte hem als een loden last. Weer ging hij er vandoor naar Hongkong om daar op een of andere manier verder te studeren. Maar daar deze stad niet beschikte over een theologische faculteit koos hij ten slotte maar de medische. In de wereld van jonge Chinese studenten, allen bezield met revolutionaire ideeën, die met de oude wereld van het keizerlijk China wilden afrekenen, vonden Soen Yat-sens denkbeelden gretig aftrek. In 1891 behaalde hij zijn doktersgraad en hij vestigde zich als chirurg in Macao, de Portugese enclave dichtbij Hongkong.
Soen Yat-sens revolutionaire denkbeelden waren met het bereiken van de jaren des onderscheids wel wat reëler en kalmer geworden, maar zij waren toch altijd nog veel te progressief voor de Chinezen van zijn tijd. Bij iedere door hem verrichte operatie stond de hele familie van de patiënt om de operatietafel, want ze moesten er in principe niets van hebben dat die westers georiënteerde jongeman zo maar sneed in hun dierbaren! Het opbouwen van een praktijk bleek dan ook bijna onmogelijk; geïrriteerd door alle tegenwerking en de botte onwil van de mensen besloot de jonge arts naar Noord China te gaan, waar de mensen heel wat meer openstonden voor een nieuwe levensopvatting.
De oorlog tussen China en Japan bracht voor Soen Yat-sen een grote verandering in zijn leven. Hij werd lid van een nationalistische beweging, die zich ten doel stelde China weer tot een zelfbewust en krachtig land te maken. Soen Yat-sen kreeg de taak de buitenlandse afdelingen van deze beweging te gaan bezoeken met het doel gelden in te zamelen en propaganda te maken. De rijke buitenlandse Chinezen steunden hem graag en zeer royaal, want als alle Chinezen buiten het eigen land waren zij veel nationalistischer dan de bewoners van China zelf.
In die tijd stelde Soen Yat-sen zijn beroemde *Drie Beginselen* op: nationalisme, democratie en socialisme moesten de basis worden voor een nieuwe Chinese regering, die het land moest redden van de ondergang. Ofschoon Soen Yat-sen volkomen op de hoogte was met de ideeën van Karl Marx is hij voor zover bekend toch nooit communist geworden. Wel werd hij begrijpelijkerwijze de grote moderne held van China.
In 1896 beleefde Soen Yat-sen, die heel wat vijanden bezat onder de meer behoudende Chinezen, een zeer gevaarlijk avontuur. Hij werd namelijk tijdens zijn verblijf in Londen gevangen genomen en naar de Chinese legatie vervoerd. Van daaruit wilde men hem het land uitsmokkelen en dat had voor hem een zekere dood betekend. Gelukkig voor Soen Yat-sen hoorde een Engelse vriend, Sir James Cantlie die ook arts in Hongkong was geweest, bij toeval dat zijn vriend in de Chinese legatie verborgen werd gehouden; dankzij zijn grote politieke invloed liet men Soen Yat-sen weer vrij, nadat de Engelse premier zelf voor hem gepleit had.
Op 1 januari 1912 werd Soen Yat-sen president van de nieuwe Chinese republiek, die de plaats had ingenomen van het oude Mandsjoe-keizerrijk. Hij bleef dat tot zijn dood in 1925. Daarna werd zijn zoon, Soen Fo, premier van China onder Tsjang Kai-sjek, tot in 1949 de communistische partij het heft in handen nam en een totaal nieuw China stichtte.
Als dank voor alles wat Soen Yat-sen voor China had gedaan heeft de communistische re-

108. Dr. Soen Yat-sen. 1866-1925.

gering zijn weduwe, die merkwaardig genoeg een zuster is van mevrouw Tsjang Kai-sjek, een erebaantje aangeboden dat echter niet veel te betekenen heeft. Soen Yat-sen zelf werd begraven bij de Purperen Berg in Nanking in een prachtig mausoleum dat tot nationaal monument is verklaard en dat jaarlijks tienduizenden bezoekers trekt, die eer willen bewijzen aan de man, die ten slotte de eigenlijke stichter is geweest van een verjongd en modern China.

HOOFDSTUK III

DE DRIE BEGINSELEN

De beroemde Drie Beginselen van Soen Yat-sen waren als het ware een verweer tegen de eeuwenoude geest van onderwerping, onderdanigheid en armoede naar lichaam en geest. In zijn *San Min Tsjoe Ie* of de Drie Beginselen voor het volk stelde hij een programma op, dat de Chinezen moest redden uit de poel van ellende waarin zij beland waren.

Hij verweet zijn volk in de eerste plaats bitter hun gebrek aan nationaal gevoel en hun minderwaardigheidsgevoel, waarvoor ze overigens wel reden hadden, want nog nooit was China zo verdeeld en berooid geweest. Het volk moest solidair worden door het zo diepgewortelde familiegevoel uit te breiden tot het hele volk. Alleen dán kon die hopeloze verbrokkeldheid tot een solide geheel worden. Daarnaast moest het nationaal gevoel worden aangekweekt om eindelijk een einde te maken aan het buitenlandse imperialisme, dat ten slotte de gehele economie van het land beheerste. Soen Yat-sen noemde China 'een hypo-kolonie': een kolonie van vele landen en landjes. Alleen door zich aaneen te sluiten kon men ooit hopen die kolonie weer tot het belangrijke land China te maken, en niet 'de zieke man' van de buitenlandse karikaturen.

Het tweede beginsel was dat van de democratie. Dit was vooral gericht tegen de constitutionele monarchie waar Soen Yat-sen niets goeds van verwachtte.
Hij stelde een nieuw systeem samen voor een regering, die via verkiezingen onder het volk tot stand zou komen en die dus naar de volkswil zou regeren. In plaats van de keizer zou het volk zelf de soeverein zijn en met arendsogen zou men toezien dat de gekozen regering deed wat juist was. Soen Yat-sen stelde dat als volgt:

> Laat de grote politieke macht van de staat in tweeën gedeeld zijn: de macht van de regering en de macht van het volk. Op die wijze wordt de regering de machine en het volk de ingenieur. Dan zal de houding van het volk tegenover de regering dezelfde zijn als de houding van de ingenieur tegenover de machine.

Soen Yat-sen betrok de regeringswijze van het westen ten nauwste bij zijn eigen ideeën, maar hij voegde er een paar typisch Chinese ideeën aan toe. Zo kwam hij tot een constitutie-van-vijf-machten. Die machten waren: een uitvoerend, een wetgevend en een rechtsprekend lichaam – dit was dus westers – met daaraan toegevoegd examens voor ambtenaren en een censuur voor de regering, zoals vroeger de keizer een aantal censoren om zich heen had gehad.
Soen Yat-sen ging uit van het vaststaande feit (althans voor hem en zijn tijdgenoten), dat het volk dom was en het regeren van het land dus moest overlaten aan hen die daar verstand van hadden. Ten tweede wenste hij, dat de ambtenaren volledige volmacht tot handelen hadden.
Het derde beginsel is het socialistische. Dit is van de drie het meest vage en onduidelijke. Het lijkt weinig op wat wij onder socialisme verstaan. Soen-Yat sen wilde het landbezit en het kapitaal regelen volgens een vast systeem. Het kwaad school in het grootgrondbezit; dat moest dus verdwijnen. Voortaan zou de staat het bezit regelen. Hetzelfde moest gebeuren met het kapitaal voor zoverre dat exorbitante vormen had aangenomen zoals monopolies en dergelijke. Banken, scheepvaartlijnen, spoorwegen en dergelijke grote ondernemingen moesten door de staat worden gedreven; kleine ondernemingen konden in handen van kleine mannen blijven.
Ofschoon Soen Yat-sen voor zijn principes te gast was gegaan bij Marx, voelde hij toch niets voor diens klassenstrijd. Hij vond die voor China niet passend en rekende liever met het gevoel voor proporties voor rang en stand, dat de Chinezen als het ware was aangeboren. In een land zonder industrie van enige betekenis had de klassestrijd weinig zin, was zelfs volgens Soen Yat-sen onpraktisch.
Soen Yat-sen legde in een testament zijn ideeën en toekomstplannen vast, met de bedoeling dat zijn opvolgers aan de hand hiervan zouden regeren. De Kwomintang volgde uiteindelijk deze beginselen op.

*

*   *

HOOFDSTUK 112

GEBOORTE VAN EEN REPUBLIEK

Vanaf dat moment zou China dus voortaan een republiek zijn met moderne regeringsvormen. Voorlopig zag het er echter nog niet naar uit dat die jonge republiek werkelijk een eenheid was. In Nanking was Soen Yat-sen tot president gekozen, maar lang duurde dat niet. Hij moest plaats maken voor Yuan Sje-k'ai, want deze man had de grootste invloed op het leger en daarmee bezat hij de macht. Voor Yuan leek het of een droom in vervulling zou gaan... Toen hij een jaar president was liet hij zich door een plebisciet uitroepen tot de nieuwe keizer, hoofd van een nieuwe dynastie! Het jaar voor de troonsbestijging was zelfs al vastgesteld: 1916! Het heeft echter niet zo mogen zijn. Japan, dat er alles aan gelegen was om de verwarring in China levend te houden, steunde het verzet dat tegen een nieuwe keizer was ontstaan. Yuan Sje-k'ai moest zijn keizerschap herroepen. Hij stierf vlak daarna. De capaciteiten voor het keizerambt had hij zeker gehad. Hij had alleen de tijd niet mee.

Van 1912 tot 1927 beleefde China verschrikkelijke tijden. Een soort sociale ontbinding was aan de gang, want zij die altijd de macht bezeten hadden, de bezittende klasse met vroeger de keizer aan het hoofd, waren nu bezig die macht hoe langer hoe meer te verliezen. Het leek wel of iedereen er op uit was om er alleen maar zélf beter van te worden. Geen ambtenaar was meer te vertrouwen. Iedereen en alles was te koop. Naast de bezittende klasse was er de burgerij: kooplieden en bankiers, plus de in het buitenland gestudeerde Chinezen die echter wonderlijk genoeg helemaal niet meer van Chinese toestanden op de hoogte waren daar zij het contact verloren hadden met hun eigen volk. Zij meenden een westerse democratie voor China te kunnen invoeren en niets was minder waar, want een dergelijke democratie deugde (voorlopig althans) helemaal niet voor het land. Dan was er nog een heel klein proletariaat van industriearbeiders, en ten slotte was er de grote massa, 95% van het volk: de boeren, de kracht waarop China altijd gedreven had. Maar die boeren, die geweldige miljoenenmassa's hadden geen opvoeding, geen ontwikkeling, geen interesse. Het enige waar het hén om ging was vermindering van belasting en verlaging van de pacht. En als er nu *iets* helemaal niet voor behandeling in aanmerking kwam, dan waren het juist *hun* problemen!

Merkwaardig is dat in deze jaren ook een religieuze kentering plaats had. Het oeroude confucianisme kon niet meer voldoen in deze tijd, want wie hield er zich nog aan *li* en *fa*? Vooral de toplaag was de confuciaanse leer toegedaan geweest en deze viel nu voor hen weg. Het gevolg was dat men zich tot het boeddhisme keerde, want het tauisme kwam voor hen niet in aanmerking; dit was met teveel hocus-pocus vermengd geraakt om een zinnig mens te kunnen voldoen. Een groot deel bekeerde zich echter ook tot het christendom, dat hen in overeenstemming leek te zijn met de westerse nieuwe gedachten.

Onder druk van de buitenlandse invloed die al zoveel jaren in China bestond begon langzamerhand een zeker nationalisme de kop op te steken, dat steeds sterker werd. Heel duidelijk was dit merkbaar in de literatuur, die zich totaal begon te vernieuwen. Niet langer waren het de klassieke boeken die de toon aangaven. Men schreef nu zelfs in de

volkstaal, iets wat vroeger ondenkbaar was geweest. Aangezien er heel veel intellectuelen tot de revolutionairen behoorden hadden zij grote invloed, daar het volk dat een beetje had leren lezen en schrijven er nu ook kennis van kon nemen, omdat dit de taal was die zij begrijpen konden. Er zijn in die jaren zeer behoorlijke literaire werken geschreven. Schrijvers als Loo-sjuun (een revolutionair gezinde arts die echter nimmer communist was, al is hij nu wel tot ere-communist benoemd) hadden met hun vlijmscherpe gedichten, hun dieptragische verhalen over het lijden van het volk, een buitengewoon grote invloed.
Eigenaardig genoeg waren er eigenlijk maar weinig echte revolutionairen in China en die waren onderling nog erg verdeeld. De intellectuelen en de arbeiders waren duidelijk links gericht; de kooplieden waren veel meer liberaal gezind. En dan was er nog een grote militaire partij, die wel de Mandsjoes had willen verdrijven, maar die daarvoor dan ook beloond wenste te worden met de totale macht. Hoevele van die generaals zullen niet gedroomd hebben om keizer te worden zoals Yuan Sje-k'ai?
Europa, Amerika en Japan konden vanzelfsprekend niet onverschillig blijven staan ten opzichte van de verwarde toestand in China die voor hen van zo groot belang was. Een soort grote uitdeling van Chinees gebied begon. Tiber viel Engeland toe. In Buiten-Mongolië was het Rusland dat de rode scepter zwaaide, in de vorm van een Sovjet-republiek. Japan beschouwde Mandsjoerije als 'invloedgebied' en niemand die ook maar enig ideaal koesterde over wat dát betekende.
Na het aftreden van Yuan Sje-k'ai was er een nieuwe president nodig; het werd Li Yuan-hoeng, die in snelle vaart werd opgevolgd door een aantal anderen. Alleen Zuid China hield zich afzijdig van de Pekingregering en wenste de eigen boontjes te doppen.
Van de eerste wereldoorlog merkte China betrekkelijk weinig, al werd het land wel politiek gedwongen Duitsland de oorlog te verklaren, wat echter niet veel te betekenen had. Maar Japan plukte er de zoete vruchten van; dat land had nu militaire controle over China. De Chinezen voelden zich weer door de Japanners bedrogen, want die hadden dan wel de Duitsers uit de provincie Sjantoeng verdreven, maar de prijs die er voor betaald moest worden, namelijk die militaire controle, was wel heel hoog! Geen wonder dat China weigerde het vredesverdrag van Versailles mede te ondertekenen. In 1921 werd er een aparte vrede met Duitsland gesloten, waarbij China officieel zijn verloren gebieden terugkreeg.
Er was ook verandering gekomen in de buitenlandse invloeden op China. Niet langer was men belust op gebiedsinname. Nu waren het de kapitaalsinvesteringen waar het om ging. Een internationaal bankconsortium verzorgde de financiën voor China; Japan, dat langzamerhand in China hoe langer hoe meer gehaat werd, mocht om politieke redenen ook meedoen, tot grote woede van de Chinezen. Inmiddels begonnen de revolutie en de republiek van Soen Yat-sen in het zuiden zich duidelijker af te tekenen. In 1924 was daar de Kwomintang gesticht, een volkspartij waartoe ook de nog kleine communistische partij toetrad. De Volkspartij was sterk socialistisch georiënteerd.
In 1924 ging Soen Yat-sen naar Peking om te zien of men nu werkelijk niet tot overeenstemming kon komen en dan het land er weer bovenop helpen. Maar hij was toen reeds ernstig ziek; hij stierf begin 1925 zonder dat er ook maar iets bereikt was. Er stond echter een man klaar om hem op te volgen: Tsjang Kai-sjek, directeur van de militaire academie van Kanton, waar rood-Russische leraren les gaven. Toch was Tsjang reeds toen geen communist. Aan hem was het dan ook te danken, dat in 1926 de communistische

partij uit de Kwomintang werd gezet. Aan de andere kant namen er toch ook communistische troepen deel aan de nationalistische veldtocht tegen Noord China, die goed verliep. De Yang-tse-kiang werd bereikt, Hankou bezet en tot regeringscentrum gemaakt. In het zuiden bereikten de communisten steeds meer successen door de boeren wakker te schudden uit hun letargie. Men beloofde hun het grootgrondbezit af te schaffen, belastingen te verlagen, land te distribueren...
Ten slotte stond het leger van Tsjang Kai-sjek voor Shanghai. Nu ging het er om: kwam er een linkse of een rechtse regering? Tsjang besloot tot het laatste en dat leverde hem het sterk kapitalistische Sjanghai in handen. Aan hém, de zwager van Soen Yat-sen, die ook nog verwant was aan enige schatrijke families door zijn andere vrouw, durfde men het vertrouwen wel te schenken. De linker vleugel nám dit echter niet; scheidde zich af en vormde een soort tegenregering in Hankou. Tsjang koos toen Nanking tot hoofdstad. Hier lag een belangrijk industriegebied temidden van het rijke landbouwterrein. Tsjang had er heel veel invloed; zoveel dat hij het zelfs met de militaire partij eens kon worden.
Maar de communistische partij zat intussen ook niet stil en bleek veel taaier dan iemand voor mogelijk had gehouden. Er klonk daar een naam die nu de hele wereld vervult: Mau Tse-toeng! Alle onderhandelingen tussen de regeringen van het rode Hankou en Nanking leidden tot niets; geen van beide wenste toe te geven. Onder druk van de aanhangers van Tsjang, die nu ook in Hankou invloed begonnen te krijgen, kwam deze rode regering op zulke losse schroeven te staan, dat de toestand onhoudbaar werd en de regeringszetel verplaatst moest worden naar de provincie Kiangsi. Daar stichtte men een soort socialistische heilstaat, waarin de landhervorming een voldongen feit werd; de grootgrondbezitters werden vermoord, de boeren eigen baas. Het communistische systeem bleek deze boeren buitengewoon te voldoen en misschien zou dit kleine rode republiekje rustig zijn blijven bestaan als het Tsjang Kai-sjek zo langzamerhand niet dodelijke ernst was geworden met de bestrijding van het communisme in China. In de jaren tussen 1930 en 1934 werden er vijf veldtochten ondernomen, die de communisten hoe langer hoe meer het vuur aan de schenen legden. De vijfde veldtocht had eindelijk succes. Onder leiding van Duitse adviseurs had Tsjang een ring van versterkingen om Kiangsi gelegd en deze provincie volkomen afgegrendeld van de rest van China. Voor de communisten was er nog maar één mogelijkheid: dóórbreken eer het te laat was, en veiliger oorden zoeken.
Ze gingen ten slotte op weg: Mau Tse-toeng, Tsjoe En-lai, Tsjoe Tê en nog honderdduizend anderen. Zo begon de Lange Mars.

HOOFDSTUK 113

DE JONGE MAU

In tegenstelling tot wat vaak beweerd wordt was Mau Tse-toeng niet een arme boere-

109. *Tsjang Kai-sjek.*

110. *Mao Tse-toeng.*

jongen zoals de huidige Chinese regering hem zo graag voorstelt. Zijn vader was wel boer en rijk was hij zeker niet, maar er was altijd genoeg te eten en in de loop der jaren slaagde hij er in zijn grondbezit steeds verder uit te breiden en daardoor steeds rijker te worden. De jonge Mau moest als iedere zoon van een kleine boer op het land helpen vanaf zijn zesde jaar; hij ging van zijn achtste tot zijn dertiende jaar naar de lagere school, wat al een hele bijzonderheid was. Daar leerde hij de klassieken kennen en aangezien hij beschikte over een fenomenaal geheugen slaagde hij er zonder moeite in al die lange en zware werken helemaal uit het hoofd te leren!
Mau's vader was een Chinees van het oude stempel, dat wil zeggen dat hij een harde opvoeder was en streng strafte, wat de jongen helemaal niet beviel en leidde tot de rebelse gevoelens, die hem zijn hele leven bijbleven. Toen hij op zijn dertiende de school moest verlaten om voortaan op de akker te helpen was dat voor hem een reden om er een paar maanden later vandoor te gaan. Hij ging naar de stad en maakte daar kennis met het zo totaal andere stadsleven, dat hem buitengewoon beviel. Hij bleef er studeren, al moest hij daar behoorlijk honger voor lijden. Mau, die in 1893 geboren werd, was toen een jaar of achttien. Hij maakte dus van begin tot eind de val van de Tsj'ing-dynastie mee evenals de Bokseropstand, terwijl de opstand der Tai-ping ook nog lang niet vergeten was en men nog allerlei gruwelverhalen uit die tijd wist te vertellen, die diepe indruk maakten op de jonge mensen van die tijd. Haat tegen de vreemdelingen werd jonge Chinezen met de paplepel ingegoten.
Een leergierige jongen als Mau las alles wat hem in handen viel en zo maakte hij natuurlijk ook kennis met de geschriften van Soen Yat-sen, die hij geweldig bewonderde. Toen hij hoorde dat het hoofdkwartier van het revolutionaire leger in Hankou gelegen was begaf Mau zich daar naar toe; hij nam als soldaat in het leger deel aan de gevechten. Binnen een maand behaalde het revolutionaire leger de ene overwinning na de andere en zeven provincies werden ingenomen. In 1912 werd de Chinese republiek uitgeroepen, met Soen Yat-sen als president. Voor Mau was dit een reden om uit het leger te gaan en weer zijn studie op te nemen. Hij las alle belangrijke westerse boeken die hij maar in handen kon krijgen, zelfs Montesquieu en Darwin, natuurlijk in Chinese vertalingen. Aangezien hij en zijn vrienden arm waren als Job leefden zij op een manier die weinig Europese studenten

zouden verdragen, maar die voor een Chinees zeker niet abnormaal was. Gelukkig voor hem werd hij later benoemd tot assistent in een bibliotheek op een salaris van acht dollar in de maand, wat voor hen rijkdom betekende!
In 1921 maakte Mau voor het eerst kennis met de werken van Karl Marx. Van die tijd af beschouwde hij zich als een communist en hij is dat gebleven tot op de dag van vandaag. In datzelfde jaar werd de Chinese Communistische Partij gesticht, Mau behoorde tot de eerste leden.
Merkwaardig is dat een Nederlander een rol heeft gespeeld bij de ontwikkeling en uitbreiding van het communisme in China. Dat was een zekere Sneevliet, die werkte onder de naam Maring en die door Lenin aan China werd geleend om Soen Yat-sen te helpen bij zijn werk. Deze Sneevliet raadde aan, dat de Kwomintang met de communisten zou gaan samenwerken. Dit lukte echter pas in 1923. Toen zond Soen Yat-sen de jonge Tsjang Kai-sjek (geboren in 1886) naar Rusland om daar de zaken van nabij te bestuderen. Hij bleef er drie maanden.
In China bleef de toestand verward. Wel hadden de communisten zich bij de Kwomintang aangesloten en was Mau zelfs een der reserveleden van het uitvoerend comité, maar in 1923 werd Soen Yat-sen nog bedreigd door de tegenpartij die een eigen revolutie in Kanton had ontketend. Toen kwam de beroemde Rus Borodin naar China om Soen te helpen in zijn strijd. In 1924 was men gereed om in alle ernst de aanval te openen op de militairisten in het noorden, die niets van Soen Yat-sen weten wilden.
In 1925 barstte de bom pas goed. Toen werden in Sjanghai en Kanton een aantal studenten en arbeiders vermoord, die demonstreerden voor stakende arbeiders in een Japanse fabriek in Sjanghai. In heel China werd op slag gestaakt toen deze moordpartijen bekend werden. Voor Mau Tse-toeng was dit het begin van zijn carrière: het organiseren van de Chinese boeren tot één groot geheel. Hij slaagde er ten slotte wonderwel in. Hij kende immers zelf het boerenleven. Hij kende hun armoede, hun wensen en verlangens en een van zijn grootste verdiensten is dat hij inzag, dat China's lot juist van die eigenlijk altijd verachte boeren afhing. Geen communist in Rusland had er ooit aan gedacht de boeren te organiseren voor de revolutie. Men was van de fabrieksarbeiders uitgegaan. Maar Mau besefte, dat de fabrieksarbeiders in China voorlopig een te verwaarlozen faktor waren en dat hij het van de boeren zou moeten hebben wilde hij ten slotte de revolutie werkelijk doen gelukken. Uit deze opvatting van Mau vloeide uiteindelijk het huidige verschil voort tussen het Russische en het Chinese communisme.
De jaren vóór 1930 waren voor het communisme in China van doorslaand belang. De vakbonden groeiden tot reusachtige proporties uit en de communistische partij groeide naar verhouding mee. In 1927 kwam er echter een breuk in de Kwomintang. Voortaan waren er twee duidelijke partijen: de Kwomintang met Tsjang Kai-sjek; de communistische partij met leden als Mau Tse-toeng, Tsjoe En-lai, en anderen die nu aan de top staan in de Chinese volksrepubliek. Tsjoe En-lai was zelfs de oprichter van de Chinese communistische partij in Parijs!
De communistische partij vocht de gewone strijd: de klassestrijd en het vernietigen van de bourgeoisie; maar nog steeds wilden zij niet aan de opvattingen van Mau betreffende zijn boeren deelnemen. Mau werd zelfs afgezet als lid van het Politburo. Voor het communisten brak er nu een moeilijke tijd aan die tien jaar zou duren. De partij vocht voor zijn leven en won de strijd maar op het nippertje. Meer dan eens leek het er op of het ein-

de reeds gekomen was. Maar de jonge Mau zette door met zijn boerenrevolutie en waar hij kwam vocht hij de taaie strijd tegen de oude instellingen en de oude inzichten, die onuitroeibaar leken. Bij één gelegenheid werd hij door de Kwomintang, die nu een bittere vijand was, gevangengenomen maar hij slaagde er in te ontkomen en te vluchten naar de grenzen van Hoenan, een onherbergzaam berggebied. Daar reorganiseerde hij zijn armzalige legertje van duizend man voor de strijd. Intussen waren zijn vrouw en zuster in handen van de Kwomintang gevallen en werden gruwelijk vermoord, wat Mau's haat tegenover Tsjang Kai-sjek aanwakkerde tot een verterende vlam die nooit meer zou doven.
In de bergen ging Mau door met reorganiseren en hij was daarbij uitermate rigoureus. Zaken werden verboden die zó oud waren, dat niemand ooit aan het bestaansrecht er van had getwijfeld: dobbelen, bedelen, prostitutie, gedwongen huwelijken, het verkopen van kinderen als slaafjes. Er mocht geen vee meer dienen tot offers. Er mochten geen feesten meer zijn. Er mocht geen opium gerookt worden. Er moesten avondscholen komen om de boeren uit hun eeuwenlange onwetendheid op te heffen. Daar in die bergen werd het kleine Rode Leger opgericht en getraind en opgevoed volgens drie strenge regels: ieder bevel moest onvoorwaardelijk worden gehoorzaamd; er mocht niets gevorderd worden van de boeren; alle goederen die bij de landeigenaren geconfiskeerd werden moesten zonder mankeren bij het hoofdkwartier worden ingeleverd. Iets later kwamen daar de beroemde 'Acht Punten' bij, die nu nog door iedere Chinese soldaat uit het hoofd moeten worden geleerd en iedere dag worden opgezegd of gezongen. Die Acht Punten waren het, waarop het succes van het Rode Leger uiteindelijk berustte en die voor China gloednieuw waren. De punten waren de volgende:

1 Geef alle deuren terug en alle dingen die je hebt geleend (deuren werden als bedden gebruikt!);
2 Rol op en geef terug alle strooien matten waarop je geslapen hebt;
3 Wees beleefd en help waar je kunt;
4 Geef alle geleende zaken terug;
5 Vergoed alle beschadigde zaken;
6 Wees eerlijk in al je handelingen tegenover en met de boeren;
7 Betaal alles wat je koopt;
8 Wees zindelijk en bouw je latrines ver van de huizen der mensen.

In 1947 werden punt 7 en 8 veranderd: flirt niet met vrouwen, en: doodt geen krijgsgevangenen.
De Acht Punten waren voor de Chinese boeren verbazingwekkende nieuwigheden. Altijd waren soldaten rovers geweest die niets betaalden, alle vrouwen mishandelden en alles wat maar los en vast was stalen of vernielden. Nu waren ze ineens gedisciplineerd en, wat helemaal nog nooit gebeurd was, ze hielpen de boeren bij hun werk! Vooral dit laatste heeft bijgedragen tot het ontzaglijke succes van Mau Tse-toeng bij zijn boerenrevolutie.
Intussen zat Tsjang Kai-sjek ook niet stil en hij streed de strijd op zijn eigen manier. Hij had reeds twee vrouwen waardoor hij verwant was geworden aan belangrijke families. Hij koos zich nog een derde vrouw, een zuster van mevrouw de weduwe Soen Yat-sen. Om haar werd hij christen en liet hij zich dopen. In 1930 opende hij ten slotte de aanval op Mau met een leger van honderdduizend man, zonder enig succes; in 1931 volgde een twee-

de aanval en een derde, ditmaal met 300 000 man; dit mislukte eveneens. Het echte grote offensief kwam in 1933 toen de strijd met de communisten werd aangebonden met 900 000 man en 200 vliegtuigen, in die tijd een reusachtig aantal. Voor Mau was dit teveel. Hij zat vast achter de blokkade in Kiangsi; de strijd leek hopeloos verloren. Er zat maar één ding op: proberen die vreselijke blokkade te verbreken...

HOOFDSTUK 114

DE LANGE MARS

Op 16 oktober 1934 gingen ze op weg. Zij liepen een vol jaar lang. Zij *liepen* 12 000 km door bergen en moerassen, over de hoogste bergen van China en staken een paar van de diepste rivieren over.
Het begin van wat later bekend is geworden als de Lange Mars is nog het best te vergelijken met de Tocht der Tienduizend van Xenophon. De tegenslagen leken vaak niet te boven te komen. Alles werkte tegen: Honderdduizend man gingen op weg. Er kwamen er nog geen dertigduizend aan bij het eindpunt. Ze liepen in de nacht om te kunnen ontkomen aan vliegtuigen en verspieders. Vier verdedigingslinies van de tegenpartij moesten worden doorgetrokken. Om hun krachten te sparen moesten ze zo licht mogelijk bepakt zijn; dat betekende dus dat niet alleen ieder overtollig stukje bagage, maar ook zware wapens moesten worden achtergelaten. Er was echter één punt in hun voordeel: waar ze kwamen konden ze de boeren tot hun standpunt overhalen door de befaamde Acht Punten. Alleen aan de hulp der boeren is het te danken dat uiteindelijk de Lange Mars tot een succes leidde.
In mei 1935 waren de ruim 60 000 man, die nu nog over waren – de verliezen door desertie en ziekte waren heel groot – aan de Yang-tse-kiang aangekomen en voor hen lag een obstakel dat hopeloos leek. Dankzij een list en het omkopen van een boodschapper van Tsjang Kai-sjek, die de bevolking moest overhalen om alle boten te verbranden, gelukte het het Rode Leger om met behulp van één enkele boot, die tien man tegelijk naar de overkant kon brengen, een leger van 60 000 man over de reusachtige rivier te zetten. Dat duurde acht volle dagen en nachten, al hadden ze wel het geluk nog vier boten te vinden. Er ging niet één mensenleven verloren, wat wel een prestatie mag heten. Maar er lag nog een rivier voor hen die erger was dan de Yang-tse; dat was de Tatoe rivier. Deze rivier is woest en gevaarlijk en stroomt door een diepe kloof. In de loop der eeuwen is daar heel wat afgevochten. Nu was het de beurt van het Rode Leger.
Het zag er hopeloos uit. Wel hadden de communisten een veerboot te pakken gekregen, maar die had uren nodig om een handjevol mannen naar de overkant te brengen onder de genadeloze bombardementen van Tsjang Kai-sjeks mannen. Toen er na drie dagen pas één divisie aan de overkant was aangekomen en men bovendien hoorde, dat de legers van de Kwomintang van alle kanten toestroomden om het Rode Leger eindelijk de pas af te

snijden, zat er maar één ding op: langs de rivier stroomopwaarts marcheren naar een brug die ruim 200 km verderop lag. Het werd een race met de tijd, maar de brug, een der beroemdste uit China's historie, werd bereikt. Het was wel het soort brug, waarbij men zich wel even bedenkt alvorens te proberen de overkant te bereiken! Sinds vele eeuwen hingen er dertig ijzeren kettingen over de rivier, waarop planken lagen vastgebonden. Maar deze planken waren door de vijand allemaal verwijderd...
Er gingen twintig vrijwilligers op weg. Ze grepen de kettingen en er aan hangend bewogen ze zich hand over hand naar de overkant, beveiligd door eigen geweervuur. Er vielen aan de kant der communisten drie doden door vijandelijk geschut, maar de twintig vrijwilligers bereikten veilig de overkant en vonden de planken in huizen vlak bij de brug. Al waren die huizen in brand gestoken door de vijand, ze sleepten de planken er op het nippertje uit en maakten ze weer vast aan de kettingen, waarna de rest van het leger zich bij hen voegde.
Ze liepen verder. Ze beklommen een met sneeuw bedekt gebergte waar vele levens verloren gingen door gebrek aan voedsel, warmte en beschutting. Ze trokken door het land Sjifan, waar een Tibetaanse bevolking leefde onder leiding van een koningin, die een verterende haat koesterde tegen alles wat Chinees was. Deze Mantzoes, zo heette de stam, hadden beloofd iedereen levend te koken die de Chinezen, rood of niet rood, hielp. De rest van de bevolking was gevlucht liever dan die kans te lopen.
Daarna kwamen zij in de beruchte Graslanden. Daar woonde geen mens en er was geen kruimel voedsel te vinden. Dag in dag uit viel de regen over de moerassen. Er verdronken vele soldaten in het drijfzand, in de modder, of in de vaak onzichtbare meertjes. Die ellende duurde tien dagen. Zij leefden van graszaden en eetbare klei, die in tijden van hongersnood vaak in China gegeten werd. Toen waren zij ook de Graslanden doorgetrokken.
Weer lag er een rivier voor hen en ook deze stroomde door een kloof, die aan beide zijden door de vijand bezet was. Een aantal mannen klom in de bomen langs de oever, gewapend met touwen met een steen aan het eind. Deze touwen slingerden ze naar de bomen aan de overkant, waar ze door de zware stenen in verankerd raakten. Langs deze touwen bereikten ze de overkant na de vijand vanuit de bomen verjaagd te hebben...
Op 20 oktober 1935 bereikten zij eindelijk, een jaar nadat ze vertrokken waren, met slechts 20% van hun soldaten nog in leven, een communistisch kamp en ze waren veilig. Maar aan de strijd was nog lang geen einde gekomen. De oorlog ging voort. In 1933 hadden de Japanners Mansjoekwo bezet en tot hun eigendom verklaard. Poe-yi, de voormalige Chinese keizer, was er tot staatshoofd uitgeroepen. Maar ondanks dat alles trok het Rode Leger verder tot het eind 1936 het redelijk veilige Yenan bereikten, dat nu het hoofdkwartier van Mau werd en dat elf jaar zou blijven. De stad zelf werd door de gevechten totaal verwoest, maar de communisten vonden onderdak in een groep ruime grotten, waarin ze volkomen veilig waren voor alle bombardementen. In die grotten schreef Mau het grootste deel van zijn filosofische werken, die nu de bijbel zijn voor het moderne China, daar hij hierin al zijn doelstellingen vastlegde en ontwikkelde tot in de kleinste details. In de grotten van Yenan werd het China van nu geboren; in zekere zin was het een soort laboratorium waar Mau zijn politieke experimenten dag in dag uit met zijn eigen mensen uitvoerde. De Kwomintang had inmiddels een prijs op zijn hoofd gesteld van 250 000 dollar, wat voor een Chinees een onvoorstelbaar groot bedrag was. Mau was intussen hertrouwd met een onderwijzeres. Zij hebben één dochter.

Zo liep de Lange Mars uit op een jarenlang verblijf in een grottenstad. In heel China waren nog maar veertigduizend communisten over; want het leek of voor hen alle hoop verloren was en men wedde dus liever op de zegevierende Tsjang Kai-sjek, al was ook hij er niet in geslaagd de Japanners uit China te verdrijven.
De toestand was verschrikkelijk, niet in het minst door een van die hongersnoden, die China geregeld teisteren. Maar de hongersnood van 1935–1936 had zijn gelijke nog niet gehad. Het land was dermate door de oorlogen geteisterd, dat *dertig miljoen* mensen niet anders te eten hadden dan boomschors, gras en de eetbare klei die 'Aarde van de Godin der Genade' heet. De toestand was zó hopeloos dat Mau in een brief zijn eigen leven aanbood in ruil voor een krachtige anti-Japanse politiek. Die brief kwam als een schok en werd door heel China per radio omgeroepen. Het gevolg ervan was een allerwonderlijkst incident, dat nogal komische kanten had.
Tsjang Kai-sjek was namelijk voor inspectie in de grote stad Sian en logeerde in het oeroude zomerpaleis van de schone courtisane Yang Kwei-fei, waarover we in het begin van dit boek gelezen hebben. Twee van zijn generaals waren door de brief van Mau 'bekeerd' en trachtten Tsjang in handen te krijgen, doch hij werd op het nippertje gewaarschuwd en vluchtte in zijn ondergoed! Maar zijn voormalige gastheer wist hem na een duchtige kloppartij te vinden en te vangen, en bracht hem in verzekerde bewaring naar Sian. Tsjang kende zijn pappenheimers en wist wat hij van die overlopers te wachten had. Uit angst voor vergif durfde hij zelfs niet te eten, maar de communisten hadden andere plannen. Tsjou En-lai kwam naar Sian en beloofde Tsjang zijn vrijheid, als hij wilde beloven voortaan de Japanners krachtig te bestrijden en de communisten met rust te laten. Na lang nadenken stemde Tsjang toe. Communisten en Kwomintang zouden voortaan de gehate Japanse bezetters bevechten en in vrede naast elkaar voortleven.

HOOFDSTUK 115

HET INCIDENT BIJ DE MARCO POLOBRUG

Dat er in 1937 eindelijk oorlog uitbrak tussen China en Japan was iets, dat men al jaren lang had zien aankomen. Het vreemde was alleen dat het zó lang duurde eer de bom barstte. De aanleiding tot de aanval was als zo vaak een van die schijnbaar onnozele, maar in werkelijkheid lang voorbereide 'incidenten' waar de wereldgeschiedenis vol van is. Voor de Japans-Chinese oorlog was dat het 'incident bij de Marco Polobrug'. Sinds jaren was het er Japan met zijn steeds wassende bevolking om begonnen nieuwe terreinen te ontsluiten om daar de overtollige burgers kwijt te raken. De invloed en de macht van Japan in China waren reeds ontzaglijk groot en ofschoon de Chinese regering, en vooral de communisten, dit heel goed inzag en er de gevaren ten volle van bewust was, trachtte Peking ondanks alles alleen met onderhandelingen de zaken te regelen, wat natuurlijk op niets uitliep. Tsjang Kai-sjek was kennelijk te zwak om iets te kunnen ondernemen.

111. Loe-sjuun (Tsjou Sjou-sjen), bekendste moderne schrijver.

Japan ging verder met ondermijnende akties. Zij hadden een uitgebreid systeem ontworpen om de douane in de luren te leggen en er werd gesmokkeld op een schaal die onbestaanbaar leek. Via omkoperijen en een listige propaganda slaagde Japan er in vaste voet in Mongolië te krijgen. Mandsjoerije was reeds geheel door hen bezet. De 'controle' van Japan liep zelfs tot aan de Chinese Muur. In het noorden was Japan zo ver gegaan een nieuw keizerrijk te stichten: Mansjoekwo met de voormalige Chinese keizer Poe-yi als heerser. De enigen echter die dit 'rijk' erkenden waren natuurlijk Japan zelf en verder Italië (Mussolini!) en San Salvador, het obscure Midden-Amerikaanse staatje. Overigens vatte Japan het bestaan van Mansjoekwo ernstig op. Er kwam een uitgebreid spoorwegnet dat het land zelfs met Korea verbond. Op die manier beschikte Japan over uitgestrekte militaire aanvoerswegen. Zelfs Rusland zag van zijn laatste aanspraken in dit gebied af toen het zijn rechten in de Chinese Oostelijke Spoorwegen aan Japan verkocht, een feit waar men later grote spijt van had!
In 1934 ging de Japanse brutaliteit alle perken te buiten; bij regeringsdecreet werd heel China tot Japanse invloedssfeer verklaard, waar niemand iets mocht ondernemen zonder dit keizerrijk erin te kennen. In 1935 ging men nog een stapje verder; toen werd iedereen, van welke nationaliteit hij ook mocht zijn, die verdacht werd van anti-Japanse gevoelens kort en goed uit China verwijderd. En nog steeds ondernam Tsjang Kai-sjek niets, uit angst voor de enorme Japanse macht die als een zwaard van Damocles boven het ongelukkige China hing. De tijd begon duidelijk rijp te worden voor een of ander incident!
Het gebeurde midden in de nacht op 7 juli 1937 – een fatale datum voor China – toen bij de Marco Polobrug dicht bij Peking een schietpartijtje uitbrak tussen Japanse en Chinese militairen, zonder enige twijfel door Japan uitgelokt en in ieder geval gebruikt voor een heilige verontwaardiging over een dergelijke schandalige streek, die alleen met bloed kon worden uitgewist, zoals dat pleegt te heten. De oorlog tussen China en Japan was nu eindelijk in de openbaarheid getreden en een voldongen feit geworden.
Dat Japan in deze strijd de sterkste was viel niet te betwijfelen. Zonder veel strijd werden Peking en Tientsin bezet. Heel Noord China en de provincie Sjantoeng aan de Gele Zee werden bezet; Sjanghai werd aangevallen. Intussen had Tsjang Kai-sjek kans gezien zijn

troepen te organiseren; drie maanden lang wist hij Sjanghai uit Japanse handen te houden. Wat hij echter niet wist was, dat die hele onderneming bij Sjanghai een krijgslist was om Noord China zonder al te veel moeite te kunnen bezetten. De regering was reeds naar Tsjoengking gevlucht, want Hankou was ook niet veilig meer. Japan ging inmiddels verder. De hele Chinese kust viel in Japanse handen; een buitengewoon effectieve blokkade zorgde er voor dat het land van iedere import was afgesloten. Niet lang daarna was praktisch heel Oost China, het rijkste deel van het land, in Japanse handen. De regering zelf zat toen in het westen, evenals de voornaamste universiteiten, die en bloc met studenten en professoren naar het westen waren gevlucht, met medename van alle materiaal.
Tsjang Kai-sjek was niet de enige, die vocht tegen Japan. De in het noordwesten opgesloten communisten hadden met hun totaal ontoereikende middelen met heel wat meer succes dan de modern bewapende regeringstroepen de strijd tegen Japan aangebonden in een verbitterde en moordende guerilla-oorlog. Maar de grote zwakte zowel van Tsjang als van de communisten was, dat in hun gebied nergens industrie was, zodat ze moesten woekeren met wat zij hadden. Ieder verloren wapen betekende een tragedie; zij konden deze nimmer vervangen. Met het oog op de wanhopige toestand van het land was er een soort gewapende vrede – als men tussen twee zo van elkaar verschillende partijen over vrede spreken kan – gesloten om de strijd gezamelijk te kunnen voeren, maar beiden waren er op bedacht indien het maar enigszins mogelijk was de tegenstander een hak te zetten. Voor Tsjang was de strijd tegen de communisten eigenlijk veel belangrijker dan die tegen de Japanners! Hij vocht op twee fronten.
Zo werd het 1942. De tweede wereldoorlog was voor de rest van de wereld al twee jaar aan de gang...

HOOFDSTUK 116

DE VERNIETIGING

In 1941 kwam Japan tot de overtuiging, dat nu de tijd gekomen was om eindelijk de gehate vijanden uit het westen te kunnen aanvallen. Pearl Harbour was slechts het begin. De Amerikaanse vloot leek uitgeschakeld en zonder veel strijd vielen Hongkong, Singapore, de Franse koloniën en Nederlands Indië voor een overmachtige vijand. India en Australië stonden op het kruispunt van hun bestaan; Rusland leek ten onder te zullen gaan in de verbitterde strijd tegen Duitsland. Langs de Birmaweg kwam niets China meer binnen. Lange tijd was dit voor Tsjang Kai-sjek de laatste hoop op aanvoer geweest, maar de Japanse bombardementen hadden die hoop gedood. De Birmaweg was totaal afgesneden. Ondanks het bouwen van kleine industrietjes in dat deel van China, dat nog vrij was van Japanners, slaagde de regering er niet in de eigen wapenvoorraad aan te vullen. Voor China hing nu evenals voor de rest van de wereld het lot af van de strijd in Europa.
Toen kwam daar eindelijk de kentering. De kracht van Amerika bleek groter dan die van

alle andere landen. Zelfs in China kreeg men daarvan de bewijzen, toen er vanuit India Amerikaanse vliegtuigen werden gestuurd met getraind Chinees personeel uit het buitenland; vliegtuigen die eindelijk een einde maakten aan de moordende bombardementen van de Japanners – zeven jaren lang... – op Chinese steden en dorpen. In zekere zin kwam die hulp echter te laat voor China. De legers van Tsjang waren praktisch waardeloos geworden. De inflatie had een verschrikkelijke vorm aangenomen. Het land was totaal leeggeplunderd, als in de tijd van de ergste keizers. Er was honger, ellende, ziekte, gebrek aan letterlijk alles. En in al die verwarring greep de macht van de communisten hoe langer hoe sneller om zich heen. Waar de Japanse troepen zich terugtrokken na zeven jaar lang een terreur te hebben uitgeoefend die zijn gelijke niet had – een terreur die nog erger was omdat in het Japanse leger de officieren geen invloed meer hadden op hun soldaten, zodat deze hun wandaden overal en ongestraft konden uitoefenen – daar kwamen de communisten en namen het bestuur over. Het was iedereen duidelijk wat het uitgemergelde China nu weer te wachten stond: burgeroorlog!

HOOFDSTUK 117

DE LAATSTE STRIJD

Wat niemand eigenlijk ooit serieus had geloofd werd nu bewaarheid. De communisten bleken sterker dan Tsjang Kai-sjek en zijn nationalistische regering ooit waren geweest. Voor een groot deel zal dit wel de schuld zijn geweest van het feit, dat Tsjang Kai-sjek nooit in staat bleek integere figuren aan zich te verbinden. De hele Kwomintang was corrupt en alleen uit op eigen voordeel. Amerika stond achter Tsjang Kai-sjek, maar achter de communisten stond Rusland en tussen deze twee machten ging het uiteindelijk. Amerika had bij het verdrag van Yalta aan Rusland het herbezit toegezegd van de verloren gebieden langs Siberië, en Rusland was vastbesloten deze gebieden weer in handen te krijgen, al was Amerika dan honderd maal op de handen van Tsjang, die uiteindelijk een mislukkeling bleek.
Amerika had intussen ook niet stilgezeten en in 1946 getracht de breuk tussen nationalisten en communisten te helen. Het kwam zelfs even tot een interim-regering, waarin Kwomintang, communisten en Amerika zouden samenwerken om China weer op de been te helpen. Maar het bleek onmogelijk vrede te bewaren tussen Tsjang Kai-sjek en Mau Tse-toeng, die nu lijnrecht tegenover elkaar stonden. Beide partijen waren Amerika altijd weer te glad af. En de burgeroorlog barstte in 1946 pas goed los, nadat Tsjang een geweldige prijs had gezet op het hoofd van Mau, die hij tot rebel en vogelvrije verklaarde.
De communisten slaagden er in om in Mandsjoerije de daar opgeslagen geweldige wapenvoorraden van de Japanners in handen te krijgen, nadat de Russen er hun troepen hadden teruggetrokken. Deze wapenvoorraden werden de nationalisten noodlottig, al beschikten hun troepen ook over de beste Amerikaanse wapens. In 1948 keerde het getij. In Mands-

joerije leden de nationalisten een verpletterende nederlaag; aan het einde van datzelfde jaar verkeerden hun troepen in een uitermate penibele toestand. De inflatie had bovendien zulke vormen aangenomen, dat niemand het meer waagde op de nationalisten te wedden. De troepen waren door corruptie door en door rot. In de Kwomintang zelf vertoonden zich grote scheuren. Dit alles was er de oorzaak van, dat in 1948 voor de communisten de grote kans kwam.
Ze trokken op naar het zuiden, nadat het hele noorden hun partij gekozen had. Ze veroverden Nanking op 24 april, Kanton – de volgende hoofdstad – op 15 oktober, een dag die nu voor de Chinese Volksrepubliek dé grote feestdag is, omdat toen het pleit beslecht werd. Op 15 oktober werd Tsjoengking door de nationalisten tot nieuwe hoofdstad verklaard; zij bleef dit tot 30 november, toen de communisten die stad ook bezetten. Alleen de vlucht kon Tsjang Kai-sjek en de zijnen redden. Op 8 december 1949 staken ze, met medename van ontelbare kisten kostbare oudheden, de mooiste van heel China, over naar Formosa en verklaarden de stad Taipei tot hoofdstad van een nieuwe staat: Nationalistisch China. Tsjang Kai-sjek werd tot president benoemd en ook de rest van de wereld erkende hem als zodanig, wat later nog grote politieke moeilijkheden zou opleveren.
In China werd eveneens een nieuwe staat gesticht, de Volksrepubliek China met Peking als hoofdstad. Deze staat was gebaseerd op de doelstellingen van Lenin, Marx en Mau Tse-toeng die in een serie boeken precies had uitgestippeld wat er in China zou moeten gebeuren om het enorme land er bovenop te helpen. Rusland en de satellietlanden behoorden tot de eersten die de nieuwe staat erkenden, maar Nationalistisch China hebben zij niet erkend. Birma, Pakistan, Indonesië, Zwitserland en de Scandinavische landen volgden al snel. Groot-Brittannië erkende China in 1954 terwijl Nederland en Noorwegen in dat zelfde jaar diplomatieke betrekkingen openden.
Voor het kersverse Rijk van het Midden nieuwe-stijl lag een immense taak in het vooruitzicht.

HOOFDSTUK 118

HET MOEILIJKE BEGIN

Sinds het hoogtepunt van de Mantsjoes was China voor het eerst weer één rijk en, sterker nog, het werd als zodanig erkend door zeventien van de zestig landen die toen tot de Verenigde Naties behoorden. Al was er overigens in geen jaren maar een kleine kans dat China daartoe zou kunnen toetreden.
In de jaren vijftig begon de bittere worsteling om de staat te herstellen van alle oorlogsellende, maar ook om een nieuwe staatsvorm in te voeren die totaal vreemd was aan die waaraan men gewend was. Op letterlijk ieder terrein moesten er hervormingen komen en men begon met het belangrijkste: de landbouw, die de levensbron van China was en nog altijd is. Het grootgrondbezit moest met wortel en tak worden uitgeroeid en vervangen worden door herverdeling van de grond en het indelen van het land in communes - grote en kleine - die voortaan verantwoordelijk waren voor bestuur en beheer van de hun toegewezen gebieden. Zo werd bij voorbeeld ook een

miljoenenstad als Sjanghai één grote commune.
In een totalitair systeem zoals in China heerste wordt alles door de staat in handen genomen. Radio, pers, later televisie, film en het hele educatieve systeem van crèche tot en met universiteit werden een staatsmonopolie en kwamen onder staatscontrole, evenals het leger, de politie en de rechtspraak. De hele economie van het land was een staatszaak en dat heeft vaak tot desastreuze toestanden geleid.
Vijf jaren-plannen zag men als de beste vorm om vernieuwingen in een gepland verloop aan te brengen en het eerste vijf jaren-plan moest in 1953 van stapel lopen. De Koreaanse oorlog, waaraan China met hulp aan Noord-Korea deelnam, gooide echter roet in het eten. In 1955 ontstonden er reeds voedseltekorten, een bijkans 'normale' toestand in China.
Om de landbouw te helpen meende men het beste te handelen door de stadsbevolking terug te sturen naar het platteland om daar met de boeren te gaan samenwerken. Dit gebeurde onder andere met de miljoenenstad Sjanghai waar in de loop der jaren een stroom van mensen heen was getrokken in de hoop op, in geringe mate aanwezig, werk. De voedseltekorten duurden voort tot er in 1957, mede door natuurrampen zoals die altijd in China hebben plaatsgehad: grote droogte en op hun tijd verschrikkelijke overstromingen.
Om die natuurrampen zo veel mogelijk in te tomen werden er reusachtige waterbouwkundige werken ondernomen zoals het 'temmen van de Gele Rivier', een stelsel van nieuwe dammen en kanalen, viaducten en wat er nog meer bij komt kijken. Het is een werk dat zelfs nu nog niet voltooid is en waarbij vergeleken onze eigen Deltawerken kinderspel zijn.
In 1958 kwam een nieuw vijf jaren-plan tot stand dat in 1962 voltooid moest zijn. Als bij zovele goede bedoelingen ontstonden ook hier meteen moeilijkheden waarvoor oplossingen gevonden moesten worden, maar intussen was wel het onderwijs op gang gekomen. Het aantal nieuwe scholen groeide snel. Alle bestaande particuliere scholen waren reeds lang geconfisqueerd. De leerkrachten werden herschoold, of ze wilden of niet.
Het onderwijs heeft inderdaad succes gehad al was het in wezen uiterst conservatief en natuurlijk zeer streng gedisciplineerd. Tijdens de Culturele Revolutie van de jaren zestig is het hard achteruit gegaan, iets waar men nu nog de zure vruchten van plukt, maar het ziet er naar uit dat de nieuwe regering van het einde der jaren zeventig er beter in zal slagen die mensen op te leiden waaraan zo'n grote behoefte is: technici, wetenschapsmensen en specialisten op ieder denkbaar gebied. De Culturele Revolutie wordt verderop besproken.

HOOFDSTUK 119

DE 'GROTE SPRONG VOORWAARTS' WAS EEN SPRONG ACHTERUIT

In 1953 had China een volkstelling gehouden en men kwam uit op een aantal Chinezen van ruim 602 miljoen. Tegenwoordig zijn het er bijna één miljard...
De beroemde 'Grote Sprong Voorwaarts' waarvan de regering alles verwachtte en die een typisch Chinese bloemrijke naam kreeg, was erop gericht alles op alles te zetten om het land er bovenop

te krijgen, wat niet al te best wilde lukken ondanks het terugzenden van mensen naar het land. Men zag in dat landbouw alleen het land niet zou kunnen redden en dat ook de industrie geholpen moest worden. Er bestond natuurlijk industrie in China zoals de grote staalfabrieken in Sjanghai maar dat was op geen stukken na voldoende.
Men bedacht toen dat de communes voortaan ijzer moesten gaan ver- en bewerken wat tot, voor het westen, heel dwaze toestanden leidde. Iedere commune moest zich kleine smelterijtjes aanschaffen en van het daarin gewonnen metaal kon men dan weer van alles vervaardigen in een soort mini-industrietjes.
Zo maakte de ene commune schroeven die dan later *per fiets* naar een andere commune werden gebracht waar men alleen maar moeren maakte. Het rendement van een dergelijke 'industrie' was minimaal en men hield er dan ook vrij spoedig mee op.
De jaren zestig leverden ook weer een reeks natuurrampen op die de gehele economie achteruit zetten. In 1962 was er een zo grote honger dat een stroom vluchtelingen naar Hong Kong begon te trekken omdat zij er het nut niet van inzagen om te worden teruggestuurd naar het platteland waar ook al honger heerste. Daarbij kwam dat de verhouding met de Sovjetunie steeds verslechterde, vooral na de Cubaanse crisis en de geschiedenis van de Varkensbaai aldaar.
Eén man begon echter sterk op de voorgrond te treden, een man die meer dan wie ook voor de modernisatie van China deed. Dat was Tsjou En-lai. Hij bestond het om steeds de grote man te blijven tot zijn dood toe en zelfs erna. In de jaren zestig werd de regering steeds sterker gecentraliseerd. De overschakeling van een kapitalistische naar een communistische regeringsvorm bood zoveel moeilijkheden dat men wel kon aannemen dat er tientallen jaren nodig zouden zijn om het nieuwe China door zijn kinderziekten te helpen.
De Grote Sprong Voorwaarts bleek zo'n grandioze mislukking te zijn dat men besloot over te gaan tot een politiek van 'geduld en een graduele vooruitgang'. In die dagen kreeg China er een grote vriend bij, althans naar de mening van de Chinezen. Dat land was het minuscule Albanië dat eveneens voor de Chinese regeringsvorm koos. Daarentegen keurde men de Joegoslavische vorm van communisme, eens hogelijk bewonderd, totaal af.
In 1962 bereikten de slechte verhoudingen met India een hoogtepunt China had altijd beweerd dat India een deel van het Chinese grondgebied bezet hield. Op 11 november deed China een militaire aanval op dit gebied waarbij een terrein van ruim 5000 km^2 werd 'heroverd' en 927 Indiase militairen gevangen werden genomen. Voor China leidde dit tot een tijdperk van zeer slechte verhoudingen niet alleen met India maar ook met Rusland. Daarentegen trachtte China invloed te krijgen in de Afrikaanse landen en slaagde daar inderdaad een tijdlang in.
Toen in Rusland Chroestsjov in 1964 aan de kant werd gezet zond China haar 'warme groeten' aan Breszjnev, hopend in hem een betere vriend te vinden. Tsjou En-lai trok naar Moskou om daar de nieuwe man te ontmoeten en getuigde van zijn afkeer van de 'Grote Spuwer', zoals Chroestsjov merkwaardigerwijze in China werd genoemd. Overigens duurde de nieuwe vriendschap niet lang.
Voor China was 1964 van het grootste belang als het jaar waarin de eerste zelfgebouwde atoombom tot ontploffing werd gebracht tot grote consternatie van het westen. Deze bom werd spoedig gevolgd door een aantal andere, tot men ook over een waterstofbom beschikte en nog later over een satelliet waarmee China de lange achterstand aardig had ingelopen.

HOOFDSTUK 120

STRIJD OM DE MACHT

Het einde van de jaren zestig kenmerkte zich door woelingen in het partijapparaat. Een nieuwe machtige figuur trad naar voren, Lin Piao, die door Mau Tse-toeng als zijn opvolger werd gezien, een soort kroonprins. De relaties met het buitenland werden steeds slechter, ook de oorlog in Vietnam droeg daartoe bij. China had nu moeilijkheden met indonesië - waar Suharto aan het bewind kwam -, met Cuba, Latijns Amerika, diverse Afrikaanse landen en natuurlijk met Rusland. In 1965 had het merkwaardige voorval plaats dat Mau eerst in retraite ging gedurende ruim een half jaar, om daarna in volle glorie weer te verschijnen om zijn befaamde zwempartij in de Yangtse te houden, waarbij hij in 65 minuten 14 km zou hebben gezwommen volgens de officiële bekendmaking. Foto's van Mau's boven water dobberende hoofd moesten dit heldenfeit 'bewijzen.' Eveneens in 1965 viel de zorgvuldig van tevoren georganiseerde Culturele Revolutie die voorbestemd was om China jaren achteruit te zetten op het gebied van economie en kennis.
De Culturele Revolutie was bedoeld om een nieuwe generatie jonge Chinezen die van de échte revolutie nooit iets gemerkt hadden opnieuw op de tenen te zetten en te houden. Slechts de absolute ideologie mocht nog regeren. Intellectuelen en kunstenaars moesten teruggebracht worden tot het laagste niveau. De Rode Garde, gevormd door studenten en scholieren, kreeg een macht die China duur kwam te staan en oefende vaak grote terreur uit. De scholen kwamen leeg te staan en de Rode Garde legde wijd en zijd het volk zijn wil op.
Het was tenslotte Tsjou En-lai die met zijn gezond verstand inzag dat het zo niet langer ging. De Rode Garde kreeg opdracht terug te keren naar huis en hof. De scholen gingen weer open maar men bleef nog heel lang met enorme problemen zitten. Zoals vaak in dergelijke omstandigheden voorkomt werd er een zondebok gezocht en gevonden: Lioe Sjau-Tsj'i, die in iedere officiële publikatie werd uitgescholden en van alle mogelijke misdaden bschuldigd terwijl het trio Mau-Tsjou-Lin Piau de macht bezat. Naarmate de Culturele Revolutie een strijd om de macht werd in de top van de regering begon deze aan kracht in te boeten om tien jaar later volkomen te worden afgewezen, toen China aan het einde der jaren zeventig koos voor een vrijere opstelling tegenover de rest van de wereld.
In 1969 begon die teruggang al merkbaar te worden. De cultus van Mau nam af naarmate die van Tsjou En-lai steeds belangrijker werd. Tsjou had altijd het gevaar van de Culturele Revolutie onderkend en de schade die deze op ieder gebied aanrichtte als een schrikbarend iets ervaren. Hij begon met het openen van niet minder dan 51 ambassades en reeds in februari van dat jaar werden er behoedzaam besprekingen ondernomen over de mogelijkheid om president Nixon in China te ontvangen. Wat een dergelijk bezoek van China's oorspronkelijke aartsvijand, de president van het land dat alles was wat de Volksrepubliek afwees, betekende voor een nieuw te volgen politiek kan men zich nauwelijks voorstellen. Het propaganda-apparaat zou op volle toeren moeten draaien om iets dergelijks voor het volk ook maar enigszins acceptabel te maken.
Nederland maakte nog een slechte beurt in China toen het hoofd van de diplomatieke missie in Den Haag, Liau Ho-sjoen in januari naar de Verenigde Staten vluchtte, hetgeen heel wat moeilijkheden veroorzaakte.

HOOFDSTUK 121

HET PINGPONG-JAAR

Toen in 1970 van beneden af de eerste zuiveringsacties in de regering begonnen werd het duidelijk dat er in China iets aan het veranderen was. Maar er gebeurde meer. China schoot de eerste satelliet af en bleek daarmee behoorlijk gevorderd te zijn op de weg van de techniek. De terugkeer van jonge mensen naar het platteland om zich daar nuttig te maken, wekte echter de nodige onrust. Hadden ze dáárvoor gestudeerd? De regering beweerde dat het erom begonnen was het volk weer oorlogsbewust te maken - de wereldrevolutie was nog altijd het heilige doel van het Chinese communisme - maar tallozen namen de gelegenheid waar om naar Hongkong te vluchten. De regering beantwoordde deze massale vlucht met zware straffen die echter betrekkelijk weinig effect hadden. Hongkong blééf - en blijft nog altijd - lokken vanwege de vrijheid die men daar hoopt te vinden.

China's bevolking was in de laatste tien jaar schrikbarend gegroeid tot 827 miljoen en dit deed de regering eens overpeinzen of het vroeger gepropageerde grote gezin nog steeds zo'n gelukkige oplossing was om een staat vooruit te helpen. Men begon langzaam aan maatregelen hiertegen te treffen: een verhoogde leeftijd om te trouwen, een klein gezin, goede geboortenbeperking met een paar flinke stokken achter de deur voor wie niet meedeed.

China's kansen om eens in de Verenigde Naties te worden opgenomen leken beter te worden toen bij een verkiezing bleek dat er bij de VN 51 stemmen voor waren en 49 tegen met 25 onthoudingen, maar men verklaarde de meerderheid toch nog te gering voor een dergelijke drastische stap. Een tweederde meerderheid werd vereist.

Ondanks het feit dat de hoopvolle besprekingen met Amerika op 20 januari werden afgebroken, kregen de gematigde leiders in China toch steeds meer hun zin bij het zoeken naar meer normale condities. Tsjou En-lai bleef de grote man en de beroemde pingpongwedstrijden Amerika-China - China won - beloofden wat voor de toekomst, al werd de betekenis ervan in het Westen zeer sterk overdreven. Er bleken weer de nodige spanningen in de regering te zijn toen de beroemde parade op 1 oktober, een jaarlijkse gebeurtenis en van de grootste betekenis voor het volk, ineens niet zou doorgaan.

Was Mau Tse-toeng ziek zoals al zo lang werd beweerd? Of was 'kroonprins' Lin Piau ziek, die men na juni nooit meer in het publiek had zien verschijnen? De regering verklaarde plechtig dat Mau zo gezond was als een vis. Over Lin werd met geen woord gerept. Boze vermoedens werden sterker toen Mau op 8 oktober ineens weer in het publiek verscheen zonder Lin. Kort daarna werd het geheim door de regering onthuld: Lin zou drie maal gepoogd hebben een aanslag te doen op het leven van Mau. Hij was na het bekend worden hiervan met zijn vrouw en een aantal vrienden per vliegtuig gevlucht en werd bij die gelegenheid neergeschoten boven Mongolië. En dat was het einde van de 'kroonprins' over wie niet meer gesproken mocht worden. Het recht had duidelijk gezegevierd!

Ruzies binnen de partij bleven schering en inslag terwijl toch steeds meer gematigde elementen hun intrede deden. Kissinger kwam als afgezant naar China en tastte de toestand voorzichtig af. En wat bleek een van de beste gevolgen van de Viëtnamese oorlog? Dat China zich bij Amerika aansloot tegen de slechte Russen die zich met Viëtnam bemoeiden!

HOOFDSTUK 122

MAU TSE-TOENG GLIJDT WEG...

Met het bezoek van de in China nog altijd zeer geziene president Nixon brak er een nieuwe tijd aan die echter nog niet direct helemaal zichtbaar werd. Maar in de binnen- en buitenlandse politiek bleek een verschuiving te komen van een dogmatische, dat wil zeggen zeer starre houding naar een meer pragmatische. De ruzie met de Sovjetunie bleef weliswaar voortbestaan, maar de verhouding met het westen begon aanzienlijk te verbeteren. En een nieuwe grote man trad naar voren, Yeh Tsjeng-ying die een medewerker was van de nog altijd zeer machtige Tsjou En-lai. Hij werd minister van defensie, zij het met de opdracht om de enorme macht van het leger te gaan intomen.

Een nieuwe campagne werd op de bevolking losgelaten: er zouden talloze oudere topambtenaren en bovenal technici gerehabiliteerd worden die tijdens de Culturele Revolutie tot de meest verguisde bandieten werden gerekend en dus geruisloos verdwenen waren. Nu kwamen ze weer voor de dag want China had hen broodnodig.

Een ander belangrijk punt dat wees op nieuwe inzichten was het weer in de handel brengen van een groot aantal verboden boeken die in de ogen van de Rode Garde en hun aanhangers zo 'bourgeois' waren dat het een misdaad was om die te lezen. Een ander verheugend feit was dat er weer *comics* op de markt verschenen wat vooral de jeugd veel plezier bezorgde. Vreemde talen mochten weer worden onderwezen en geleerd. En ook mochten er weer bonussen en premies worden geschonken aan hen die het verdienden omdat ze harder werkten dan wie ook.

Daarnaast waren er voor China onaangename toestanden door misoogsten die de distributie van levensmiddelen weer stringenter maakten. De industrie ging vooruit maar er waren grote voedseltekorten die men in de toekomst echter zou kunnen lenigen door importen van granen en rijst uit het buitenland, zoals reeds in 1972 was gebeurd toen er voor het eerst een zending van 300.000 ton buitenlands graan was aangekomen.

Niet alleen buitenlandse staatshoofden begonnen China te bezoeken zoals de Franse president Pompidou, maar er zouden ook Chinezen naar het buitenland mogen. Het ging hier uiteraard om zéér geselecteerde figuren, maar toch werd het niet minder dan 230 groepen vergund in de loop van 1973 naar het buitenland te gaan, meestal voor studie.

Het was duidelijk dat het Tsjou ernst was met een vreedzame coëxistentie naast staten die vroeger als de ergste vijanden van China golden, dat wil zeggen het Westen. Eén ding viel echter tegen: Kissinger weigerde categorisch om te breken met de officiële erkenning van Nationalistisch China. Hij liet duidelijk weten dat hierover niet te praten viel, evenmin als over het staken van wapenleveranties en de Amerikaanse troepen op Taiwan.

Een nieuwe mode deed zijn intrede, het 'kritiseren' van wat men als vijanden van het volk beschouwde. De kritiek had plaats op de lagere scholen maar ook op de universiteiten en begon langzamerhand tamelijk belachelijke vormen aan te nemen door het steeds weer herkauwen van op- en aanmerkingen op staatsvijand nummer één, de voormalige 'kroonprins' Lin Piau, die zelfs na zijn dood 'gevaarlijk' werd geacht en beschouwd werd als de man die verantwoordelijk was voor alle moeilijkheden die China niet bespaard bleven. Een tweede afkeurenswaardige figuur werd Confucius, wiens leerstellingen hevig werden aangevallen.

Tsjou En-lai, die ernstig ziek was - naar beweerd werd had hij een hartaanval gehad - werd ook al het slachtoffer van kritiek, die ditmaal van Mau zelf zou uitgaan. Duidelijk tekende zich binnen de partij de nimmer aflatende strijd om de macht af toen Teng H'siau-ping, tijdens de Culturele Revolutie boze-man-nummer-één, ineens naar voren trad en op slag een 'goede man' werd. En zelfs de macht van de belangrijkste man van China, Mau, die dit nieuwe Rijk van het Midden gesticht had, begon duidelijk te tanen en zijn prestige daalde snel, een zeker teken dat de regering zich bezon op het bewandelen van nieuwe wegen. Voor iedereen werd een nieuwe ideologische campagne afgekondigd die het land moest bevrijden van 'revisionisme en kapitalisme', terwijl er ook een nieuwe grondwet kwam. Aan de cultus van Mau moest een einde komen. Zijn ideeën waarop tenslotte het hele bestaan van China gegrondvest was, bleven het 'spirituele baken' voor de revolutie, maar de partij zou voortaan boven alles staan. De nieuwe grondwet was de kortste die ooit werd samengesteld. Hij telde niet meer dan 4500 woorden, verdeeld over 30 artikelen! En als vice-president van de almachtige partij werd de eens zo verguisde Teng nu de bijna machtigste man van China want Tsjou bleek veel zieker dan men gedacht had, al was en bleef hij in China geweldig populair.

HOOFDSTUK 123

MOEILIJKE TIJDEN

Nieuwe gedachten en opvattingen of niet, China blééf tobben met grote moeilijkheden want met de economie was het weer eens helemaal mis. De oogsten bleven ver bij de verwachtingen achter door het bar slechte weer dat jaren achtereen aanhield. De landbouw had nog altijd prioriteit boven alles en moest de leidende factor zijn in de economische ontwikkeling van het land. De tijd was (voorlopig) voorgoed voorbij dat simpele boeren en boerinnen alle mogelijke 'uitvindingen' deden en ervaringen uitwisselden om de landbouw te verbeteren. Men had het nu wel begrepen. China was in technologisch opzicht hopeloos achter bij andere landen en zeker de landbouw moest gemechaniseerd worden met machines waaraan een hopeloos te kort was. Eén industrie ging echter best, de produktie van olie. China kon het zich zelfs permitteren om te exporteren naar Japan, waarmee men eindelijk normale relaties had aangeknoopt, naar de Philippijnen en naar Thailand.
Onder de arbeiders begon het echter te rommelen. Nog altijd waren de lonen beneden peil en moest men werken onder omstandigheden die men in deze technologische tijd onbestaanbaar zou achten. In de industriestad Hangtsjau barstte de bom. Daar staakten de arbeiders in alle fabrieken en eisten hogere lonen en betere arbeidsvoorwaarden en -omstandigheden, een tot nu toe onbestaanbaar geacht iets.
In 1976 stierven de twee grote mannen van China, in januari Tsjou En-lai die 78 werd, in september Mau Tse-toeng die 82 jaar oud werd. Iedereen verwachtte dat de nu zo machtige Teng de opvolger van Tsjou zou worden maar dat gebeurde wonderlijk genoeg niet. Om een of andere duistere reden verdween Teng van het toneel en een nieuwe figuur trad te voorschijn,

de landbouwkundige Hoea Kwo-feng. Was hij verantwoordelijk voor het verdwijnen van Teng? Het was een openbaar bekend feit dat Teng en hij zoniet vijanden dan toch allesbehalve vrienden waren. Hoea kreeg alle titels van Mau Tse-toeng en zat daarmee hoog te paard.
De reden van het verdwijnen van Teng en de opkomst van Hoea bleek later te liggen in het incident van het Tien An Men-plein. Op 3 april 1976 werden er op zeer opvallende wijze op China's belangrijkste plein grote kransen geplaatst ter ere van Tsjou. Aangezien deze demonstratie de regering rauw op het lijf viel werd het plaatsen van de kransen kort en goed verboden en toen het donker werd werden alle bloemenhuldes verwijderd.
Op 5 september viert China het feest van het schoonmaken der graven. Op Tien An Men had zich op die dag een ontzaglijke menigte verzameld die in verweer kwam tegen wat de regering had gedaan. Het publiek liet duidelijk merken wat men er van vond. Er klonken kreten als 'Weg met de Gele Keizer!' en 'Weg met de keizerin-weduwe!' In moderne taal omgezet betekende dit 'Weg met Mau Tse-toeng!' en 'Weg met Tsjang Tsjing!' Want mevrouw de weduwe Mau, een van de grootste uitdaagsters van de Culturele Revolutie, was bijzonder impopulair. Het werd daar op het immense plein een waar slagveld. Politie en militie traden op met 10.000 man en slaagden er pas laat in de avond in de woedende menigten te verdrijven. Men nam aan dat het hele schandaal rond Tjou's eredienst te wijten was aan Teng en dus vloog hij eruit. Hoea, die men nu beschouwde als de nieuwe 'kroonprins' van Mau, kwam in zijn plaats en regeerde vrijwel oppermachtig tot de dag van vandaag, overigens met naast hem opnieuw Teng!
Het was nu wel duidelijk dat de dood van China's twee belangrijkste mannen een ramp was. De gematigden hadden in Tsjou hun grootste medestander verloren, de radicalen in Mau de hunne. En weer moest de machtsstrijd uitgevochten worden.

HOOFSTUK 124

HET ROER WORDT WEER GEWEND

De twee verschrikkelijke aardbevingen die China teisterden in juli en augustus maakten het rampjaar 1976 vol. De grote industriestad T'ang-sjan ging bijna helemaal plat terwijl Peking en Tientsin zwaar beschadigd werden. Op de bekende communistische manier werd het nieuws pas veel later vrijgegeven nadat men zich had bezonnen op wat er wel en wat er niet geblubliceerd mocht worden.
Toen de maand rouw voor Mau voorbij was verschenen er ineens grote posters die hem in alle toonaarden prezen. Posters zijn een algemeen en grif gebruikt middel om het publiek bekend te maken met regeringsbesluiten die op deze wijze een Chinese vorm van 'spontaniteit' krijgen. Er verschenen kort daarna ook posters tegen de weduwe Mau en ineens wist iedereen wie de Bende van Vier was, het nieuwe onderwerp van 'kritiek'. De Bende van Vier, die zo ultra-links was dat men hen nu ultra-rechts noemt, vormde de sterke kern van de Culturele Revolutie en bleek nog steeds een machtig groepje, want al wilde de regering China zachtjes aan moderniseren, deze vooral in Sjanghai sterke groep dacht daar anders over.

Yau Wen-yoean, Wang Hoeng-wen, Tsjang Tsj'un-tsj'iau en mevrouw Mau vormdem samen de Bende van Vier voor wie geen straf erg genoeg kon zijn. Ze hadden van hun machtspositie in het Politbureau danig misbruik gemaakt.
De grote moeilijkheid was wie China moest leiden naar een nieuwe toekomst met talloze modernisaties. Het volk telde nu niet minder dan 960 miljoen zielen en deze mensen mochten een beter leven eisen dan tot nu toe de doorsnee Chinees beschoren was. Na de grote zuiveringen in het regeringsapparaat was de toestand wel verbeterd maar men was er nog lang niet. 'De geest moet geëmancipeerd worden,' verklaarde de regering en men ging aan het werk om massa's maatregelen in te voeren die men vroeger als halsmisdaden had beschouwd. Wie wilde studeren zou voortaan weer een toelatingsexamen moeten afleggen en voor hen die buitengewoon veel talent en intelligentie bezaten zouden er speciale scholen komen, waar zij snel en efficiënt zouden worden opgeleid tot de technici en wetenschappers die China zo pijnlijk miste. Er moest een open economie en handel met het buitenland komen. Men moest de hulp van vooral het Westen aanvaarden en bovenal hun kapitaalbelegging in China moest aantrekkelijk worden gemaakt want hoe kwam men anders aan moderne fabrieken?
En daar waren de posters al: er moet democratie komen; de Verenigde Staten zijn een bewonderenswaardig land, een prachtig voorbeeld voor China. Er werd verklaard dat ideologische en politieke studies wel goed maar beslist minder nuttig waren dan kennisnemen van wat de moderne technologie te bieden had. Mau blééf een grote figuur maar nu meer op geestelijk niveau. Einde 1978 kreeg China haar zin. Amerika en China erkenden elkaar officieel als bestaande staten en de Verenigde Staten braken op 1 januari 1979 met Nationalistisch China, hetgeen in de wereld nogal wat opzien en verontwaardiging veroorzaakte.
China ging open voor het buitenland. Men ontving er de eerste toeristen en de pers werd toegelaten om zelf kennis te maken met wat er in China gebeurde. Het leidde vaak tot komische of pijnlijke tonelen, vooral bij de toeristen. China moest bij Hongkong in de leer gaan om te weten hoe je met dergelijke wonderlijke figuren moet omspringen. Amerikaanse jongeren deden China kennismaken met vrije liefde, met panty's em moderne dansen. Dit werd echter kort en goed afgewezen als zijnde te gek om over te spreken. In China staat het burgermansfatsoen nog altijd recht overeind. Het vragen om rechten van de mens en een échte democratie, dat wil zeggen dat het volk regeert middels een parlement en niet met 'een stel oude heren' aan de top, kon ook geen genade vinden in de partijtop. Zij die dergelijke dwaze eisen stellen zullen moeten terechtstaan.
Een nieuw euvel heeft in het meer open komende China zijn intrede gedaan: de inflatie. Hoe China met Hoea voorop en de streberige Teng als derde man de toekomst onder de knie zal krijgen zal men moeten afwachten. Want de wereld is duidelijk behoedzamer geworden na de eerste euforie waarin China gouden kansen leek te bieden voor de hele wereld. Talloze projecten gaan niet door. Ten slotte is China ondanks een behoorlijke rijkdom aan kostbare grondstoffen nog altijd een wanhopig arm land met een zeer lage levensstandaard, al is die vergeleken met vroeger voor de Chinezen zeer hoog. En er zal nog heel wat water door de Gele Rivier moeten stromen eer het Rijk van het Midden weer een mate van macht en rijkdom zal bezitten zoals onder verschillende keizers het geval was.

CHRONOLOGIE

± 4000–2500 v.Chr.	Neolithicum
	Legendarische keizers:
	Sjen Noeng
	Hwang Ti
	Yau Sjoen
1994–1525 v.Chr.	*Sjia-dynastie*
	Stichter keizer Yoe
1525–1028 v.Chr.	*Sjang-dynastie*
1027–222 v.Chr.	*Tsjou-dynastie*
1027–± 900 v.Chr.	Vroeg-Tsjou
± 900–600 v.Chr.	Midden-Tsjou
± 600–256 v.Chr.	Laat-Tsjou
255–222 v.Chr.	Strijdende Staten
221–206 v.Chr.	*Tsj'in-dynastie*
221–210 v.Chr.	Sji Wang-ti
206 v.Chr.–220 na Chr.	*Han-dynastie*
206–?	Stichter keizer Lioe Pang
220–280	*Drie Koninkrijken*
220–265	Wei
221–263	Sjoe-Han
222–280	Toeng Woe
222–589	*Zes Dynastieën*
265–420	Tsj'in
386–598	Noordelijke en Zuidelijke Dynastieën
589–618	*Soei-dynastie*
618–907	*T'ang-dynastie*
619–626	Keizer Woe-ti
664–705	Keizerin Woe
713–756	Keizer Ming Hoeang
763	Tsjang-an geplunderd
845	Vervolgingen der boeddhisten
907–960	*Vijf Dynastieën*
± 950	Boekdrukkunst officieel toegepast

960–1279	*Soeng-dynastie*
960–1127	Noord-Soeng
970	Uitgifte eerste papiergeld
1127–1279	Zuid-Soeng
1155–1227	Djenghis Khan
1215	Mongolen veroveren Peking
1260–1294	Koeblai Khan
1276–1368	*Yuan-dynastie* (Mongolen)
1271	Reis van Marco Polo
1292–1293	Chinees-Javaanse oorlog
1368–1644	*Ming-dynastie*
1368–1398	Keizer Hoeng-woe
1399–1402	Keizer Hoeng-sji
1403–1424	Keizer Yoeng-lo
1403–1433	Chinese vloten bevaren de wereldzeeën van die tijd
1409	Peking wordt hoofdstad
1425	Keizer Hoeng-sji
1426–1435	Keizer Sjuan-te
1436–1449	Keizer Tsjeng-t'oeng
1450–1457	Keizer Tsj'ing-tai
1457–1464	Keizer T'ièn-sjoen
1465–1487	Keizer Tsj'eng-hoea
1488–1505	Keizer Hoeng-tsi
1506–1521	Keizer Tsjeng-te
1517	Portugezen verschijnen in Kanton
1522–1566	Keizer Tsjia-tsjing
± 1554	Portugezen in Macao
1567–1572	Keizer Loeng-tsj'ing
1573–1619	Keizer Wan-li
1601	Matteo Ricci in China
1620	Keizer T'ai-tsjeng
1621–1627	Keizer T'ièn-tsji
1624–1662	Hollanders op Formosa
1628–1643	Keizer Tsj'oeng-tsjeng
1628	Hongersnood in Sjensi, een der grootste van de hele wereldgeschiedenis
1643	Laatste Ming-keizer hangt zich op in Peking
1644–1912	*Tsj'ing-dynastie*
1644–1661	Keizer Sjoen-tsji
1644	Li Tze-tsj'eng neemt Peking in
1656	Hollands gezantschap in Peking
1662–1722	Keizer K'ang-sji

1720	Lhasa bezet
1723–1735	Keizer Yoeng-tsjeng
1736–1795	Keizer Tsj'ien-loeng
1772–1790	Verbranding der boeken
1796–1820	Keizer Tsjia-tsj'ing
1821–1850	Keizer Tau-kwang
1839–1842	Opium oorlog
1851–1861	Keizer Sjièn-feng
1851–1864	Tai-ping opstand
1860	Bezetting van Peking door de buitenlanders
1862–1875	Keizer T'oeng-tsje
1866–1925	Soen Yat-sen
1875–1908	Keizer Kwang-sju
1894–1895	Chinees-Japanse oorlog
1898	Hervormingen van K'ang You-wei
1900	Bokseropstand
1904–1905	Russisch-Japanse oorlog
1905	Ambtenarenexamens afgeschaft
1911	Revolutie
1912–1945	*Republiek*
1927	Regering vestigt zich in Nanking
1931	Stichting van Mansjoekwo
1934–1935	De 'Lange Mars'
1937	Incident bij de Marco Polobrug
1937–1945	Oorlog met Japan
1941	Bezetting van Hongkong
1945	Kapitulatie van Japan
1946–1949	Burgeroorlog
1949–heden	*Chinese Volksrepubliek*
1886–heden	Tsjang-Kai-sjek
1893–heden	Mau Tse-toeng
1949	Vestiging Nationalistisch China op het eiland Formosa
1964	China krijgt eerste atoombom
1965	China krijgt tweede atoombom
1965	Culturele Revolutie
1970	Zuiveringsacties; eerste satelliet de ruimte in; bezoeken buitenlandse staatshoofden
1976	Dood Mau Tse-toeng en Tsjou En-lai; Hoea Kwo-feng aan de macht
1978	Amerika en China erkennen elkaar officieel
1979	China gaat open voor het buitenland